JN057624

小児看護に必要な臨床技術を中心に

監修
山元 恵子
公益社団法人 東京都看護協会 会長

編著
佐々木 祥子
公益社団法人 東京都看護協会／
小児看護専門看護師

インターメディカ

まえがき

日本における人口予測は、2040年には1億人を割ってしまう見込みです。人口減少は国力の低下と繁栄に大きな影響を及ぼす要因です。なかでも出生数の減少が予想を上回る速度で進行していることは由々しき現状であり、この現実を直視することなく小児看護は語れないと考えています。

2021年の厚生労働省の人口動態統計の結果によると、2021年の出生数は「84万2,897人」で一向に改善の兆しはなく、2017年の94万6,146人からさらに約10万人も減少しました。合計特殊出生率も1.34と、2017年より0.18ポイントも低下しました。一方で、2021年の全人口の死亡数は戦後最多の「145万2,289人」となり、2017年確定数の134万567人から約11万人増えました。2025年の全人口の推定死亡数は150万人を超え、推定出生数は約半分の78万人、総人口も1億1,927万人と減少の一途を辿っています。

このまま人口減少が続くことにより、産業を支えている就労者人口（15歳から59歳）の割合が大きく減少し、国内の産業や暮らしにも大きな影響を与えることになります。特に一次産業（農家や漁師等）や製造業等の担い手やサービス業などの現場で働く日本人が少なく、外国からの労働者や学生により支えられている現状があります。一方、人生100年時代を迎え、医療・看護・介護の就労者の増加により、産業構造が崩れ、第一次・二次産業での就労者の獲得は一層の課題となっています。課題解決には、出生数を増やしていくことが最も重要です。

近年、国は厚生労働省の施策だった子育て支援を、国家的な政策として法制化を進め、以下のような対策を取りました。

- 子ども・子育て支援法の改正による幼児教育・保育の無償化
- 子育て安心プランおよび新子育て安心プランに基づく放課後指導クラブと放課後子ども教室の一体的推進
- 低所得者世帯に対する高等教育の就学支援の実施
- 児童虐待対策の強化のための児童福祉法の改正
- いじめ対策推進法による相談体制の整備
- コロナ禍での低所得世帯に対する5万円給付

特に、若い両親が安心して子育てができるように地域で支える「子育て世代包括支援センター」を全国に配置し、子育てを孤立させない施策を打ち出していますが、出生数の低下に歯止めはかからない状況です。

2021年6月には「医療的ケア児及びその家族に対する支援に関する法律」が成立しました。この法律の主旨は、恒常的に人工呼吸器や喀痰吸引、経管経腸栄養などの医療行為やケアを必要とする児童と家族が適切な支援が受けられるようにすることです。

今まで小児看護の現場では小さな命を助け、日常生活を営める支援やケアを家族に教育・指導し、医療的ケアが確実に実施できることを確認し、在宅に帰していました。今後はさらに「医療的ケア児とその家族」が社会の一員としての活動の一歩を踏み出せるように、幼稚園（保育園）で遊んだり、特別支援学校に通学して友達と勉強したりすることが可能となるように、学校での吸引や経管栄養が、家族ではなく、学校看護師の手で実施できるようになります。医療的ケア児のケアのために家族が離職せずに子育てできる社会の実現を目指すことは、日本の就労人口の減少の施策として、安心して子どもを生み育てることができる社会の実現につながります。

世界の動きでは、SDGs（持続可能な開発のための2030アジェンダ）の取り組みにおいて、「誰一人取り残さず、抜け落ちることがない支援」

が根底にあり、弱者や悲痛な現状を声として発することができない人々を対象にしています。この中には世界中の脆弱な子どもと家族が含まれ、一部の地域だけが取り残されることがないように支援することや、いつまでも支援の受け手として留まらず、自立に向けての活動を無駄なく、漏れなく継続できる社会の構築を目指していると推察されます。しかし、日本の社会には3つの壁があります。

1つ目は、困難を抱えている子どもや家庭の支援には様々な関係機関があり、児童虐待、いじめ、不登校などは教育関連、貧困と生活保護は区市町村の福祉関連、発達障害や医療的ケア児は医療関連と、分野や関係府省が「縦割り」のため情報共有が困難で課題も多いこと。

2つ目は、財源的に予算が年度ごとに決定されるため、事業を効率よく実施するために計画した事柄が、COVID-19のような緊急事態時には実施がずれ込み、計画通り進まない場合があること。予算の執行状況により、場合によっては次年度の財源が減額され、取り消されることもあります。「年度の壁」は人材の配置や財源の変更が伴うため事業の展開に大きな影響があります。

3つ目は、民法の改正により成人年齢が20歳から18歳となりましたが、それ以前に、児童養護施設では15歳で退所を求められるため、その後の子どもの進路を左右すること。児童福祉法や保護児童対策などは18歳未満で打ち切られるため、例えば中学生からの引きこもりがニート、さらにインターネット依存症になった場合への対策が求められるなど、思春期から壮年期まで非常に長く関わっていくことが必要です。「年齢の壁」によって支援が途絶え、抜け落ちることも生じます。様々な困難を多重に抱える子どもや家族には、切れ目なく包括的な支援が必要

小児看護領域の専門知識

1. 小児看護の機能と役割
2. 小児医療・看護の歴史と今後の展望
3. 子ども権利と看護
4. 母子保健医療福祉に関する法律と制度
5. 小児を取り巻く環境
   1)小児と家族
   2)小児と社会
   3)現代社会と小児の健康障害（環境汚染・事故・児童虐待・小児の生活習慣病・アレルギー・心身障害・心身症・不登校・AIDSなど）
6. 小児の特徴
   1)小児各期の特徴
   2)小児の成長・発達と評価
   3)小児期の発達課題と危機
   4)小児の人格形成
7. 健康障害をもった小児と家族の看護
   1)小児の疾患と治療
   2)小児各期の健康障害とその援助
   3)入院中の小児と家族への援助
   4)入院中の安全な環境の確保
   5)継続看護
   6)小児のターミナルケア
8. 小児看護に必要な看護技術
   1)観察
   2)コミュニケーション
   3)日常生活の援助
   4)身体の計測　5)安静
   6)移動・移送　7)安全
   8)与薬・注射(輸液・輸血を含む)
   9)採血・採尿
   10)腰椎・骨髄穿刺
   11)酸素療法　12)経管栄養
   13)吸引・吸入　14)気道の確保
9. 子どもと遊び

（日本看護協会：小児看護領域の看護業務基準，看護業務基準集 2007年改訂版より）

であることは周知の事実ですが、現状は大きな壁が立ちはだかっているといえるでしょう。

そして、以上の課題を解決する決定打として、ようやく2023年に「(仮称) 子ども家庭庁」が創設されることが決定しました。これまでの行政や財源の壁がなくなり、本来の子どもや家族の立場に立った必要な支援が、適時速やかに実現できる仕組みの構築を願っています。これまで以上に、不妊治療や妊娠・出産・子育て、そして子どもが成人に至るまで、困難を抱えた子どもと家族のために切れ目のない命、健康、教育、福祉が「子どもファースト」で実現できる社会の実現を期待します。

子どもと家族のあり方、親子の関係、地域の環境は、国境や人種を越えた支援、つまり国内であってもグローバルな視座の中での国際的な看護活動ができる人財の育成が今後さらに必要です。人類の文化の発展は、その時々の問題や課題に即応すべく、改善の積み重ねにより歴史を変えてきました。小児看護学においても、今こそ、社会の動向や求めに柔軟に対応し、保育・教育・福祉・地域との連携を深め、さらなる展開を遂げる必要があります。超少子超高齢時代の変化の中で、時代に即した小児看護学の存在意義として、すべての子どもとその家族が笑顔で健康的な成長を遂げるために、従来の病院での専門性に加え、より広範囲で切れ目のない看護の実践、なかでも、感染対策を含めた公衆衛生活動、災害支援、地域の包括支援の構築が重要です。

本書は、2007年の日本看護協会「小児看護領域の看護業務基準」を基に、時代に応じてより実用的なケアを追加しています。写真の大きさや配列に配慮し、経験のない学生さんが理解できることや、ケアや処置が連続してとらえられるようにWeb動画を繰り返し視聴しながら、本と併用し活用していただければ効果的であると考えています。また、看護学生や新人看護師のみならず、幼児教育や保育の学生さん、在宅で障害児をケアする訪問看護師・介護の皆様方にも活用していただいています。

今回の改訂では、皆様から寄せられたご意見をもとに、データや指標を新しくアップデートし、最新情報として、「医療的ケア児及びその家族の支援に関する法律」(2021年6月に成立) に基づき「医療的ケア児への在宅看護」をチャプターに追加し、日常のケアや幼稚園での様子、兄弟との関係なども写真で紹介いたしました。また、学生の皆さんからの要望により、本書に関わる小児看護領域で大切な知識を国家試験問題から抽出しました。今回の改訂を後押しし、さらなる小児看護の発展に向けてとご示唆下さいましたインターメディカの赤土正明社長、編集の柴田彩瑛さん、撮影スタッフの皆様に感謝いたします。また、今回医療的ケア児の撮影にご協力くださいましたご家族の方々、東京都看護協会立訪問看護ステーション城北事業所、練馬区立光が丘さくら幼稚園など、各職員の皆様には心から感謝いたします。そして、かつて撮影のモデルとして出演いただいたご息女が看護大学や医療関連に進んだとの連絡を受け、とてもうれしく、成長の早さを実感しています。これまでにご協力いただいたご子息・ご息女の成長を心より祈念するとともに、たくさんのご支援により本書がさらにバージョンアップできました。著者を代表し重ねて御礼申し上げます。

2022年5月吉日

公益社団法人 東京都看護協会 会長

山元 恵子

小児看護領域で特に留意すべき子どもの権利と必要な看護行為

〔説明と同意〕

①子どもは、その成長・発達の状況によって、自らの健康状態や行われている医療を理解することが難しい場合がある。しかし、子どもたちは、常に子どもの理解しうる言葉や方法を用いて、治療や看護に対する具体的な説明を受ける権利がある。

②子どもが受ける治療や看護は、基本的に親の責任においてなされる。しかし、子ども自身が理解・納得することが可能な年齢や発達状態であれば、治療や看護について判断する過程に子どもは参加する権利がある。

〔最小限の侵襲〕

①子どもが受ける治療や看護は、子どもにとって侵襲的な行為となることが多い。必要なことと認められたとしても子どもの心身にかかる侵襲を最小限にする努力をしなければならない。

〔プライバシーの保護〕

①いかなる子どもも、恣意的にプライバシーが干渉され又は名誉及び信用を脅かされない権利がある。

②子どもが医療行為を必要になった原因に対して、本人あるいは保護者の同意なしに、そのことを他者に知らせない。特に、保育園や学校など子どもが集団生活を営んでいるような場合は、本人や家族の意志を十分に配慮する必要がある。

③看護行為においてもおとなの場合と同様に、身体の露出を最低限にするなどの配慮が必要である。

〔抑制と拘束〕

①子どもは抑制や拘束をされることなく、安全に治療や看護を受ける権利がある。

②子どもの安全のために、一時的にやむを得ず身体の抑制などの拘束を行う場合は、子どもの理解の程度に応じて十分に説明する。あるいは、保護者に対しても十分に説明を行う。その拘束は、必要最小限にとどめ、子どもの状態に応じて抑制を取り除くよう努力をしなければならない。

〔意志の伝達〕

①子どもは、自分に関わりのあることについての意見の表明、表現の自由について権利がある。

②子どもが自らの意志を表現する自由を妨げない。子ども自身がそのもてる能力を発揮して、自己の意志を表現する場合、看護師はそれを注意深く聞き取り、観察し、可能な限りその要求に応えなければならない。

〔家族からの分離の禁止〕

①子どもは、いつでも家族と一緒にいる権利をもっている。看護師は、可能な限りそれを保証しなければならない。

②面会人、面会時間の制限、家族の付き添いについては、子どもと親の希望に応じて考慮されなければならない。

〔教育・遊びの機会の保証〕

①子どもは、その能力に応じて教育を受ける機会が保証される。

②幼い子どもは、遊びによってその能力を開発し、学習に繋げる機会が保証される。また、学童期にある子どもは、病状に応じた学習の機会が準備され活用されなければならない。

③子どもは多様な情報（テレビ、ラジオ、新聞、映画、図書など）に接する機会が保証される。

〔保護者の責任〕

①子どもは保護者からの適切な保護と援助を受ける権利がある。

②保護者がその子どもの状況に応じて適切な援助ができるように、看護師は支援しなければならない。

〔平等な医療を受ける〕

①子どもは、国民のひとりとして、平等な医療を受ける権利を持つ。親の経済状態、社会的身分などによって医療の内容が異なることがあってはならない。

②その子にとって必要な医療や看護が継続して受けられ、育成医療などの公的扶助が受けられるよう配慮されなければならない。

（日本看護協会：小児看護領域の看護業務基準. 看護業務基準集 2007年改訂版より）

新訂 第2版 写真でわかる
小児看護技術アドバンス CONTENTS
小児看護に必要な臨床技術を中心に

EDITORS/AUTHORS etc.

【監修】 山元 恵子 公益社団法人 東京都看護協会 会長

【編著】 佐々木 祥子 公益社団法人 東京都看護協会／小児看護専門看護師

【執筆】
山元 恵子 公益社団法人 東京都看護協会 会長
佐々木 祥子 公益社団法人 東京都看護協会／小児看護専門看護師
風間 敏子 元内藤病院 看護部長兼看護師長
小沼 貴子 東京北医療センター 小児病棟看護師長／小児救急看護認定看護師

【撮影協力】
島崎 純平 元東京北医療センター 小児病棟看護師
中川 理恵 元東京北医療センター 小児病棟看護師
鈴木 遼子 元東京北医療センター 小児病棟看護師
藤村 伊都子 元東京北医療センター 小児病棟看護師
北村 さやか 元東京北医療センター 医療保育士
村田 美代子 富山県立大学 看護学部 講師
若瀬 淳子 富山県立大学 看護学部 講師
和田 真弥 元東京ベイ・浦安市川医療センター 看護師
關 良充 東京北医療センター 医療安全管理部 患者サポート室
谷口 恵子 東京北医療センター 外来看護師長
佐藤 かほる 東京北医療センター 主任看護師
鶴田 朋子 元東京北医療センター 小児病棟看護師
橋本 かおり 元東京北医療センター 主任看護師
五十畑 恵子 元東京北医療センター 小児病棟看護師
北野 由香 元東京北医療センター 小児病棟看護師
佐藤 郁恵 元東京北医療センター 外来看護師
岩上 厚美 元東京北医療センター 外来看護師
京極 恵 元東京北医療センター 医療保育士
椿 乃里子 元東京北医療センター 医療保育士
南 沙苗 元東京北医療センター 医療保育士

【撮影協力】

大浦 市子
美礼奈ちゃん

千谷 里子
勇一郎くん

平野 寿恵
亜伊くん・末稀ちゃん

金子 真弓
姫之ちゃん

古川 朋子
莉名ちゃん・琉空くん・玲遠くん

佐藤 明恵
ほのかちゃん

須崎 澄子
聖くん・凱くん

稲垣 麻友子
颯太くん

越智 知子
わか乃ちゃん

芥川 友紀恵
心太郎くん

大西 亜実
希愛ちゃん・乃斗くん

阿保 敬子
凛人くん

細川 信康
優くん・響暉くん

勝田 貴代
麟太郎くん

髙林 菜津子
采未ちゃん

高橋 泰知
日葵くん

古田 康之
美礼ちゃん

青本 一恵
凛ちゃん

小林 藍
新くん

田村 千絵
隆翔くん・碧翔くん

蓮沼 萌
悠くん

樋脇 憂紀
歩武くん

坂井 真希子
美音ちゃん

【編集協力】高橋 亮　岩手医科大学看護学部 教授
香西 ひろみ　元東京ベイ・浦安市川医療センター

【撮影施設】東京北医療センター
さいたま看護専門学校／台東区立台東病院／富山福祉短期大学
練馬区立光が丘さくら幼稚園

【撮影協力企業】村中医療機器株式会社 金沢営業所／株式会社ジェイ・エム・エス
日本コヴィディエン株式会社／日本光電東京株式会社
株式会社 エム・ピー・アイ／日本メディカルネクスト株式会社

本書のWeb動画の特徴と視聴方法

Web配信動画でより使いやすく、学びやすく！

Web動画の特徴

- テキストのQRコードをスマートフォンやタブレット端末で読み込めば、リアルで鮮明な動画がいつでも、どこでも視聴できます。
- テキストの解説・写真・Web動画が連動することで、「読んで」「見て」「聴いて」、徹底理解！
- Web動画で、看護技術の流れやポイントが実践的に理解でき、臨床現場のイメージ化が図れます。
- 臨床の合間、通勤・通学時間、臨地実習の前後などでも活用いただけます。

本書の QR コードがついている
箇所の動画をご覧いただけます。

本文中の QR コードを読み取り
Web 動画を再生。
テキストと連動し、より実践的
な学習をサポートします！

採血時に

3-1

採血時には穿刺による痛みを伴うため、大きな苦痛となりうる。
恐怖心や緊張感を取り除くように工夫し、患児の反応を観察
しながら、理解度に応じた説明を行う。
患児が納得して処置に臨めるように援助することが必要である。

患児への説明

母親の同席のもと、採血の経験の有無やこれから行う処置について、患児の反応や理解度に応じて説明し、了解（同

Web動画の視聴方法

本書中のQRコードから、Web動画を読み込むことができます。
以下の手順でご視聴ください。

①スマートフォンやタブレット端末で、QRコード読み取り機能があるアプリを起動します。
②本書中のQRコードを読み取ります。
③動画再生画面が表示され、自動的に動画が再生されます。

URLからパソコン等で視聴する場合

QRコードのついた動画は、すべてインターメディカの特設ページからもご視聴いただけます。以下の手順でご視聴ください。

①以下URLから特設ページにアクセスし、下記のパスワードを入力してログインします。

http://www.intermedica.co.jp/video/2610
パスワード：u5igw6

※第三者へのパスワードの提供・開示は固く禁じます。

②動画一覧ページに移動後、サムネールの中から見たい動画をクリックして再生します。

閲覧環境

- iOS搭載のiPhone／iPadなど
- Android OS搭載のスマートフォン／タブレット端末
- パソコン（WindowsまたはMacintoshのいずれか）

・スマートフォン、タブレット端末のご利用に際しては、Wi-Fi環境などの高速で安定した通信環境をお勧めします。
・インターネット通信料はお客様のご負担となります。
動画のご利用状況により、パケット通信料が高額になる場合があります。パケット通信料につきましては、弊社では責任を負いかねますので、予めご了承ください。
・動画配信システムのメンテナンス等により、まれに正常にご視聴いただけない場合があります。その場合は、時間を変えてお試しください。また、インターネット通信が安定しない環境でも、動画が停止したり、乱れたりする場合がありますので、その場合は場所を変えてお試しください。
・動画視聴期限は、最終版の発行日から５年間を予定しています。なお、予期しない事情等により、視聴期間内でも配信を停止する場合がありますが、ご了承ください。

CHAPTER 1 観察

小児のバイタルサインの特徴

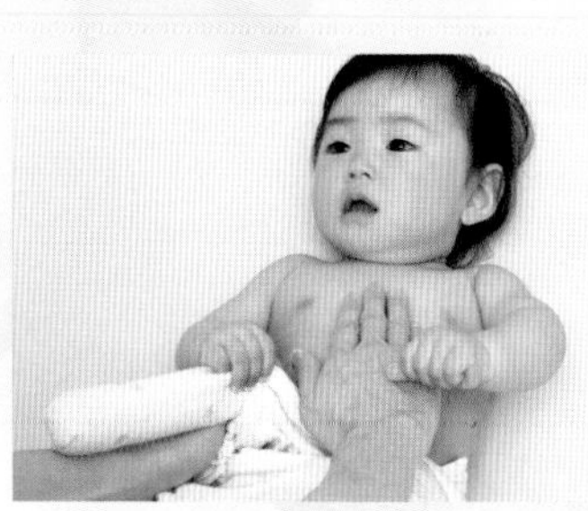

- 発達段階に応じた測定器具、測定方法、測定技術を選択する。
- 発達段階に合った正常値を把握することが必要である。
- 小児は言語機能が未発達であり、言葉での表現が不明確であるため、正確な観察が必要である。
- 成人より症状の進み方が速い。
- 環境や個人的条件によって変動しやすく、不安定。変動を注意深く観察することが、早期発見・早期対処につながる。

観察の種類

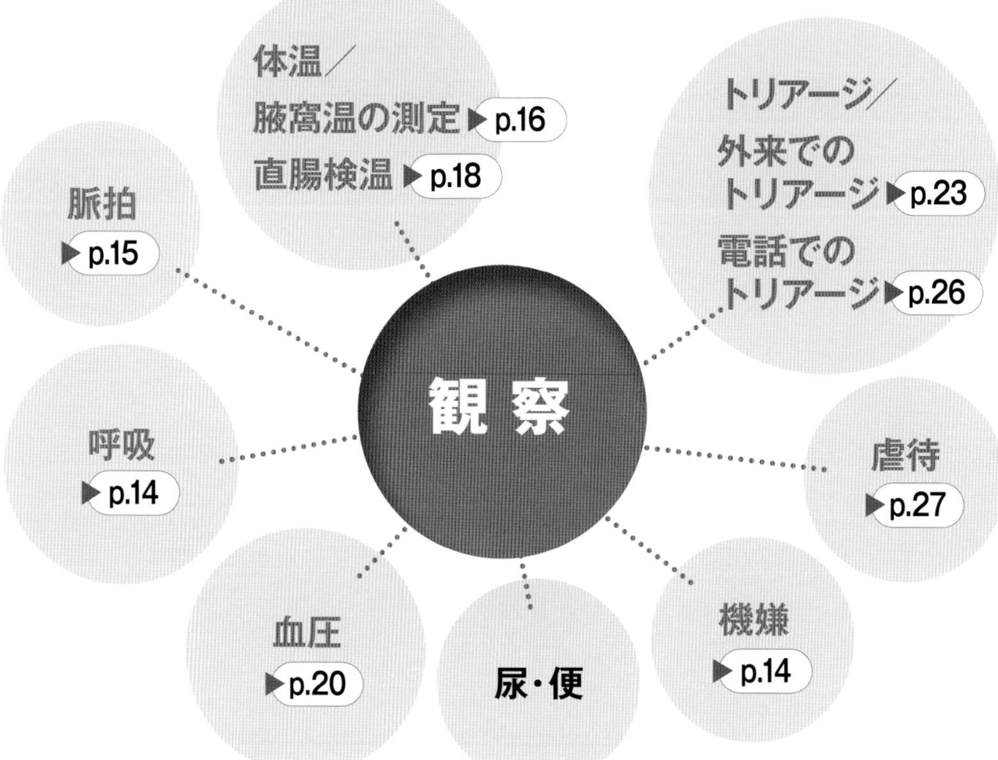

小児のバイタルサイン

小児のバイタルサインは、発達とともに変化する

小児の体温・脈拍・呼吸・血圧といったバイタルサインは、成人とは異なる特徴を持つ。発達段階に応じた小児のバイタルサインの特徴と正常値を知ることが大切である。

体温　成人と比較して高い

●小児の正常体温は成人と比較して高く、36.0～37.5℃である。6～10歳で成人と同等になる。ほぼ7歳以降から、生理的日内変動として、午後から夕方にかけて体温が0.5～1℃上昇する。

●**体温異常**：発熱・うつ熱（衣類などの枚数が多すぎ、環境温度が高すぎる）

脈拍　脈拍数が多く、成長とともに減少

●小児の脈拍数は成人より多く、成長とともに減少する。呼吸性の変動があり、睡眠時や安静時に著明である。

●興奮すると脈拍数が増加するため、睡眠時や安静時に測定。呼吸性の脈拍変動があるため、1分間測定する。

●新生児・乳児や心疾患がある小児、重症児では、聴診器で心拍数・心雑音を聴取する。

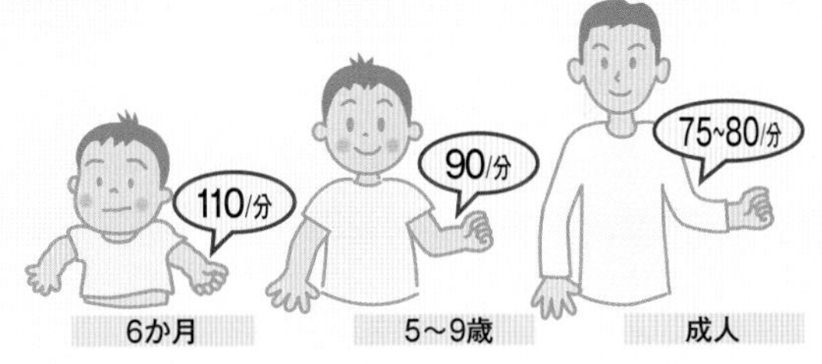

呼吸　腹式呼吸から胸腹式、胸式に移行

●呼吸回数・様式（パターン）は年齢によって変化がある。

●呼吸数は、胸腹部に軽く手を置いて、1分間の上下運動の回数を測定する。泣いたり、興奮状態であると正常値が得られないため、睡眠時・安静時に行う。また、聴診器を当てて呼吸音を聴く。

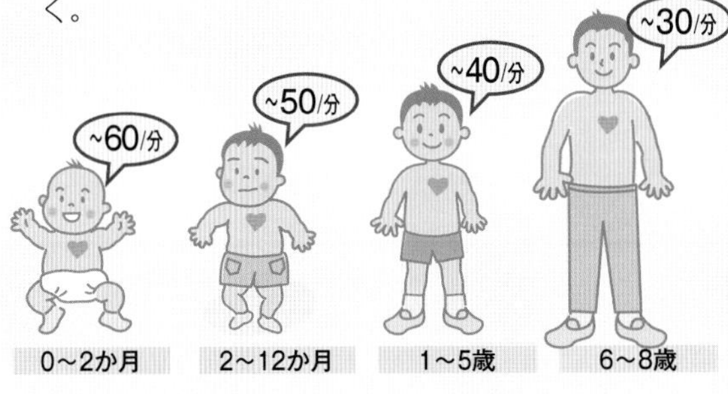

小児の呼吸法

乳児期	腹式呼吸	呼吸筋の発達が未熟、胸郭が軟弱
幼児期	胸腹式呼吸	呼吸筋が発達して胸式呼吸が加わる
学童期	胸式呼吸	成人の形態に近づく

覚醒時における小児の正常呼吸数の目安

年月齢	正常呼吸数
0～2か月	＜60/分
2～12か月	＜50/分
1～ 5歳	＜40/分
6～8歳	＜30/分

血圧　年齢とともに高くなり、生活因子の影響も受ける

●血圧は成長とともに変化し、年齢とともに高くなる。また、食事や運動、精神状態などの生活因子の影響を受ける。血圧は上下肢、左右肢で測定値が異なり、下肢は上肢より10～20mmHg高い。右は左より、やや高めに測定される。

●血圧測定用のマンシェットは年齢や体の大きさで選択し、上腕の2/3を覆うものにする。

急性影響因子	姿勢・運動・哺乳・食事・排便・入浴・環境温度・ストレス・機嫌・測定器具・測定技術
慢性影響因子	性別・年齢・肥満度・食塩過剰摂取・運動不足・家族性

バイタルサイン

患児は、症状を自分から的確に訴えることができない。
また、乳幼児は症状の変化が速いため、
体温・脈拍・呼吸・血圧などを注意深く観察し、
早期診断・治療に生かすことが大切である。

患児の表情・機嫌を観察し、バイタルサイン測定が可能であるかどうかを判断。測定は安静時・睡眠時に行う。患児と家族に、バイタルサイン測定の必要性を説明する。

❶ 体温計　❷ ストップウォッチ
❸ 血圧計　❹ アルコール綿
❺ パルスオキシメーター（必要時）

POINT

- 正常範囲を確認しておく。
- 運動・食事・入浴・啼泣直後の測定は避ける。
- まず、患児の表情・機嫌を観察する。

呼吸の観察

1-1

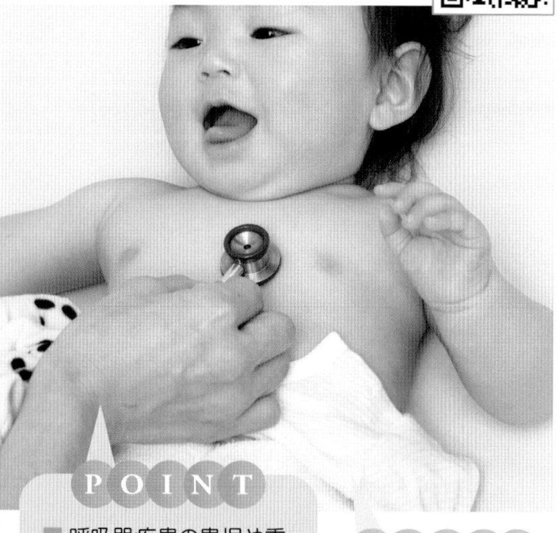

保温に留意する。測定者の手を患児の胸腹部に軽く当て、胸腹部の上下運動を観察して1分間、測定する。呼吸数・深さ・リズムを観察し、記録する。

POINT

- 啼泣・授乳・食事・入浴・運動直後は避ける。
- 学童児の場合、脈拍を測定しながら視診で呼吸数を測定するなど、測定に気づかないよう配慮する。

POINT

- 呼吸器疾患の患児や重症児は、聴診器で空気の入り、努力呼吸の有無、随伴症状（咳、痰、喘鳴、チアノーゼなど）の有無を観察。

EVIDENCE

- 啼泣・授乳・食事・入浴・運動や精神状態により、呼吸数は増加する。

脈拍の測定 1-2

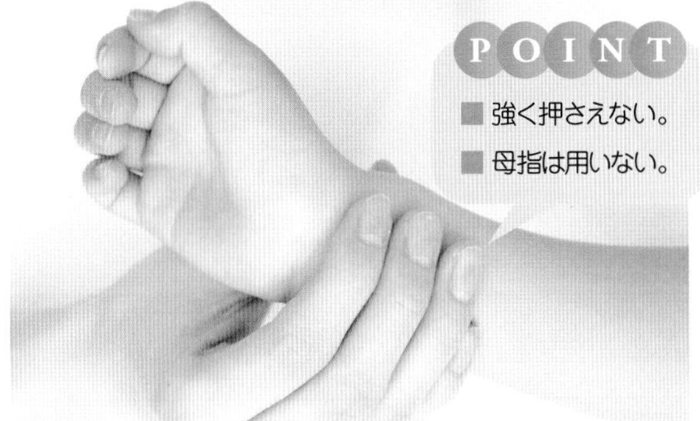

POINT
■ 強く押さえない。
■ 母指は用いない。

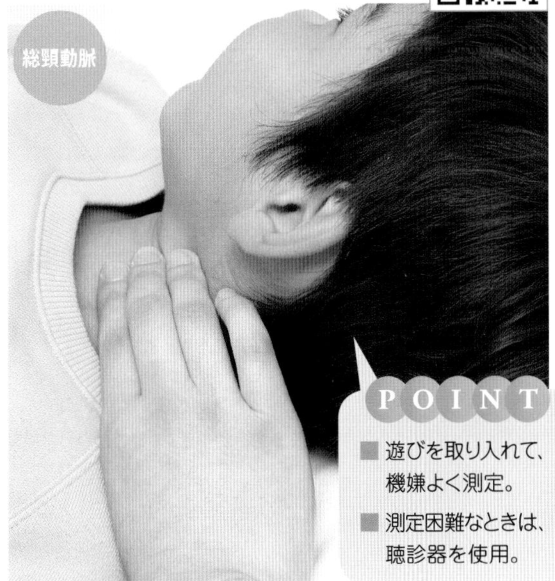

総頸動脈
POINT
■ 遊びを取り入れて、機嫌よく測定。
■ 測定困難なときは、聴診器を使用。

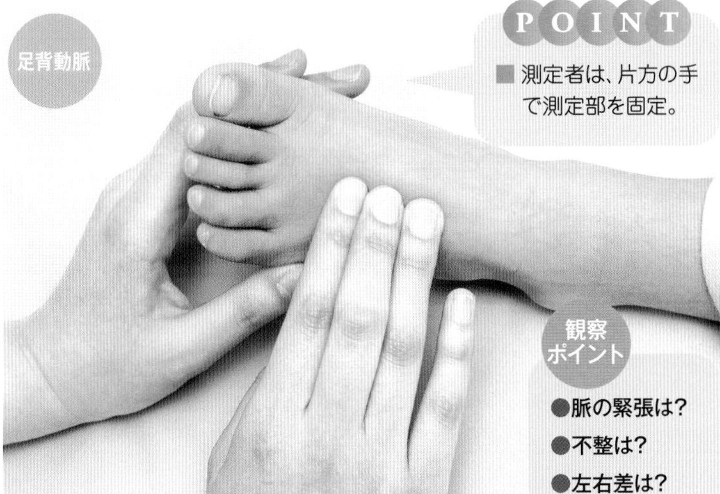

足背動脈
POINT
■ 測定者は、片方の手で測定部を固定。
観察ポイント
●脈の緊張は?
●不整は?
●左右差は?

測定部位を選択する。橈骨動脈・総頸動脈・足背動脈・浅側頭動脈・大腿動脈などが用いられる。
測定者は示指・中指・薬指の指腹を並べて患児の動脈に軽く当てる。
1分間測定し、脈拍数・脈の性状を観察、記録する。

EVIDENCE

- 啼泣・授乳・食事・入浴・運動や精神状態により脈拍は変動。
- 精神的に興奮すると心拍数が増加。

CHECK!

経皮的動脈血酸素飽和度測定：パルスオキシメーターによる測定

- パルスオキシメーターにより、経皮的に動脈血酸素飽和度を測定できる。
- 動脈血酸素飽和度の%表示（SpO_2）、脈拍数（♡）が表示される。
- データは、毛細血管を透過する赤色光と赤外光が、脈動周期中に吸光される変化分によって得られる。
- $SpO_2$95%以下は、観察が必要である。

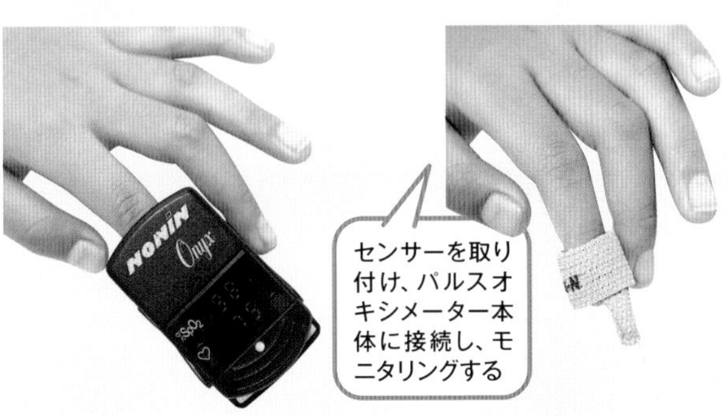

NONIN
Onyx
センサーを取り付け、パルスオキシメーター本体に接続し、モニタリングする

聴診器カバーを楽しく活用

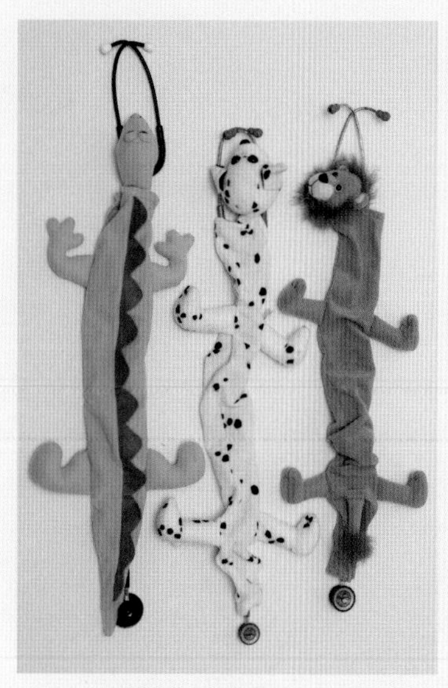

動物タイプの聴診器カバーが市販されている。聴診時に、患児の視線の先に動物の顔がくるようデザインされ、患児の興味を引く。啼泣せず、機嫌よく聴診ができるよう、おもちゃや聴診器カバーを活用したい。

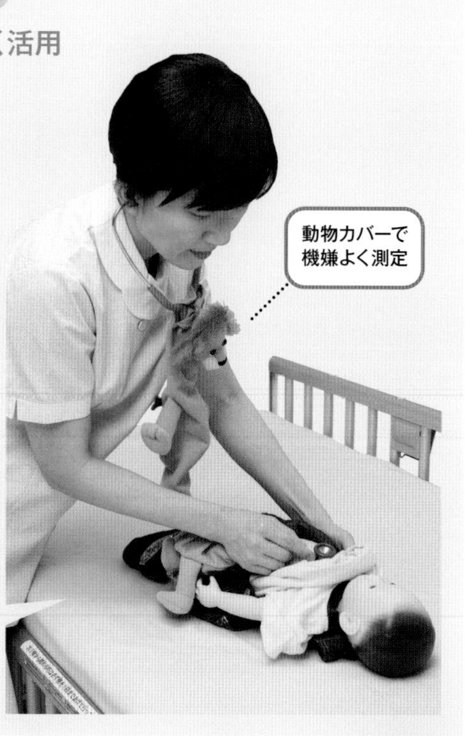

動物カバーで
機嫌よく測定

EVIDENCE

■ 患児が啼泣すると呼吸数が変動し、正確に測定できない。

腋窩温の測定

1-3

❶ 腋窩の発汗状態を確認する。湿っている場合はタオルで拭く。

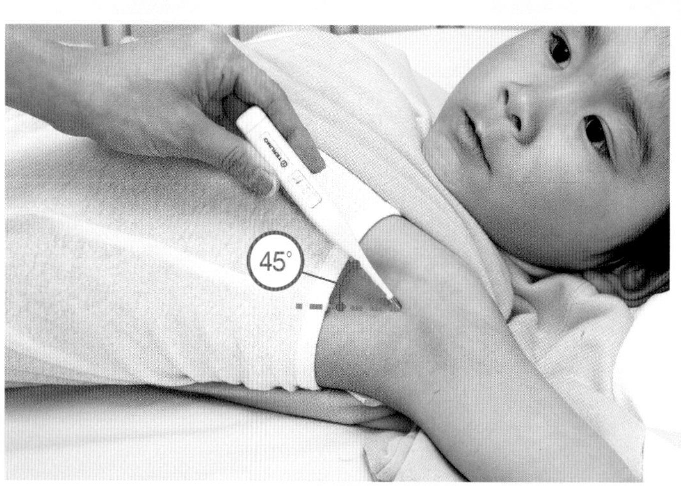

❷ 体温計をケースより出し、初期表示が88.8になっていることを確認する。体温計の先端が腋窩の最深部に対して45度で、密着するよう当てる。麻痺がある場合は健側で測定する。

POINT

■ 体温計の種類・環境・室温・測定時間など、測定条件を一定にする。

EVIDENCE

■ 汗があると皮膚に密着せず、気化熱により正確に測定できない。

■ 腋窩皮膚温は、最深部が最も高い。

■ 麻痺側は血液循環が悪く、温度が低い。

学童：仰臥位の場合

❸ 腕を体側につけ、体温計を腋窩に密着させて保持する。測定者は測定側の前腕部を押さえて固定する。

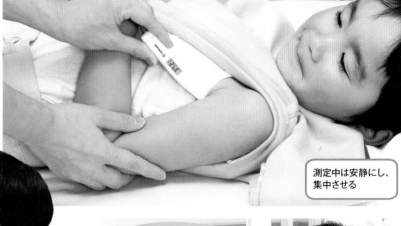

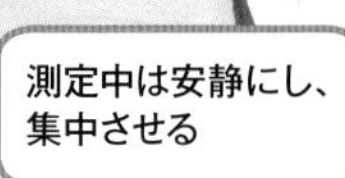

学童：座位の場合

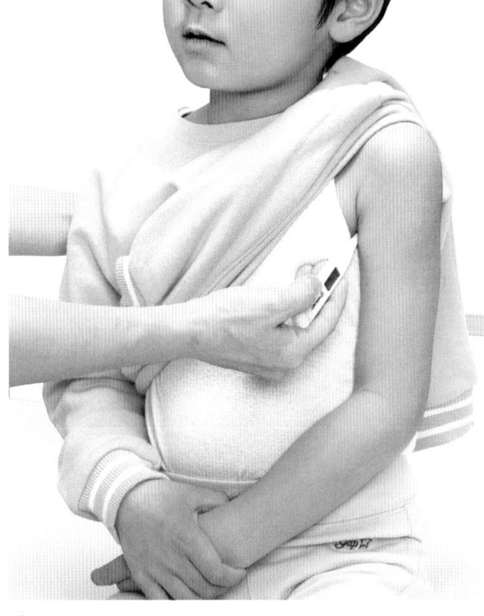

❸ 測定者が体温計を保持。患児は測定側の腕を体側につけ、反対側の腕で手首をつかんで固定する。

乳幼児の場合

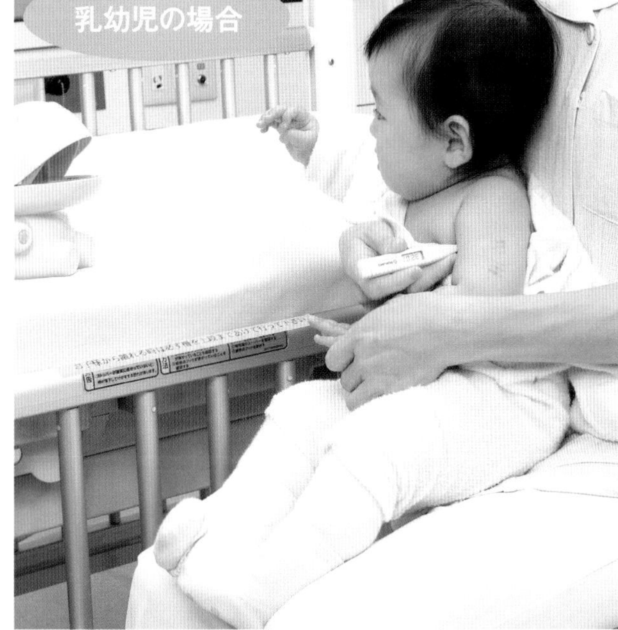

❸ 測定者は患児を膝に乗せ、片手で体温計を保持。もう片方の手で患児の手を抑制する。おもちゃなどであやし、機嫌よく測定できるようにする。

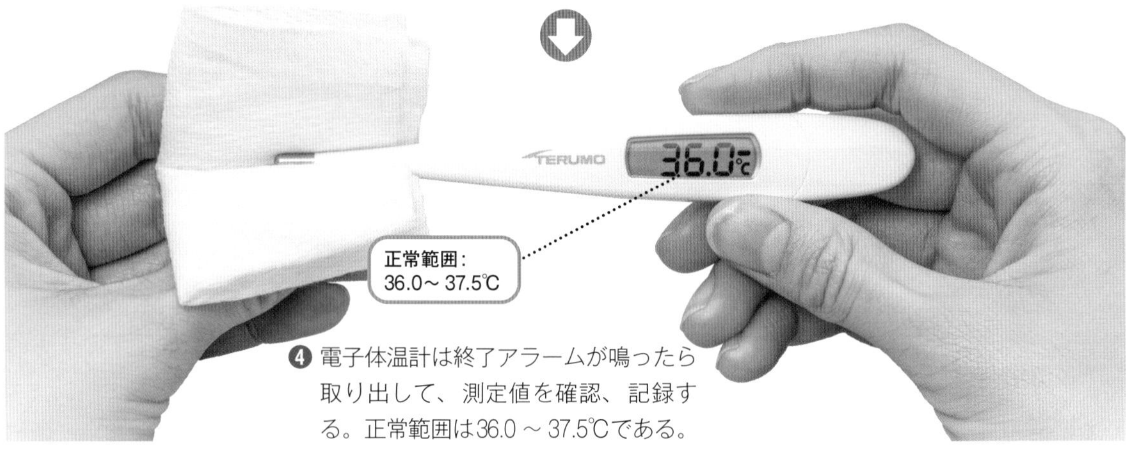

❹ 電子体温計は終了アラームが鳴ったら取り出して、測定値を確認、記録する。正常範囲は36.0～37.5℃である。

直腸検温

❶

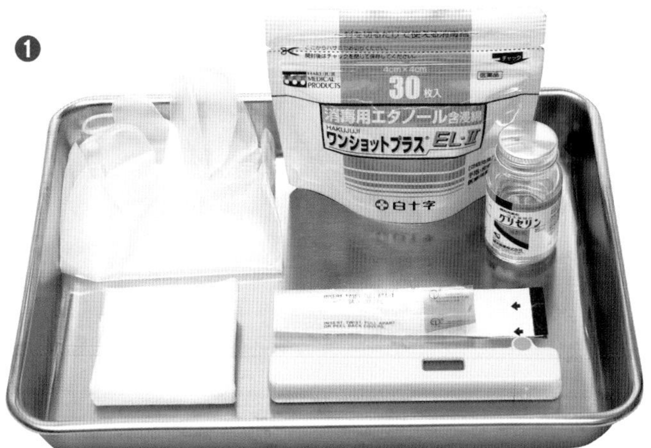

❶ 直腸検温は新生児・低体温児・熱中症、るいそうの著明な患児に適応となる。患児と家族に直腸検温を行うことを説明する。手洗いをし、必要物品を準備し、消毒済みであるか、破損はないか点検する。

❶ 体温計
❷ サック
❸ 手袋
❹ グリセリン
❺ ガーゼ
❻ アルコール綿

❷

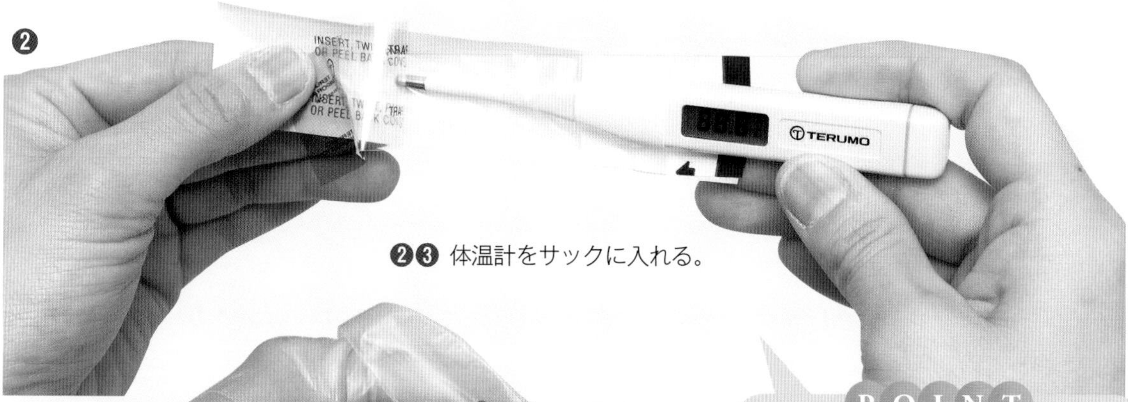

❷❸ 体温計をサックに入れる。

POINT

■ サックは先端まで挿入し、先端に角がなく、丸くなっていることを確認する。

❸

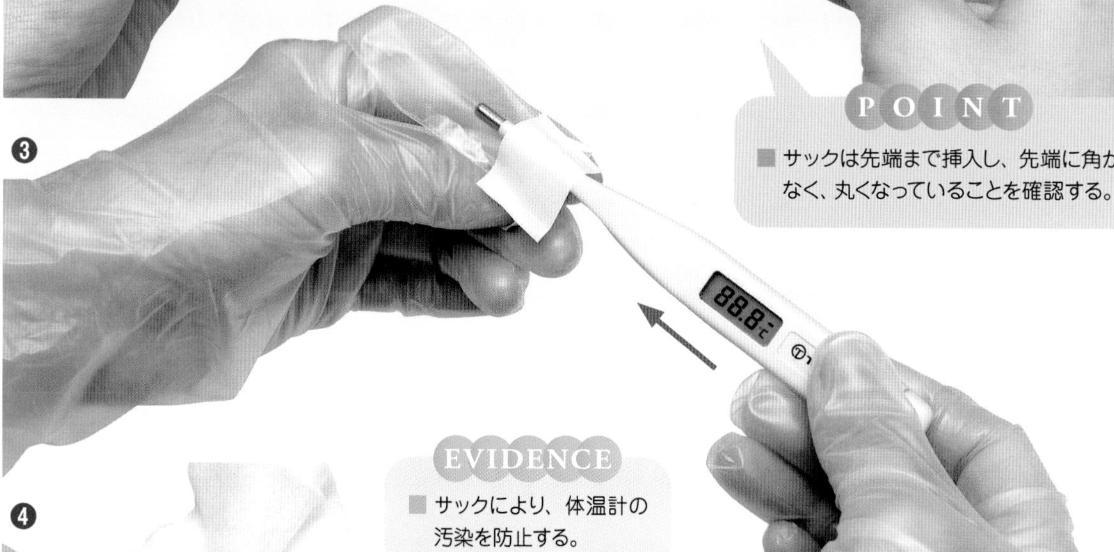

EVIDENCE

■ サックにより、体温計の汚染を防止する。

❹

❹ サックに入れた体温計の挿入部分にグリセリンをつける。

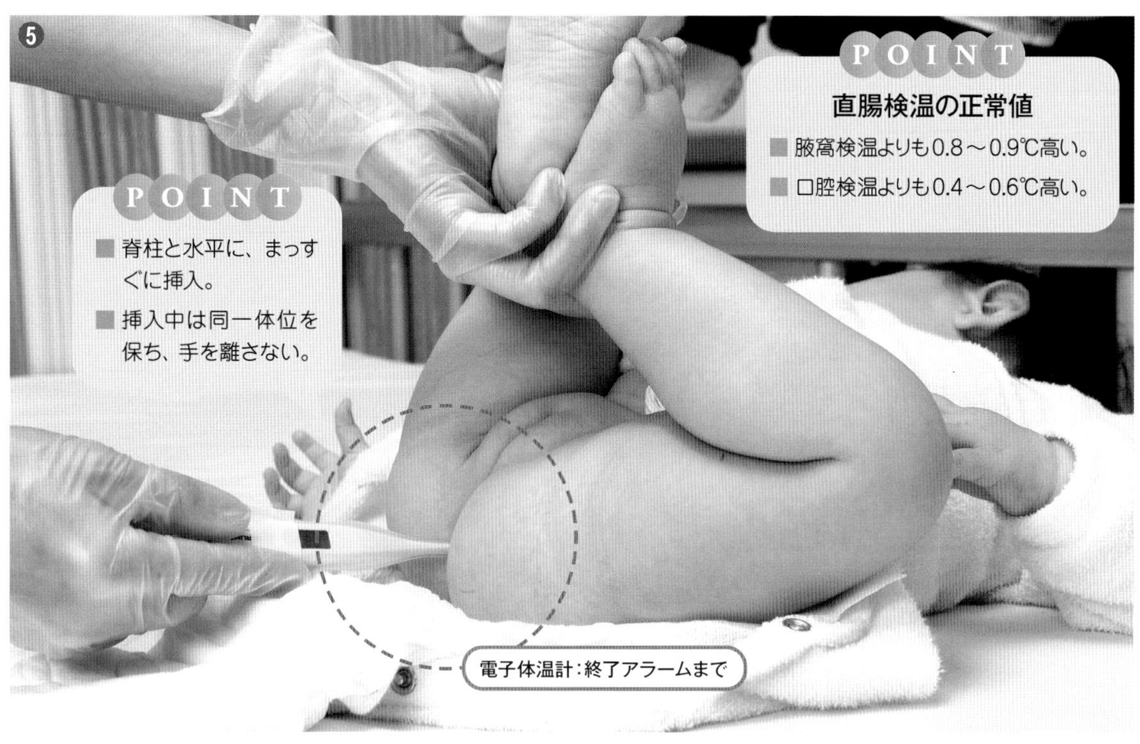

POINT
直腸検温の正常値
腋窩検温よりも0.8～0.9℃高い。
口腔検温よりも0.4～0.6℃高い。
POINT
脊柱と水平に、まっすぐに挿入。
挿入中は同一体位を保ち、手を離さない。
電子体温計：終了アラームまで

❺ 実施者は手袋を装着。体温計を肛門から3cmまで、ゆっくり挿入する。電子体温計は終了アラームが鳴ったら取り出して、測定値を確認、記録する。

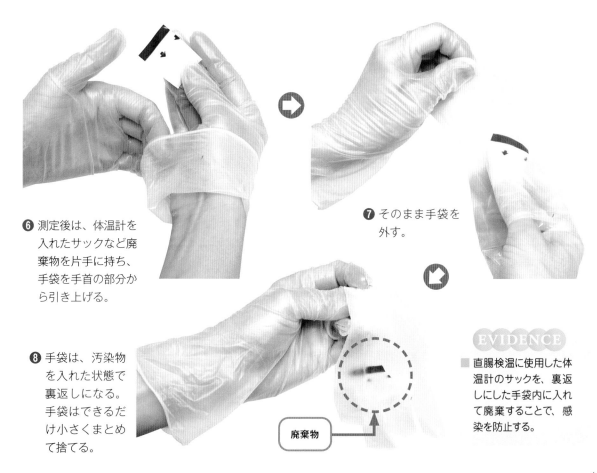

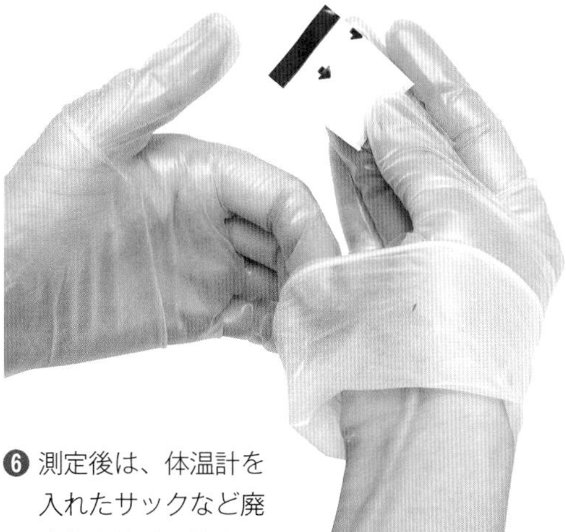

❻ 測定後は、体温計を入れたサックなど廃棄物を片手に持ち、手袋を手首の部分から引き上げる。

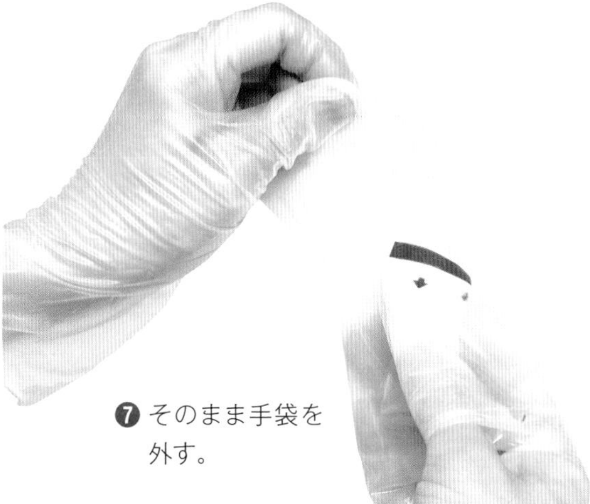

❼ そのまま手袋を外す。

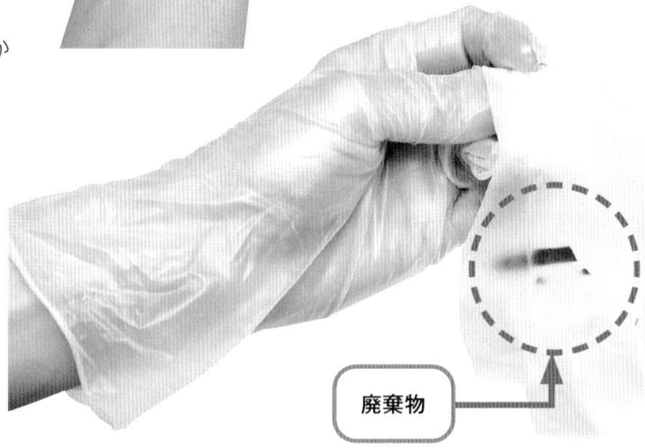

❽ 手袋は、汚染物を入れた状態で裏返しになる。手袋はできるだけ小さくまとめて捨てる。

廃棄物

EVIDENCE

■ 直腸検温に使用した体温計のサックを、裏返しにした手袋内に入れて廃棄することで、感染を防止する。

血圧測定

1-4

小児の血圧測定に用いられるマンシェットは、発達に応じてさまざまな幅・長さのものがある。

患児に合わせて、適したサイズのマンシェットを選択することが大切である。

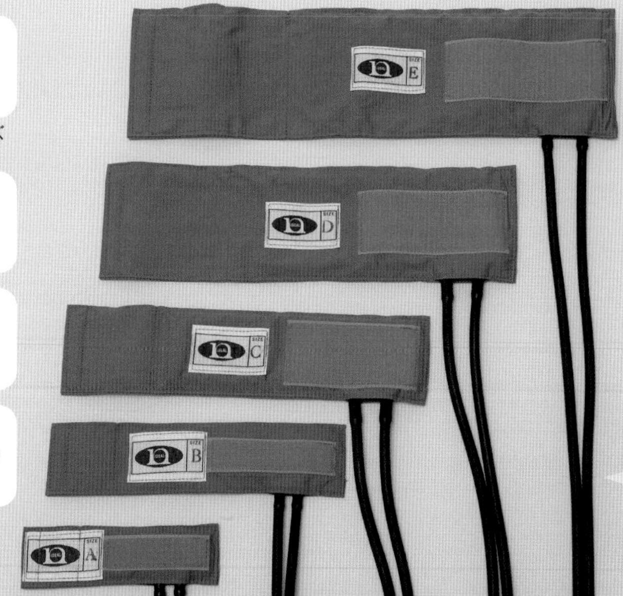

POINT

- 正確に測定するため、上腕の2/3を覆うサイズのマンシェットを選択。
- マンシェットの幅が上腕の2/3を越えると血圧が低く、2/3未満では血圧が高く測定される。

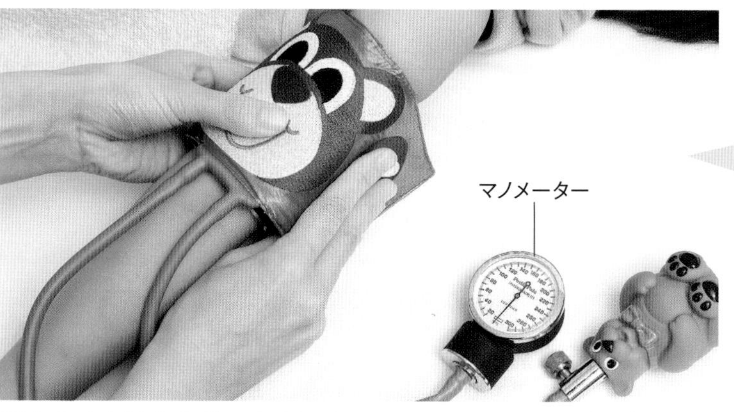

測定する上肢を心臓の高さにする。マンシェットのゴム嚢を上腕動脈の真上に当て、下縁が肘窩の2～3cm上になるように巻く。

POINT

- マンシェットは、指が1～2本入る程度に巻く。

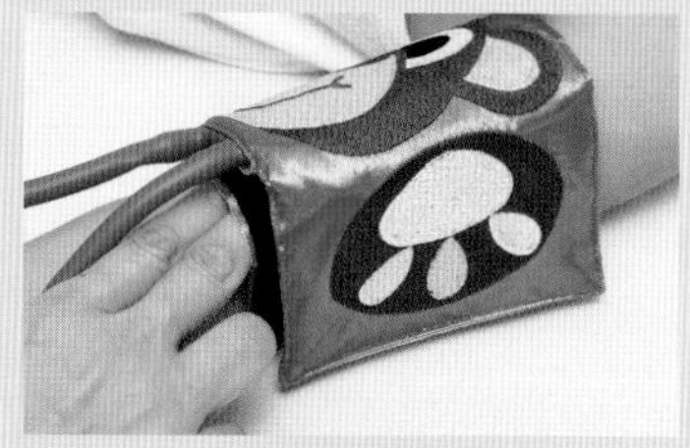

- マノメーターの目盛りが0点に合っていることを確認する。
- 点滴している患児の場合は、点滴していないほうの上腕で測定する。

聴診法の場合

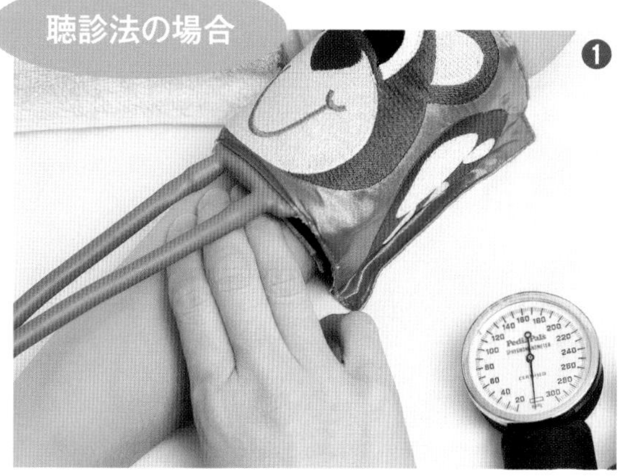

❶ 肘窩部に3指（示指・中指・薬指）を当て、動脈の拍動を触知する。

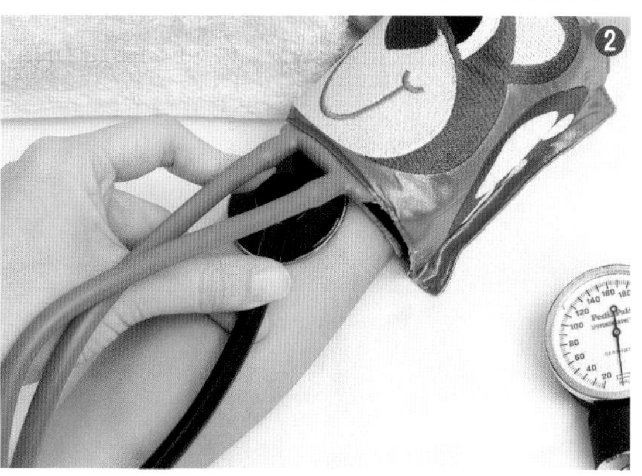

❷ 動脈の拍動を確かめた位置に、聴診器を当てる。

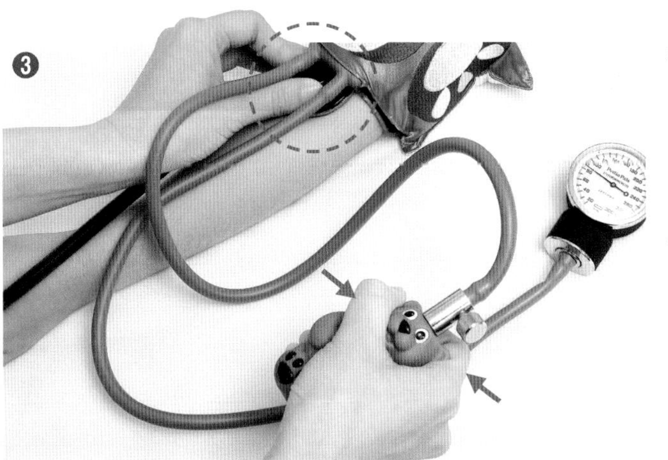

❸ 聴診器を当てたまま、送気球を押す。各年齢別の正常な血圧値、もしくは前回の測定値より15〜20mmHg高いところまで、マノメーターの目盛りが上がるよう送気する。

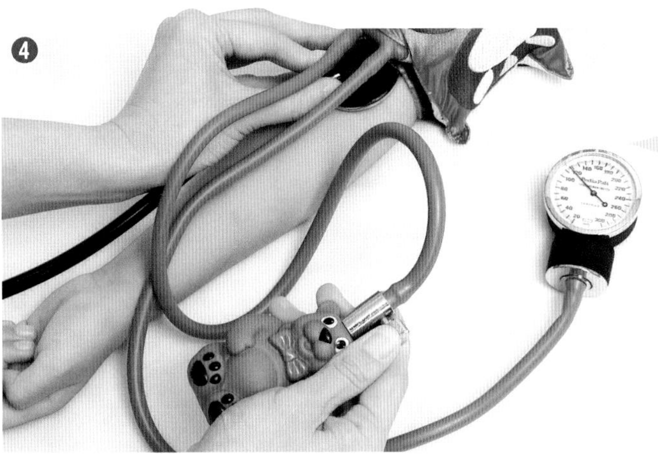

❹ 目盛りを読みながら、脈拍ごとに約2mmHgの速さで下がるよう、排気弁を開放し、初めて血管音（コロトコフ音）の聞こえた目盛り（収縮期血圧=最高血圧）と聞こえなくなったときの目盛り（拡張期血圧=最低血圧）を読む。（「コロトコフ音の変化」図参照）

POINT

- 小児の血管音は聞き取りにくいので、脈拍ごとに約2mmHgの速さで下がるよう、ゆっくり排気弁を開く。
- ネジを母指、示指ではさんで緩める。

❺ 送気球の排気弁を全開し、マンシェットの空気を抜く。

各年齢別にみた正常な血圧

	収縮期血圧 (mmHg)	拡張期血圧 (mmHg)
新生児	60〜80	60
乳児	80〜90	60
幼児	90〜100	60〜65
学童	100〜110	60〜70
成人	110〜130	60〜80

CHECK!

コロトコフ音の変化

コロトコフ音は、マンシェット圧を下げていくにつれ、下図のように音の大きさや性質が変化する。

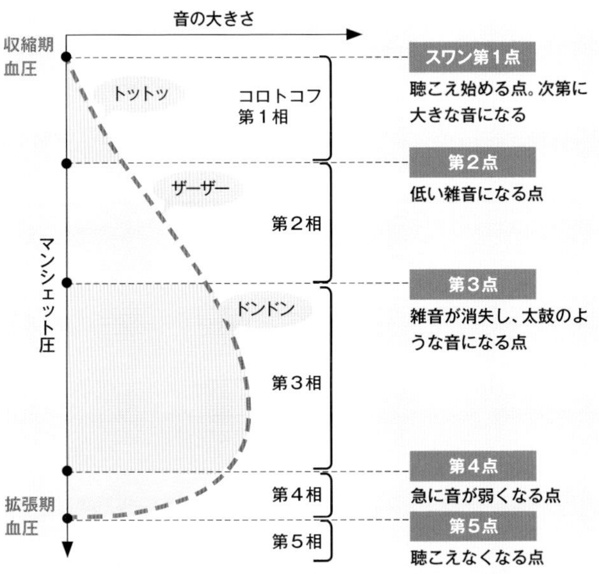

＊医療情報科学研究所 編：看護がみえるvol.3 フィジカルアセスメント　第1版．メディックメディア，2019，p.67より

ドプラー血流計の場合

❶ ドプラー血流計のセンサーに、ゼリーをつける。

POINT

- ドプラー血流計は、聴診法では血管音が聞き取りにくい重症の患児に用いる。
- 動脈の血流音が聞こえる位置に固定。

❷ センサーを橈骨動脈上、もしくは上腕動脈上に当てる。動脈の血流音が聞こえる位置に、絆創膏で固定する。

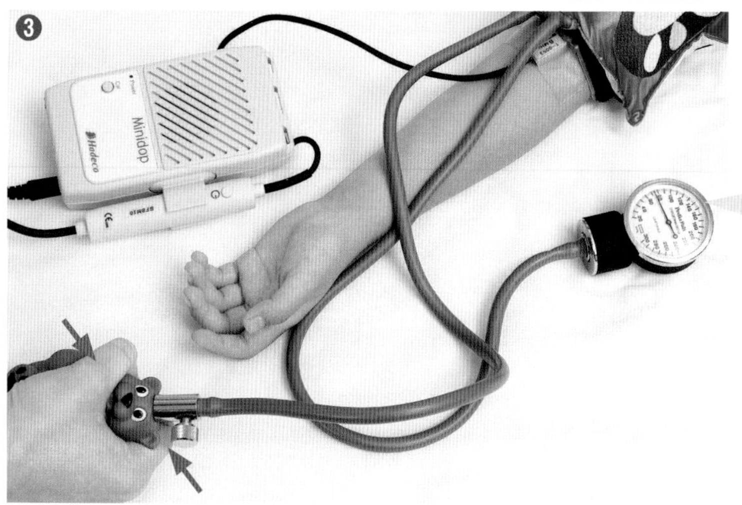

POINT

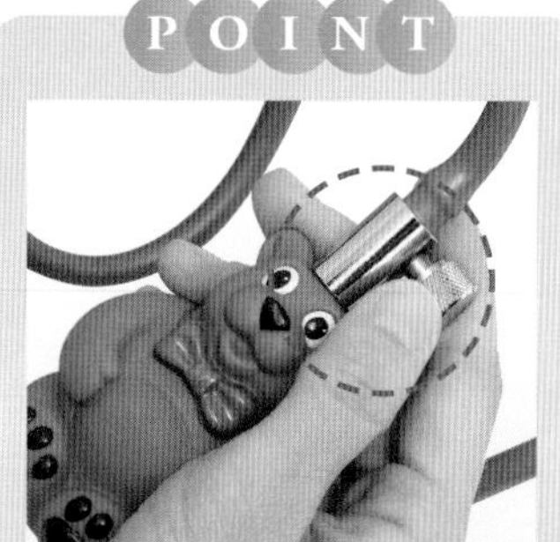

- 音のボリュームに注意。ボリュームを上げすぎると、患児を驚かす場合がある。
- 血流音が聞こえたときの目盛りを速やかに読む。

❸ 送気球を押していき、動脈の血流音が聞こえなくなったら、さらにその目盛りより10～20mmHg程度、上がるよう送気する。脈拍ごとに約2mmHgの速さで下がるよう、排気弁を開放し、血流音が聞こえたときの目盛りを読む（収縮期血圧=最高血圧）。

CHECK!

触診法で行う場合

触診法で血圧測定を行う場合は、次の手順で実施する。

①片手で橈骨動脈または上腕動脈を触知しながら、利き手で送気球を押す。
②脈拍が触れなくなったら、その目盛りよりさらに10～20mmHg程度、上がるように送気する。
③脈拍ごとに約2mmHgの速さで下がるよう、ゆっくりと排気弁を開放する。
④脈拍が初めて触れた目盛りを読む（収縮期血圧=最高血圧）。
⑤送気球の排気弁を全開にして、マンシェット内の空気を抜く。

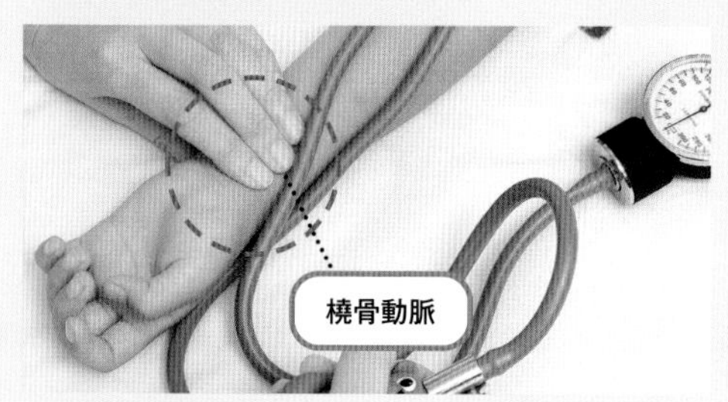

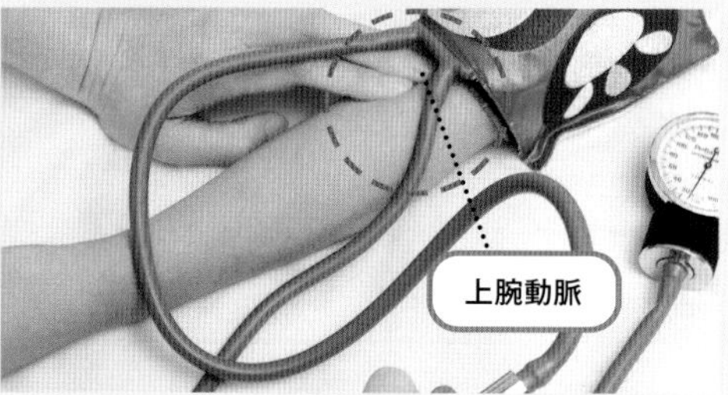

トリアージ

救急外来などでは来院者の主訴を聞き、
患児の状態を観察して診察・治療の
優先順位をつけること（トリアージ）が必要となる。

トリアージの流れ

電話

電話でのトリアージ

来院

問診・観察

問診・観察でのトリアージ

救命救急処置		一般診察	感染症の疑い
二次・三次医療機関へ転送	すぐに診察	順番どおりに診察	別室へ誘導
●対応できない場合は、救急蘇生処置・モニタリングを施しながら速やかに転送の準備	●体位の調整 ●止血・吸引 ●熱傷、誤飲などの処置 ●救急処置	●家族に、患児の状態が急激に変化した場合は、医療者に声をかけるよう説明する。 ●看護師はときどき、待合室の様子を観察する。	●発疹・発熱・下痢・咳嗽など、感染症の疑いがある場合は、別室へ誘導・待機させる。

CHECK!

小児救急医療のトリアージ加算

平成30年度の改定;院内トリアージ実施料 300点(初診時)

平成22年度に新設された院内トリアージ加算は、小児救急医療に対する評価であったが、平成24年度の改定では、全年齢層の夜間・深夜・休日の救急外来患者に対して、患者の来院後、すみやかに院内トリアージを実施した場合の評価を新設した。
平成30年度の改定により、所定点数が100点から300点に引き上げられた。

①以下の項目を含む院内トリアージの実施基準を定め、定期的に見直しを行っていること
ア　トリアージ目標開始時間及び再評価時間
イ　トリアージ分類
ウ　トリアージの流れ（初回の評価から一定時間後に再評価すること）
②患者に対して、院内トリアージの実施について、説明を行い、院内の見やすい場所へ掲示等により周知を行っていること
③専任の医師または救急医療に関する3年以上の経験を有する専任の看護師が配置されていること

（厚生労働省保険局医療課：平成30年度診療報酬改定の概要）

問診・観察

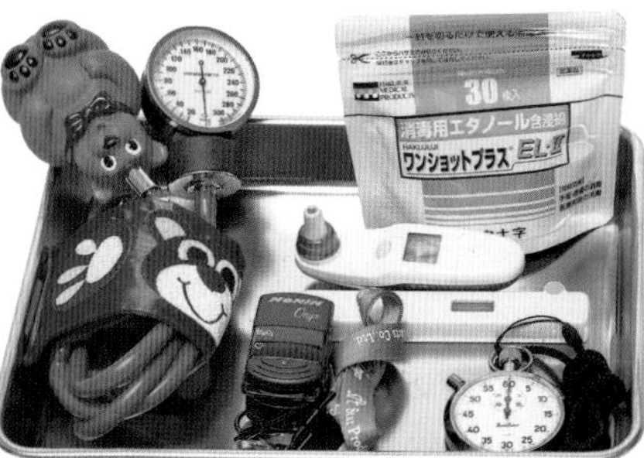

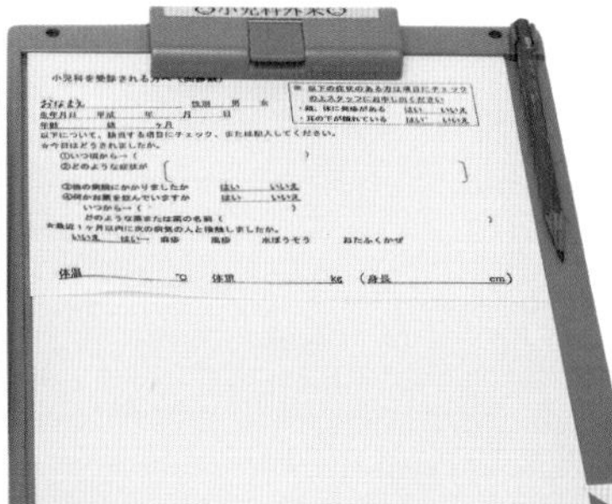

必要物品

❶ 体温計
❷ ストップウォッチ
❸ 血圧計
❹ パルスオキシメーター
❺ アルコール綿
❻ 問診票・筆記用具

POINT

問診票の項目

- バイタルサイン測定、家庭での対処、症状。
- アレルギーの有無、既往歴。
- かかりつけ医の有無。
- いつもと違う、どこか変。

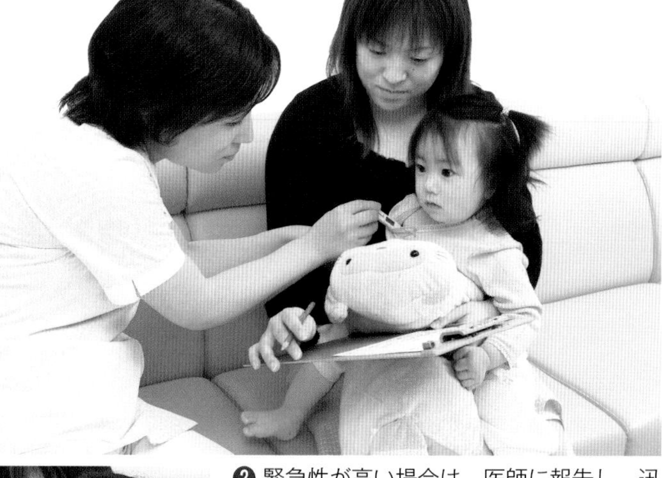

❶ 来院者の主訴を聞き、バイタルサインを測定する。 家族の「いつもと違う、変だ」などの情報を得て、アセスメントを行う。

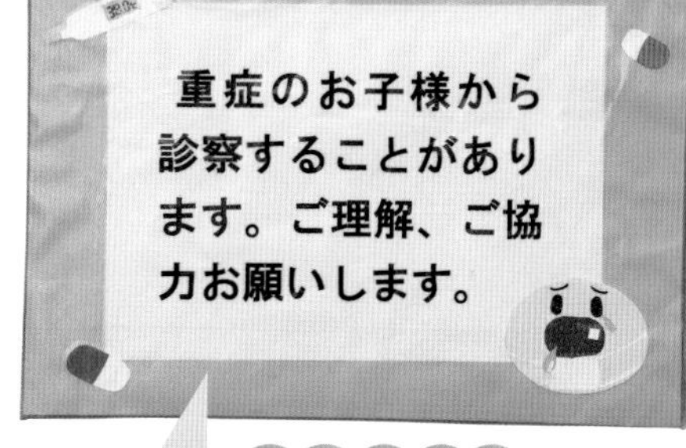

重症のお子様から診察することがあります。ご理解、ご協力お願いします。

❷ 緊急性が高い場合は、医師に報告し、迅速な処置を実施する。

POINT

- 呼吸困難、チアノーゼ、意識レベルの低下などがあれば、すぐに医師に報告。

POINT

- 緊急性により、受診に優先順位をつけることを待合室に掲示する。

CHECK!

感染症の疑いがある場合は

麻疹、風疹、水痘、流行性耳下腺炎などの感染症の疑いがある場合は、ただちに別室に誘導する。ほかの患者への感染の危険性があることを家族に説明し、理解と協力を得る。診察も別室で行う。
「伝染性疾患の患児との接触の有無」「症状がいつから出現したか」「どのような対処をしているか」「予防接種歴」「過去に罹患した伝染性疾患」「アレルギー歴」を問診する。

小児の緊急度判定

小児の初期評価は「外観」「循環（皮膚への循環）」「努力呼吸」の3要素から構成され、患児の重症感を迅速に、視覚的に評価するために用いられる。
「外観」は筋緊張、周囲への反応、視線/注視、会話/啼泣など、「循環（皮膚への循環）」は、皮膚の色調、出血の有無、脱水の徴候、意識レベル、毛細血管充満時間など、「努力呼吸」は呼吸数、努力呼吸などを評価する。

緊急度の判定は、以下の5段階レベルで評価する。
レベル1 蘇生：生命や四肢を失う危険性があり、直ちに治療が必要な状態
レベル2 緊急：潜在的に生命や四肢の機能を失う危険性があり、速やかに治療が必要な状態
レベル3 準緊急：重篤で緊急処置が必要になる可能性がある状態
レベル4 低緊急：潜在的に悪化の可能性があり、1～2時間以内の治療が望ましい状態
レベル5 非緊急：急性症状あるいは慢性症状であるが、緊急性のない状態

JTASの5段階緊急度判定レベル：小児での具体例		
レベル1 蘇生	直ちに治療・診察が必要	・けいれん（持続状態） ・意識障害（高度） ・重症外傷 ・重度の呼吸障害
レベル2 緊急	10分以内に診察が必要	・重度の脱水症 ・息切れ（中等度の呼吸障害）　O_2 Sat＜92% ・普通ではない流涎を伴う咽頭痛 ・歯の完全脱臼
レベル3 準緊急	30分以内に診察が必要	・救急部門受診前のけいれん、現在意識清明 ・異物誤飲、呼吸障害なし ・口腔内の刺創 ・中等度の喘息、O_2 Sat=92～94% ・頭部外傷、意識消失を認めたが現在は意識清明（GCS14～15）
レベル4 低緊急	1時間以内に診察が必要	・軽度の喘息、O_2 Sat＞94% ・裂創・挫創、縫合が必要 ・軽度の頭部外傷、意識消失を認めない ・発熱（具合良さそう）
レベル5 非緊急	2時間以内に診察	・包帯交換 ・処方の継続希望 ・軽微な咬傷 ・縫合の必要のない軽度の裂傷

日本救急医学会　日本救急看護学会　日本小児救急医学会　日本臨床救急医学会：緊急度判定支援システム　JTAS2017 ガイドブック 第2版.へるす出版,2020,p37より

患児・家族への診察時の援助

患児への援助

発達に応じて、患児に診察内容を説明し、安全な体位をとる。

家族への援助

症状・状態を適切に説明できるよう言葉をかける。
「どうなさいましたか？」
「今、○○のような状態ですか？」
「そのような状態はいつからですか？」
「そのほかの症状はありますか？」
「いつもと、どのように違いますか？」
「どのようなことに気づかれましたか？」

インフォームド・コンセント

医師の説明を補足したり、あわてている家族に代わって医師に質問をする。

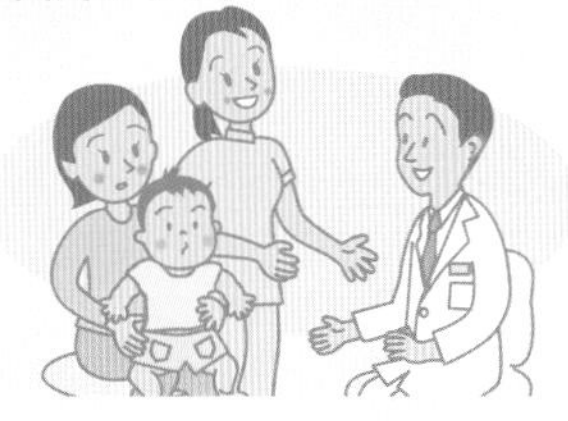

電話でのトリアージ

相談内容を尋ねる

●**主訴**：「どうされましたか？」

●**年齢**：
「お子様の年齢はおいくつですか?」

●**症状**：
「今、どのような状態ですか？」

●**経過**：
「そのような状態はいつからですか？」

●**家庭での対応**：
「おうちで何か、対応されましたか？
それに対してどうでしたか？」

●**氏名**（受診を勧める場合）：
「お子様のお名前と診察券の番号を教えてください」

POINT 電話での応対ポイント

- 主訴・年齢、症状と程度、経過、家庭での対応の有無、それに対する反応、受診を勧める場合は患児の氏名・診察券の番号を確認する。
- 緊急受診（二次・三次医療機関）か、救急外来か、通常受診かを指示する。
- 患児の状態を判断し、対応する方法をわかりやすく指導。
- 家族の不安の軽減に努める。

受診先のトリアージ

緊急受診

二次・三次（専門）医療機関

●呼吸が極めて困難、または停止。
●心臓が動いていない。
●意識がない、意識が低下（名前を呼んでも返事がない、ぼーっとしている）。
●激しい痛みがある。
●大量の出血がある。
●毒物を誤飲した※。
●交通事故で外傷や症状が重い。
●熱傷が広範囲に及ぶ。

＊ 小児の熱傷は、皮膚組織が薄く深部に熱が達しやすいことや、細胞外液の割合が高いことから、成人に比べて重症になりやすい。受傷範囲が10%を超えると熱傷ショックの危険性がある（「乳児ブロッカーの法則」）。

＊蘇生が必要な場合は、一次救急処置を実施し、救急車を呼ぶよう説明。一次救急処置は年齢に合った方法を説明する。

緊急受診

救急外来（一次・二次救急医療機関）

●症状が強い。
●苦痛が大きい。
●悪化する傾向がある。
●処方されている薬の効果がみられない。
●いつもの対処法で改善がみられない。
●家族の不安が大きく、診察を強く希望している。

＊ 家庭での対応：出血時の圧迫、熱傷部位を水で冷やす、タバコなど誤飲に対する対応(※)。

通常受診

通常外来

●熱が37.5℃以上でぐずるが、おもちゃなどで機嫌が直る。水分がとれている。
●咳き込みが気になるが、眠ることができる。
●ゆるい便が1日5回ほどあるが、便に血液などは混じっていない。

家族の不安を軽減

●対応方法を専門用語を使わず、わかりやすく説明する。
●同様な症状でこれまで対応したことがあるかどうかを確かめ、対応法が正しければ保証する。
●落ち着いた態度で対応し、具体的な行動を説明。家族が適切に行動できるよう助言する。
●電話での対応ができること、必要時には救急システムでのサポートができることを伝える。
●救急車を呼ぶ場合は、電話番号・伝え方を説明する。
●救急車が到着するまでの間にできることを説明する。
●電話での説明では不安が強かったり、理解しにくいようであれば、受診を勧める。

虐待が疑われるとき

●「お子様の様子をみせていただきたいので、受診をお願いします」と、受診を勧める。
●受診するとの返答があった場合は、氏名・住所・連絡先を確認し、記録に残す。

※中毒110番　（（公財）日本中毒情報センターによる電話相談）

● **一般市民向け**

大阪中毒110番	072－727－2499（無料）
つくば中毒110番	029－852－9999（無料）

● **医師および医療機関向け**

大阪中毒110番	072－726－9923（有料：2,000円）
つくば中毒110番	029－851－9999（有料：2,000円）

小児救急電話相談
（都道府県による電話相談）

＃8000

注）都道府県により、設置状況が異なる

虐待

虐待は身体的虐待、ネグレクト（育児放棄）、性的虐待、心理的虐待に分類される。
受傷状況や親の説明が不自然な場合、基礎疾患がなく発育障害がみられる場合、受診が遅れている場合などは、虐待を疑う必要がある。

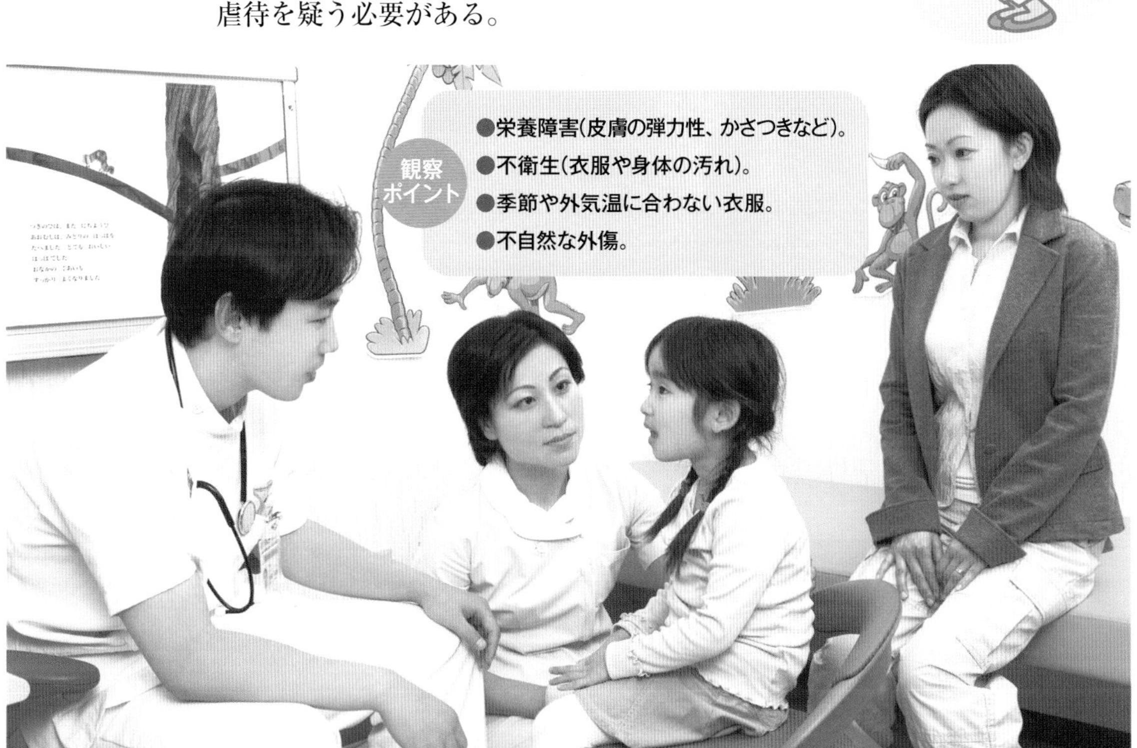

観察ポイント
●栄養障害（皮膚の弾力性、かさつきなど）。
●不衛生（衣服や身体の汚れ）。
●季節や外気温に合わない衣服。
●不自然な外傷。

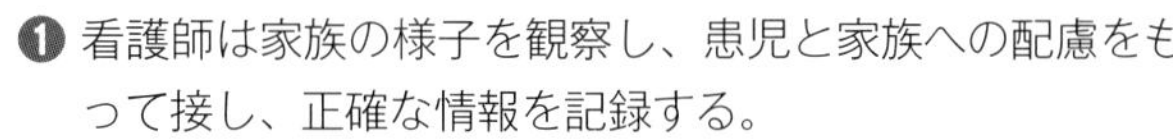

❶ 看護師は家族の様子を観察し、患児と家族への配慮をもって接し、正確な情報を記録する。

❷ 家族に対しては、責めたり、虐待を疑うような態度ではなく、「よく連れてきてくれたね」「心配だったね」「話してくれてありがとう」と受容し共感する姿勢で接する。

❸ 患児に対しては、家族をかばう気持ちを察し、家族から離れた場所で徐々に気持ちを聞きだす。

❹ 医療者間（医師、看護師、ソーシャルワーカー）で連携をとる。帰宅する場合は、次回の外来予定日を設定する。

●詳細な臨床所見と記録。
●身体的所見を写真撮影。
●受傷状況を詳細に記録。
●虐待の疑いをにおわさず、純粋に情報収集する。
●患児は家族とは別に問診。

虐待の初期対応

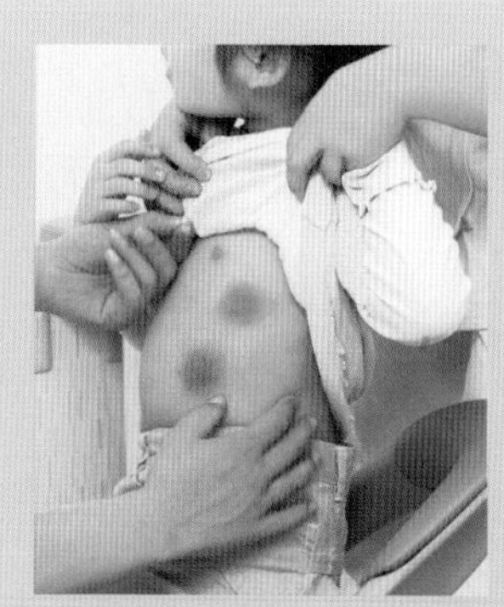

虐待を疑う身体所見

- 皮下出血瘢・あざ（新旧のもの）
- 皮膚の外傷（衣類などに隠れた部分）
- 骨折（鼻骨折、新旧混在する骨折）
- 頭蓋内出血（特に硬膜下血腫、網膜出血）
- 眼外傷所見（白内障・出血・網膜剥離など）
- 熱傷・火傷痕（タバコによるものなど）
- 体重増加不良、栄養状態の不良
- 発育不良や遅延（基礎疾患がないなど、納得がいく理由がない）
- 薬物中毒

1 情報収集

●できるだけ詳細な臨床所見の検索と記録を行う。
●身体的所見は写真を撮る。
●受傷経過を家族から詳細に聞き、記録する。
●虐待の疑いをにおわさず、純粋に情報収集する。
●患児が話せる年齢ならば、家族とは別々に問診する。

2 入院を勧める

●入院を勧め、患児の安全を確保する。
●家族にとって入院は、治療を受けるという安心につながる。

3 福祉事務所・児童相談所への通告

●福祉事務所・児童相談所への通告は、法律上の義務である。（下表参照）

4 入院を拒否する場合

●福祉事務所・児童相談所へ連絡し、対応を協議する。
●帰宅が危険な場合は、児童福祉法による「医療機関への一時保護委託」の形で入院治療を行う。

5 警察への通報

●虐待を疑う重篤な所見がある場合は、福祉事務所・児童相談所と同時に、警察に通報する。

児童虐待の防止等に関する法律

（児童虐待の早期発見等）
第五条　学校、児童福祉施設、病院その他児童の福祉に業務上関係のある団体及び学校の教職員、児童福祉施設の職員、医師、保健師、弁護士その他児童の福祉に職務上関係のある者は、児童虐待を発見しやすい立場にあることを自覚し、児童虐待の早期発見に努めなければならない。

（児童虐待に係る通告）
第六条　児童虐待を受けたと思われる児童を発見した者は、速やかに、これを市町村、都道府県の設置する福祉事務所若しくは児童相談所又は児童委員を介して市町村、都道府県の設置する福祉事務所若しくは児童相談所に通告しなければならない。
（平成20年4月1日施行）

（親権の行使に関する配慮等）
第十四条　児童の親権を行う者は、児童のしつけに際して、体罰を加えることその他民法(明治二十九年法律第八十九号)第八百二十条の規定による監護及び教育に必要な範囲を超える行為により当該児童を懲戒してはならず、当該児童の親権の適切な行使に配慮しなければならない。
（令和2年4月1日施行）

CHAPTER 2

コミュニケーション

小児のコミュニケーションの特徴

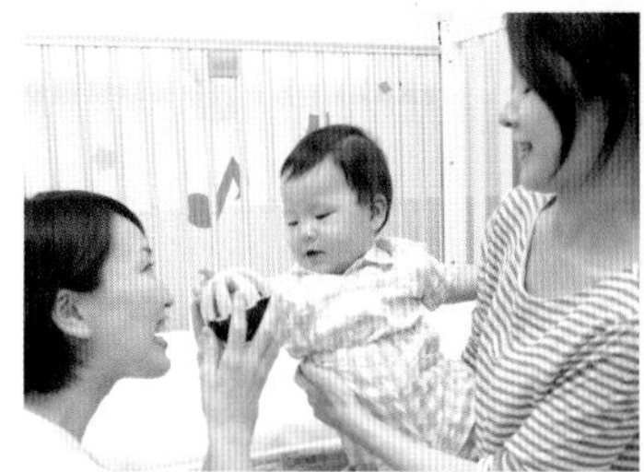

- コミュニケーションとは、言葉や表情などを用いて、送り手が受け手へメッセージを伝えたり、共有したりすることである。子どもや家族と信頼関係を築く上で、コミュニケーションはとても重要である。
- 言葉による「言語的コミュニケーション」と言葉を使わない「非言語的コミュニケーション」がある。
- 言語が発達途上にある子どもにとって、コミュニケーションは自分の感情や欲求を伝える手段である。特に身近な人とのコミュニケーションは、その後の情緒発達に大きな影響を与える。
- 新生児期は「人の顔」「人の声」「人の言葉」など、人からの刺激に対して最もよく反応する。
- 乳児期は声かけや抱っこなどのタッチングにより愛着形成が促進される。
- 幼児期は多くの言葉を獲得する時期であり、周囲の人とのかかわりが大きく影響する。
- 学童期は言語的・非言語的コミュニケーションを発達させ、理解力、洞察力が高くなる。子どもと向き合い、正確な情報を伝える必要がある。

コミュニケーションの種類

言語的

- 聞く
- 話す
- 読む
- 書く

非言語的

- 表情 しぐさ
- 態度 動作
- 接触 距離
- 視線
- 声 沈黙

コミュニケーション

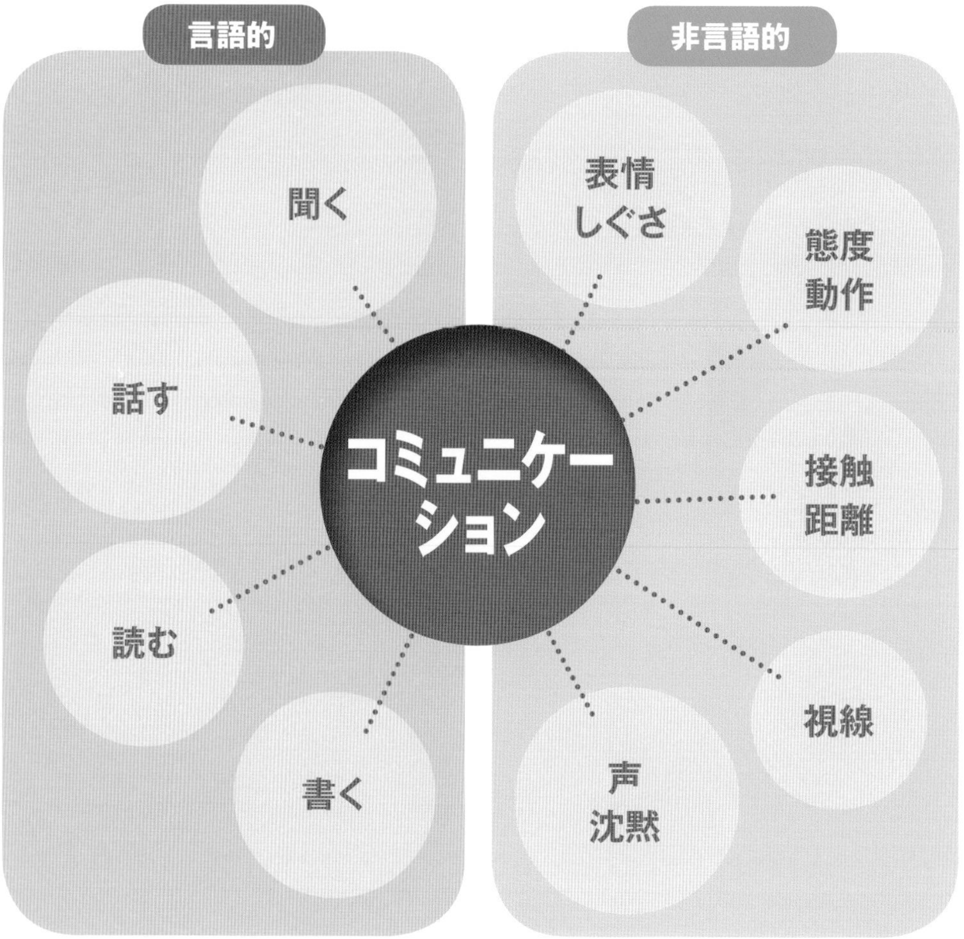

CHECK!

コミュニケーションの種類

コミュニケーションの手段は、一般的に「言語的コミュニケーション」「非言語的コミュニケーション」に分けられる。

言語的コミュニケーション
――言葉によるコミュニケーション

- 口頭、電話、手紙、メールなど
- 言語の種類、方言の使用、話し方、手話の使用など

非言語的コミュニケーション
――言葉を使わないコミュニケーション

- 目の動き、顔の表情、声の大きさなど
- 身振り、姿勢、身体接触の仕方、対人距離、衣装など

小児の発達段階

小児は段階的に発達
—— ピアジェの理論を紹介

発達の進み方には2つの考え方がある。1つは連続的な発達、もう1つは段階的な発達。ピアジェの考え方は後者で、「ある時期になると力を獲得し、飛躍的に変容する階段状の傾斜を上る」というものである。

発達段階の分け方にはさまざまな考え方があるが、一般的には生後28日までを新生児、0～1歳までを乳児期、1～6歳までを幼児期、6～12歳までを学童期、12～18歳くらいまでを思春期という。

ピアジェの認知発達理論

感覚運動的段階　誕生～2歳ごろまで

●言葉を使うことはできないが、見たり、聞いたり、触ったりすることで、動きのあるものに関心を示し、人や物とのかかわりを楽しみながら外観の世界と交流する。

前操作期　2～7歳ごろまで

●言葉が少しわかるようになる。言われたことを頭に思い浮かべることができるが、それを十分に操作することができず、自己中心的に願望と現実が交差している。
親との情緒的な結びつきが形成され、模倣能力が伸びて、ごっこ遊びをするようになる。

具体的操作期　7～11歳ごろまで

●言葉が理解できるようになる。物事を体系立てて考えることが可能になり、論理的な思考や推理ができるようになる。
しかし、この時期は具体的、現実的でない事柄や状況、物事に関してはまだ十分論理的な思考ができない。

形式的操作期　11歳～成人まで

●言葉から文脈で物事を考えることができる。抽象的なものについても「仮説演繹的」な形で推理することが可能となる。思考の対象が非現実「命題」であり、仮説を立てながら、その関係性について考えることが可能となる。

●低次の段階を通過しなければ、高次の段階に到達できない。
●発達段階は、外因刺激により異なる。
●段階の出現順位は一定であるが、個々の発達により異なる。

出生	2歳	4歳	7～8歳	11～12歳
				形式的思考
			具体的思考	◆自立と依存の葛藤
		直感的思考	◆読み書き・計算	◆第二反抗期
	象徴的思考 ◆第一反抗期	◆文字への関心 ◆集団生活への参加	◆同性との仲間集団	◆自己への関心
感覚運動期 ◆初語・自己意識	◆現在・過去を思い描くことができる ◆自己主張	◆自己中心	◆自己・他者への評価	◆自我の発達

コミュニケーションに関連する子どもの発達過程

メッセージを伝えたり、受け取ったりするためには、「見る」「聞く」「話す」などの機能や、他者と信頼関係を築くための社会性などの機能がコミュニケーションをとる上で大きく影響する。子どもによって個人差はあるが、コミュニケーションに関連した一般的な発達過程を理解し、子どもの発達段階に応じたコミュニケーション方法を選択することが大切である。

視力・視野

子どもは出生時から光や間近なものを見ることができる。4～5歳になると、成人に近い視力となる。視力や視野は成長するに伴って発達していくため、発達段階に応じた子どもの見え方を考慮して援助していくことが必要である。

発達段階		視力	見え方	視野
乳児	新生児		●白黒がわかる。 ●20cm程度離れたものを注視できる。	
	1か月	0.01～0.02	●形がわかる。	2～3か月 水平方向(追視含む) 100～120°
	2か月		●色がわかる。 ●追視できる。	
	4か月～6か月			6か月 水平方向(追視含む) 180°
	7か月	0.1	●人の顔が区別できる(人見知り)。	
幼児	1歳	0.1～		6歳
	2歳	0.3～0.5	●丸・三角・四角など形が区別できる。 ●上下がわかる。	
	3歳	0.8～1.0		
	4歳	1.0	●左右がわかる。	
	6歳	(完成)		水平方向90°、垂直方向70°

言語

子どもが発する泣き声や喃語に、身近な人が微笑みや声かけなどで反応してくれることにより、次第に発声に意味を持たせるようになっていく。
また、他者と言葉をやりとりしていく中で、言葉を獲得していく。言葉はコミュニケーションを行う上で、重要な役割を果たしている。

発達段階		聞く・話す・読む・書く
乳児	1か月	大きな音に反応する。
	2か月	「アーアー」「ウーウー」など意味を持たない喃語を話す。
	3か月	あやすと声を出して笑う。
	5か月	声や音のする方に向く。
	6か月	人に向かって声を出す。 話し方で感情を聞き分ける。
	8か月	自分の名前がわかる。
	9か月	「ダメ」や「いけない」などの禁止がわかる。
	10か月	「バイバイ」がわかる。
幼児	1歳	言葉をまねようとする。 「マンマ」「ブーブー」など意味のある言葉が言える。 「バイバイ」と言うと手を振る。
	2歳	「ママ　抱っこ」など2語文を話す。 自分の名前が言える。 300 ~ 400語が理解できる。
	3歳	挨拶が言える。 親の名前が言える。 「これ何？」「どうして？」などの質問をする。 800 ~ 900語が理解できる。
	4歳	数が言える。 自分の名前が読める。 1500語程度が理解できる。
	6歳	幼児語を使わなくなる。 ひらがなが読める。
学童	7歳	ひらがなが書ける。 時計が読める。
	10歳	読書をする。

社会性

子どもは身近で世話をしてくれる人とのかかわりから愛着関係を築く。そして、周囲の大人、同世代の子どもとかかわりを広げ、個人から集団とのかかわりへと対人関係を発展させていく。

発達段階		社会性
乳児	1か月	顔を見つめる。
	2か月	あやすと笑う。
	3か月	あやされると声を出して笑う。
	5か月	人を見ると笑いかける。
	6か月	親しい人と見知らぬ人がわかる。
	7か月	人見知りをする。 「いないいないばぁ」遊びを好む。
	8か月	おもちゃを取られると怒る。 親の手を取ってほしいもののところへもっていく。(クレーン現象) 見知らぬ人や母親と離れることに対する恐怖が強くなる。
	9か月	人の身振りをまねる。
	10か月	「バイバイ」と手を振る。
	11か月	ちょうだいと促すとおもちゃを渡そうとするが、手放さない。
幼児	1歳	ほしいものを指さす。 簡単なお手伝いができる。 褒められると喜ぶ。 他の子どもに興味を示すようになる。
	2歳	母親から離れて遊ぶ。 否定的な態度をとる。(第一次反抗期の始まり) 順番がわかる。
	3歳	母子分離が進み自我が芽生える。 順番が守れるようになる。
	4歳	じゃんけんで勝ち負けがわかる。
学童	7歳	男の子同士、女の子同士で遊ぶ。
	10歳	仲間グループが形成される。 異性に関心をもつ。

遊び

子どもにとって遊びは生活そのものである。子どもは周囲の大人や他の子どもと遊ぶことにより、信頼関係が促進され、コミュニケーションを増すことができる。
また遊びによって、運動能力や知的能力の発達も促進される。

発達段階		主な遊び
乳児	1か月	「ガラガラ」や「ぬいぐるみ」などを目で追ったり、音を聞くなど、視覚、聴覚を刺激する遊びを好む。
	3か月	おもちゃをつかんだり、なめたりして感触を楽しむ。
	6か月	ボール 笛
	9か月	手遊び
	11か月	絵本の読み聞かせ
幼児	1歳	水遊び 砂遊び 積木、ブロック
	2歳	三輪車 すべり台
	3歳	ままごと遊び 鬼ごっこ
	4歳	ブランコ 絵本
	5歳	ごっこ遊び ゲーム
	6歳	工作
学童	7歳	自転車 楽器 昆虫採取

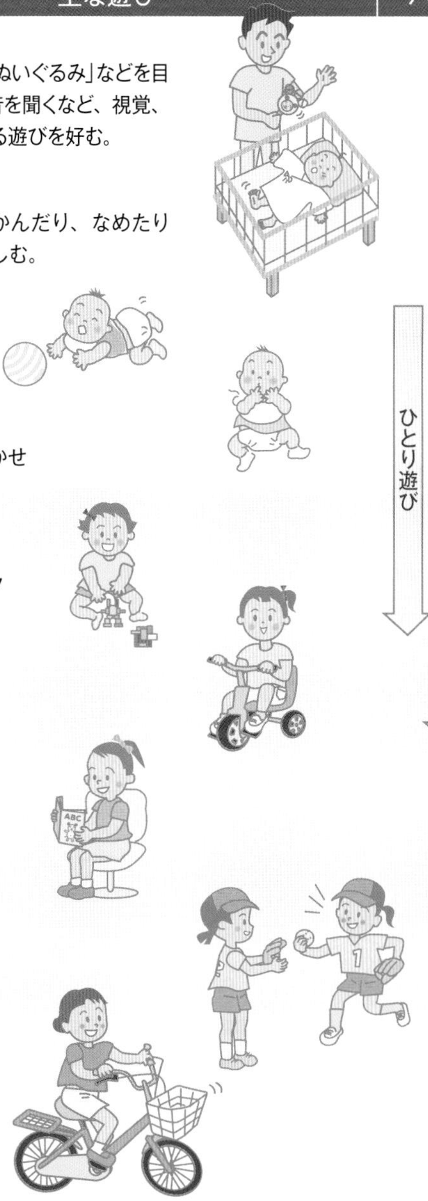

パーテンの分類：ひとり遊び → 傍観者遊び → 並行遊び → 連合遊び → 協同遊び

遊びの分類		内容
パーテン (Parten,M.B.) 社会的発達の観点から分類	ひとり遊び	他の子どもと交流せず、ひとりで遊んでいる
	傍観者遊び	他の子どもの遊びに注目はしているが、遊びに参加はしない
	並行遊び	他の子どもと同じ場所で同じ遊びをしているが、互いの交流がない
	連合遊び	他の子どもとおもちゃの貸し借りなどをしながら、一緒に遊ぶ
	協同遊び	目標をもった組織をつくり、役割分担やルールに沿って遊ぶ

コミュニケーションの実際 2-1

看護師にとって患児、家族とコミュニケーションをとることは、患児の成長発達を促進するのみならず、いかなる発達段階においても相手のニーズを適切に把握し、患児、家族に応じた看護を提供する上でとても重要である。

コミュニケーションの基本

1 患児をひとりの「人」として尊重する。

2 患児とゆっくり落ち着いてかかわれる時間、場所（部屋、空間、室温、照明など）を確保する。

3 患児と視線の高さを合わせ、必要に応じてタッチングなどのスキンシップを図る。または適度な距離感を保つ。

4 患児が好む、白色以外のユニフォームを着用する。白衣には恐怖感を持つことがあるため、避ける。

人見知りが始まった乳児は、母親（養育者）と離れると不安が強くなるため、母親から離さないことが重要である。視力が十分に発達していないため、患児の視界に入るように座り、声掛けやタッチングも併用して、安心を与える。

非言語的コミュニケーション

- ゆっくりと視線を合わせ、アイコンタクトやスキンシップを図る。

言語的コミュニケーション

- 喃語や泣き声などの反応を解釈し、患児のニーズに応える。

発達上、母子分離が進んでいない幼児は、安全基地である母親から離さないようにする。嫌がったりする場合は、母親に話しかけて安全な人であることを認識できるようにする。言語で十分に伝えられないことがあるため、表情やしぐさなどの反応もキャッチしていく。患児が興味を持っているもの（おもちゃや本）などを介して、会話を広げていく。

非言語的コミュニケーション

- 患児と目線の高さを同じにし、笑顔で接する。
- 患児の好きなおもちゃや本などを用いながら、恐怖心を与えないようにゆっくりと近づく。

言語的コミュニケーション

- 自己紹介し、患児がいつも呼ばれている呼び名で話しかける。
- 患児が知っている言葉、普段使っている言葉を用いて会話する。

学童児は言語で伝えることはできるが、遠慮したり、本心を語らなかったりすることがあるため、話しやすい雰囲気をつくることがとても重要となる。

非言語的コミュニケーション

- 過度なスキンシップは避け、患児の反応を見ながら、適切な距離感を保って接する。

言語的コミュニケーション

- 自己紹介し、わかりやすい言葉、患児の発達に合った言葉を用いる。患児が興味・関心のある話題を交えて会話する。

コミュニケーション Q&A

Q 「どうして？」「なんで？」と聞かれたら？

A 「どうして？」「なんで？」などと聞かれた時に、患児にわかるように説明する。
説明が難しい場合も受け流さずに、「○○ちゃんはどう思う？」「看護師さんは○○だと思うよ」などと会話をすすめる。子どもは必ずしも正しい答えを求めているのではない。誠実に対応することが大切。

Q 「いやだ」「あっちいって」と言われたら？

A 「いやだ」「あっちいって」などと言われた時は、「今は嫌なんだね」と一旦受け入れる。
→なぜ拒否をするのか、アセスメントする
→いつがいいのか、聞く
→時間をおいてからかかわってみる
→かかわる人を変えてみる

家族とのコミュニケーション

家族との十分なコミュニケーションは、患児との信頼関係を築き、普段の生活情報を収集するために、必要不可欠なものである。看護師には、患児のみでなく家族への配慮、援助を行うことが求められている。

家族へのかかわり
●普段の生活情報を収集。
●やむをえず患児と分離するときは、十分に説明。
●患児の事故や疾病に対する自責の念を和らげる。
●経済的負担へのアドバイス。
●医師の説明を補足。

看護師が患児の家族と接する際、もっとも求められるのは、「家族を責めない」「子どもが病気になったことを非難しない」態度である。
家族は、「患児の事故や病気の原因が自分にあるのではないか」と心のうちで自分を責めている場合が多い。受診の際、「なぜ、もっと早く連れてこなかったの?」などの問いかけが家族の心を傷つけ、医療者に心を閉ざすきっかけとなる。
「よく気がつきましたね」などと対応をほめ、認めることが、家族の心を開き、信頼関係につながる。
「小児看護領域で特に留意すべき子どもの権利と必要な看護行為」(p.5参照)では、「家族からの分離の禁止」が明記されている。やむをえず、患児を家族から離す際は、十分に説明し、理解と同意を得る必要がある。
また、不安や恐怖の気持ちを受容し、苦痛が最小限となるよう援助する。

CHECK!

処置に家族を同席させる? させない?

処置時に家族を同席させることについては、子どもの権利を尊重する上で認める必要がある。
しかし、医師が家族の同席を好まないことがあるなど理想と現実のギャップがある。
近年では、処置時に家族を同席させて処置を行うためのさまざまな取り組みが報告されており、処置時の同席は保障されつつある。
仮に家族が同席を拒む場合があっても、子どもが望む方法で処置が受けられるように支援する必要がある。

コミュニケーション障害のプロセス

小児は親にとってかけがえのない存在であり、
医療者のささいな行動・言動が不満へとつながる。
小児・家族・医療者が一体となって、信頼感の中で医療を行うことが、
コミュニケーション障害を防ぐ鍵である。

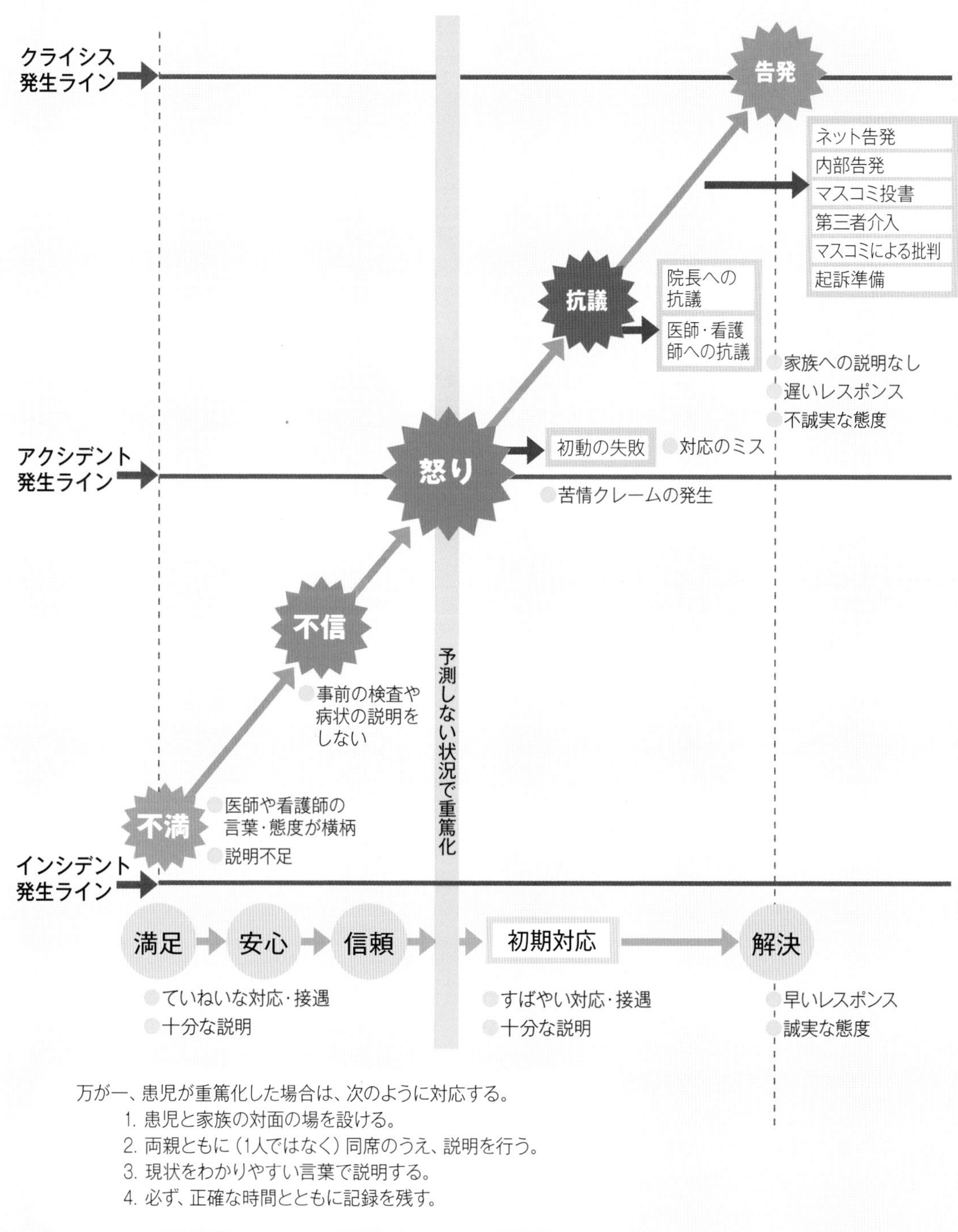

万が一、患児が重篤化した場合は、次のように対応する。

1. 患児と家族の対面の場を設ける。
2. 両親ともに（1人ではなく）同席のうえ、説明を行う。
3. 現状をわかりやすい言葉で説明する。
4. 必ず、正確な時間とともに記録を残す。

医療者間の連携

**患児に最善の医療を提供するためには、
看護師・医師・保育士・薬剤師・栄養士・教師・ケースワーカーなど、
患児を取り巻く専門職チームが十分なコミュニケーションをとり、
連携を図っていくことが必要である。**

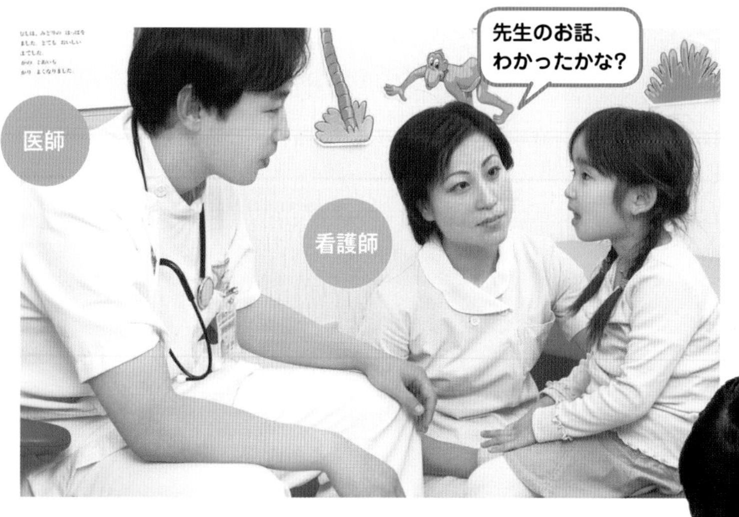

看護師は、医師・患児間のコミュニケーションを支援する役割を持つ。医師から患児・家族への説明を補足したり、家族の代わりに医師に質問するなどの援助が求められる。同時に、医療行為に対する反応、日常生活の情報を医師に提供。記録面での連携も大切である。

保育士・薬剤師・栄養士・教師・ケースワーカー・訪問看護師など、患児と家族を取り巻く専門職に対しては、患児の姿をみせ、合同カンファレンスを持ち、連携を図っていくことが大切である。
患児の疾病や社会的背景に合わせ、保育士・ケースワーカーの協力を得て、社会資源を活用するなどの支援も必要となる。

POINT

医療保育とは

- 医療の主体である患児とその家族を対象として、専門的な保育支援(心理状態・社会関係なども含めた、総合的な保育と支援)を通じ、QOLの向上を目指す。
- 医療保育士は患児や家族にとっては、もっとも身近な育児の専門家。病院に保育士を配置することで、平成14年から保育加算が認められている。

CHECK!

最善のパートナーシップ

患児にとって最善の医療を保証するチーム間の連携を実現するには、病診連携や医療保育士の活用など、さまざまなアプローチが求められる。
病診連携の1つとして、病院のベッドを開業医に貸し出すオープンベッドや、開業医が病院で夜間救急診療を行うなどの試みも行われている。
また、医療現場で患児に遊びや学習などの支援を行う医療保育士は、今後ますますその活躍が期待されている。
患児にとって最善の利益を保証するには、病医院内に限定されない社会的連携が大切である。

CHAPTER 3 プレパレーション

プレパレーションの特徴

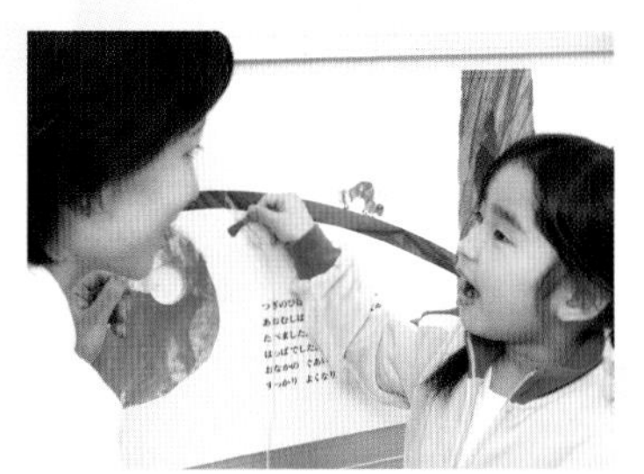

- 正しい情報を伝える。
- 検査・処置・治療などについての理解を助ける。
- 発達段階に応じた遊びを取り入れて行う。
- 患児の気持ちを表出できる機会をつくる。
- 患児の対処能力（自ら乗り越える力）を引き出す。
- 達成感や肯定感を高める。
- 医療者との信頼関係をつくる。

プレパレーションの種類

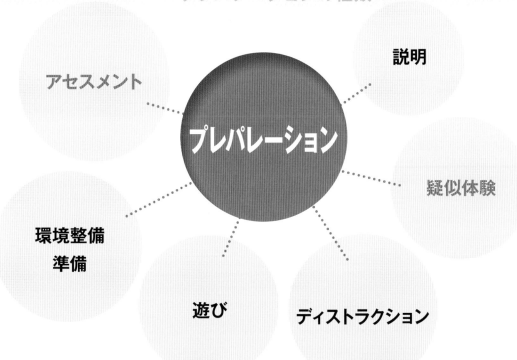

プレパレーション

- アセスメント
- 説明
- 疑似体験
- ディストラクション
- 遊び
- 環境整備 準備

プレパレーションとは

心理的準備ができるよう援助する

情報の提供

どうして手術が必要なのか、どうして処置を行うのかなどを、イメージできるようにわかりやすく話す。その際、患児にはイラストや写真を用いてパンフレットなどで説明したり、実物や人形などを用いて疑似体験できるよう説明する。

医療への参加

検査や処置の方法を親や医療者といっしょに選択したり、患児のタイミングで検査や処置が進められるように支援するなど、患児が主体的に参加することによって、達成感や肯定感が高められる。

感情の表出

泣きたい気持ち、こわい気持ち、逃げ出したい気持ちなど、正直な気持ちが表現できるようかかわる。
それには、患児の気持ちを否定せず、共感的・受容的に聞くことが大切である。

家族の参加

親やきょうだいも患児と共に参加することにより、患児は安心が得られ、親(きょうだい)自身の不安を軽減できる。

CHECK!

小児にはインフォームド・アセントを！

患児が学童以下の場合、医療者の説明を理解し、選択・決定を行い、責任をとることは困難。インフォームド・コンセント（IC)ではなく、インフォームド・アセント（IA)が行われる。
IAは同意レベルの賛同であり、説明し、了解を得ることは変わらないが、責任の重さに違いがある。

患児の発達に応じて、気付きを助け、気持ちを引き出すのがアセントである。患児に威圧的に接したり、だましたり、うそをついてはいけない。
また、患児からIAを得ても、親の同意を得ることが重要である。
IC、IAでの説明ポイントは次のようなものである。

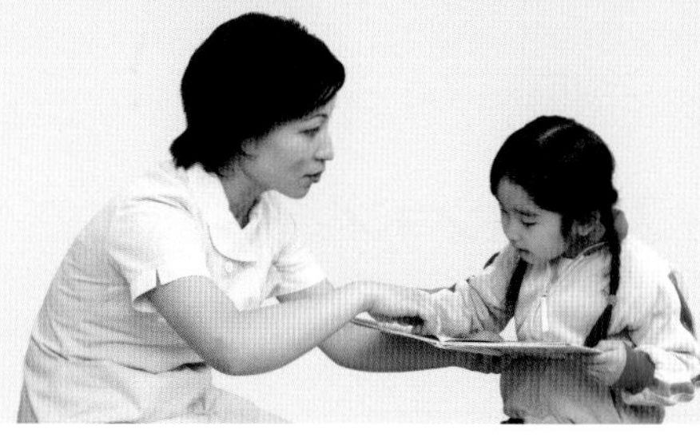

- 何が行われようとしているのか？
- なぜ、それが行われるのか？
- その結果はどうなるのか？
- 治療による利益とリスクは何があるのか？
- 利益とリスクを含めて、その他の選択肢には何があるのか？
- 何もしないとどうなるのか？

プレパレーションの流れ

プレパレーションは検査・処置・治療の前に説明をすることだけではなく、開始前から終了後まで継続したかかわりを行う。

1 環境整備・準備

- 患児の目線で、廊下や処置室などの壁面に恐怖心や緊張を取り除くような飾り付けを工夫する。
- 看護師のユニフォームや看護用品(血圧計、聴診器など)は、患児の興味を引く色彩やキャラクターなどを活用し、患児がなじめるようにする。

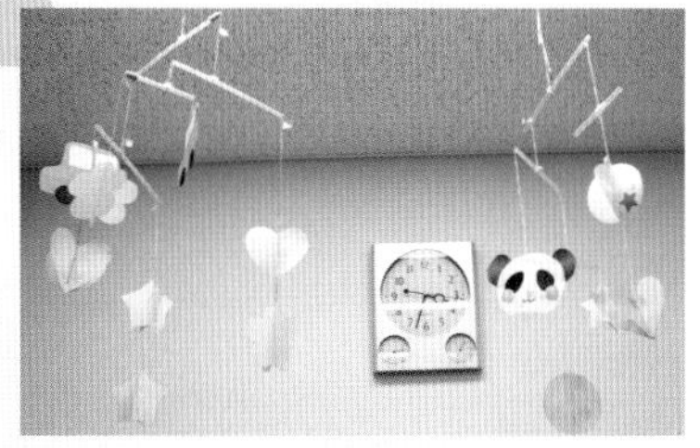

2 アセスメント

- 発達段階、理解力、経験の有無、興味をもっているもの(好きな遊び・キャラクターなど)、不安や緊張の程度、対処行動、家族からの説明の内容など情報を得る。
- 得られた情報をもとに「いつ」「だれが」「どこで」「どのように説明するか」について具体的な方法を検討し、計画を立てる。

3 説明

- 遊び(会話、絵本、人形など)を用いて、これから体験する検査・処置などについての心の準備ができるように伝える。
- 検査や処置に実際に使用する看護用品や医療器材を見せたり、触れたりさせ、患児の反応を見ながら疑似体験できるようかかわる。
- 検査や処置を受ける方法を患児が選択し、主体的に参加できるように支援する。

4 ディストラクション

- 検査や処置の最中に、五感(視覚、聴覚、嗅覚、味覚、触覚)を刺激したり、患児の好きなもの、興味のあるものなどで気をそらす。
- ディストラクションには、「会話」「数をかぞえる」「歌をうたう」「音がでるおもちゃ・絵本」「光るおもちゃ」「動くおもちゃ・絵本」などを用いる。

5 終了後のケア

- 検査や処置が終わったことを伝え、頑張りをほめる。
- 「ごほうびシール」や「ごほうびメダル」などを渡し、達成感を高める。
- 検査や処置の終わった後に会話やごっこ遊び行い、体験を振り返り、感情を表現する場をつくる。

プレパレーションの基本

採血や注射、浣腸・吸入など、痛みや苦痛、
行動制限を伴う処置場面では特に、
患児と家族に発達段階に応じたわかりやすい
説明を行い、理解と同意を得ることが必要である。

痛くないかな？
チクッとするかな？

なんだか、
こわくなって
きた…

採血や注射など痛みを伴う処置の前には、「痛くない」などのうそはつかず、処置の必要性と内容をイラストなどを用いて理解できるように話す。患児と家族が必要性を理解し、了解・同意することがスムーズな実施につながる。

くまさんも
シューシューして
元気になったね

患児と家族に発達段階に応じた説明を行い、患児・家族から了解・同意を得たことをカルテに記録として残す。「説明と同意」「最小限の侵襲」「必要最小限の抑制と拘束」は、小児看護領域で特に留意すべき子どもの権利である。

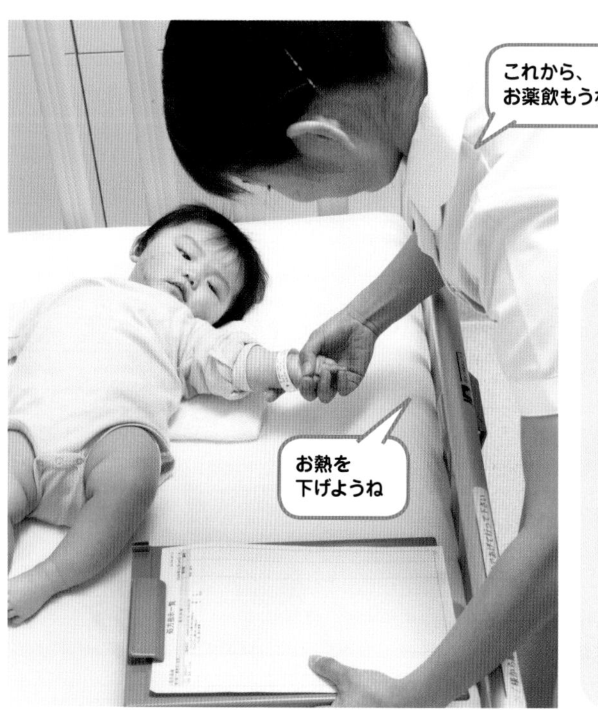

EVIDENCE

- 「小児看護領域で特に留意すべき子どもの権利と必要な看護行為」(p.5参照)では、以下の権利が明記されている。
- **説明と同意：**子どもの理解しうる言葉や方法を用いて、治療や看護に対する具体的な説明を受ける権利がある(抜粋)。
- **最小限の侵襲：**子どもの心身にかかる侵襲を最小限にする(抜粋)。
- **抑制と拘束：**子どもは抑制や拘束をされることなく、安全に治療や看護を受ける権利がある。やむを得ない拘束は必要最小限にとどめる(要約)。

初めての診察前に

乳幼児にとって、初めての病院を「こわい所」「嫌いな場所」にしないためには、触れ合いやあやしでコミュニケーションをとり、親子ともに安心して診察を受けられる状況を整える。

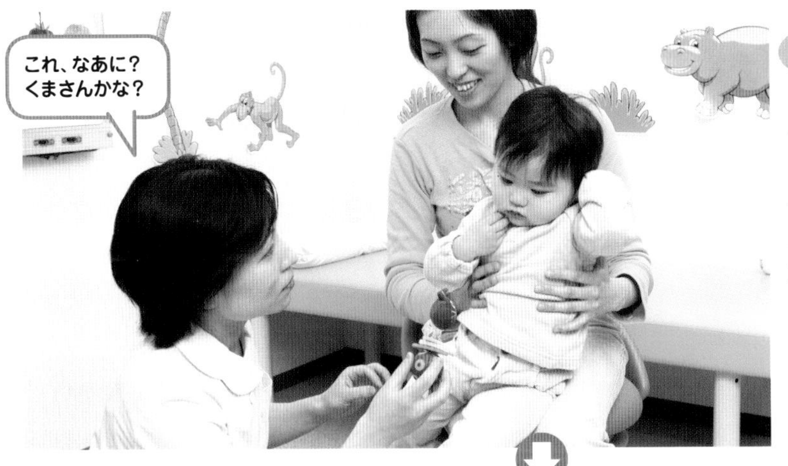
これ、なあに？
くまさんかな？

玩具で誘う

患児と同じ目の高さで、やさしく語りかけ、看護師が患児に関心を持っていることを表現する。患児の体に触れながら、好みの玩具などで患児との距離を縮めていく。

ひとときを共有

患児の好みの玩具や、遊びに活用できる診察道具などで患児の関心の程度や、表情を観察する。ともに、触れ合いのひとときを共有する。

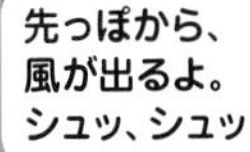
先っぽから、
風が出るよ。
シュッ、シュッ

ねんね、できるかな？
ゴローン

安心感を与える

患児・家族と目線を合わせ、ボディタッチやほほ笑み、やさしい語りかけを心がけ、せかさずゆっくりと診察に導入していく。この間、患児の発達状況や家族との関係を観察する。

うっかり!

- 診察台に敷いてあったタオルで滑り、患児が転落した！

→ 柵がないため、タオルなどは敷かず、患児に手を添えて支える。

採血時に

3-1

採血時には穿刺による痛みを伴うため、大きな苦痛となりうる。恐怖心や緊張感を取り除くように工夫し、患児の反応を観察しながら、理解度に応じた説明を行う。
患児が納得して処置に臨めるように援助することが必要である。

患児への説明

母親の同席のもと、採血の経験の有無やこれから行う処置について、患児の反応や理解度に応じて説明し、了解（同意）を得る。

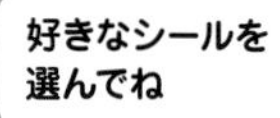

処置に参加

医療保育士も同席して、処置後の穿刺部に貼るシールや、処置中のディストラクションに用いる絵本を選べるようにかかわる。

座って行うか、寝て行うか、穿刺時の体位や、どちらの腕に穿刺するか、患児自身が選択し、納得して処置に臨めるよう、援助する。

穿刺時の声かけ

患児が心の準備をできるよう、穿刺のタイミングを患児に合わせて、「いち、にの、さん」と声をかけながら行い、必要に応じて、ディストラクションを行う。

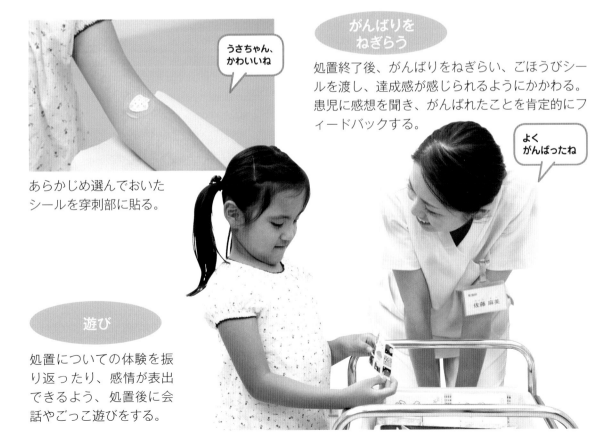

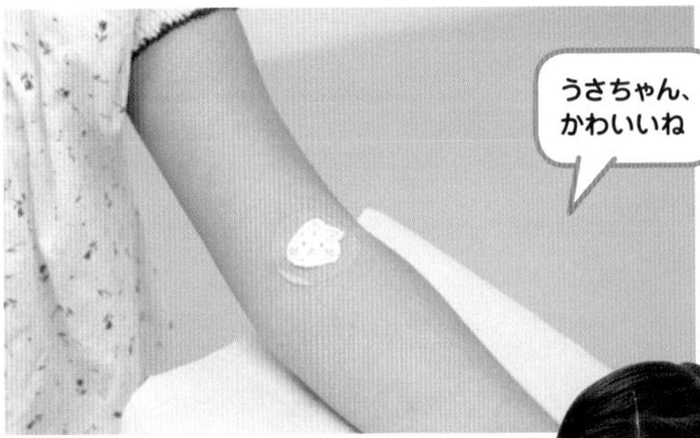

うさちゃん、かわいいね

あらかじめ選んでおいたシールを穿刺部に貼る。

がんばりをねぎらう

処置終了後、がんばりをねぎらい、ごほうびシールを渡し、達成感が感じられるようにかかわる。患児に感想を聞き、がんばれたことを肯定的にフィードバックする。

よく がんばったね

遊び

処置についての体験を振り返ったり、感情が表出できるよう、処置後に会話やごっこ遊びをする。

初めての手術前に

言語や認知能力が発達過程にある患児は、手術の説明を受け、理解することは困難である。しかし、何が起きるのか、どんなことをするのか、人形や医療器具を使って疑似体験し、心的準備ができるように支援する。

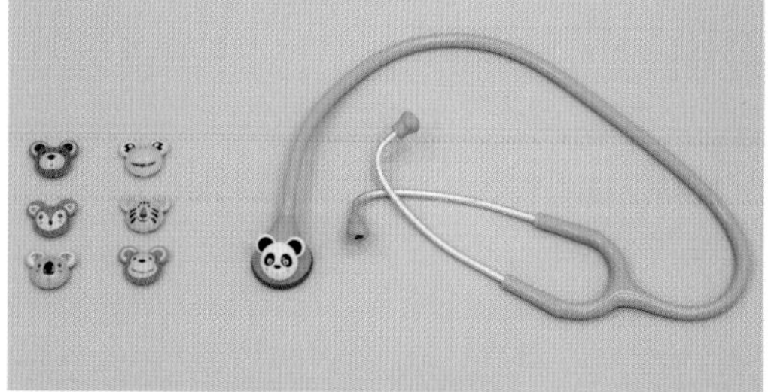

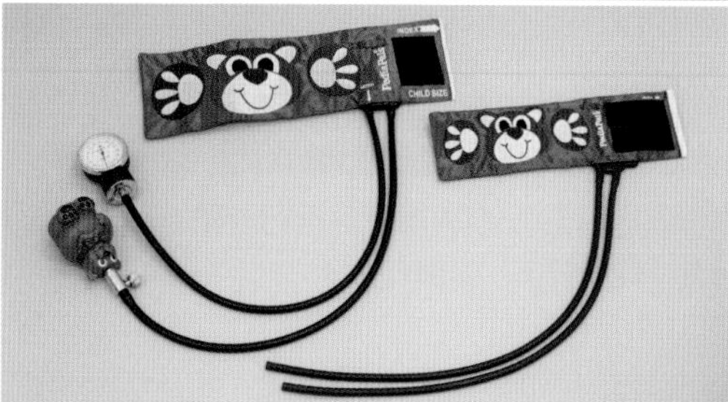

興味を誘う

患児にとっては、なじみのない、見慣れない医療器具が多く、不安や緊張を強めるおそれがあるため、動物柄やキャラクターがついている医療器具などを用い、患児の興味を引く。

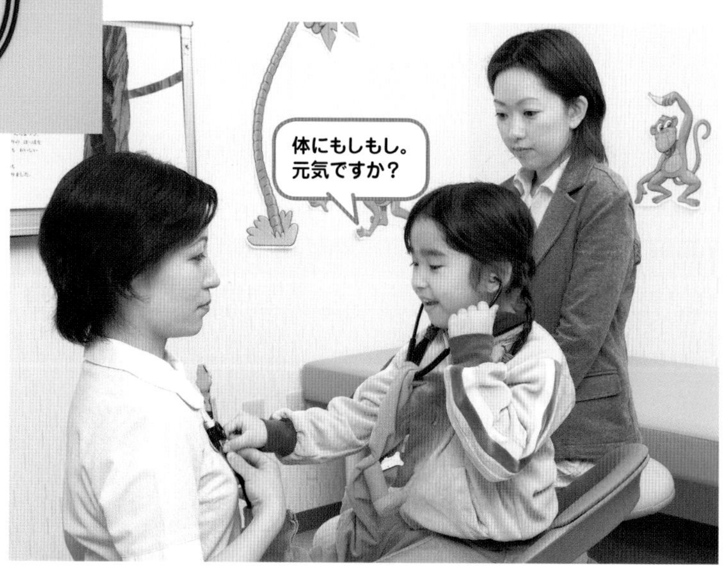

擬似体験：聴診

おもちゃの聴診器や実際の聴診器を渡す。
次に、聴診器を人形や看護師の胸にあてて、聴診がイメージできるように説明する。

例えば、「○○ちゃんのお胸の音を"もしもし"して聞いてみるね」などと話す。

CHECK!

キワニス人形（ドール）

国際キワニス日本地区によって制作されている白無地の人形。
イラストを描いたり、縫いつけて治療や検査の説明をする。
症状を確かめる時に使うなど、自由に活用することができる。
患児の恐怖心や入院のつらさを和らげる玩具としても有効。

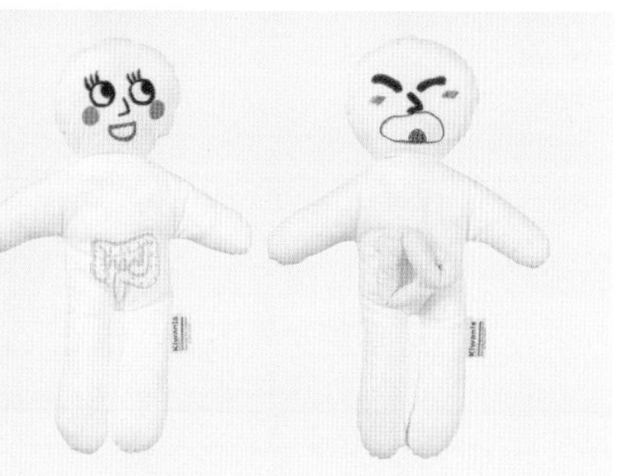

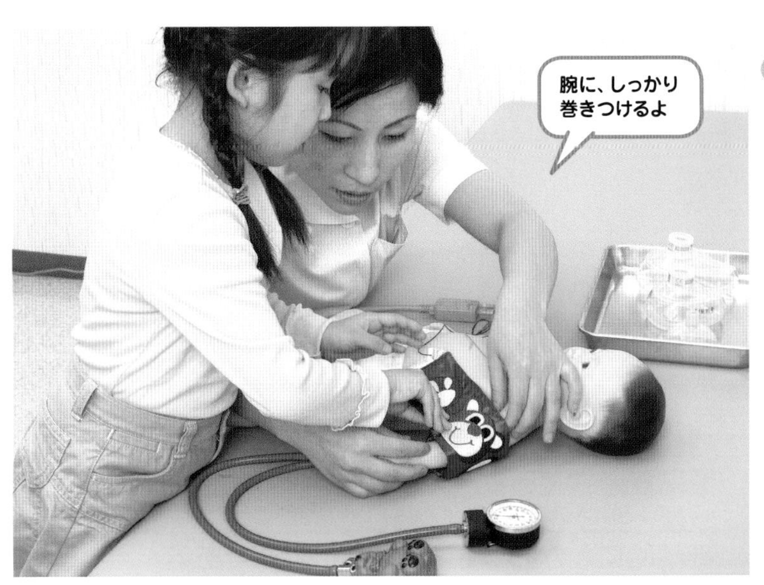
腕に、しっかり
巻きつけるよ

疑似体験：血圧測定

マンシェットを人形の腕に巻いてカフを握ると、加圧されてマンシェットが膨らむことを見せながら説明する。

例えば、「血圧をはかるときは、"シュポシュポ"と音がして、腕が"キュゥ"と締め付けられる感じがするけど、痛くないからじっとしていてね」などと説明する。

POINT

- 説明した看護師が手術当日の担当となるようにする。

疑似体験：心電図モニター

人形の胸に心電図モニターの電極を貼り、貼付位置を説明する。実際に患児の胸にも電極を貼り、痛みがないことを理解できるように説明する。

例えば、「手術のお部屋では、このシールをペッタンコします。ほらね、1個、2個、3個。上手に貼れました」などと、話す。

POINT

医療器具をこわがる患児の場合

- 医療器具をこわがる場合は、無理に勧めず、お気に入りのおもちゃで遊ぶ。
- 紙芝居やカードを使い、説明する。

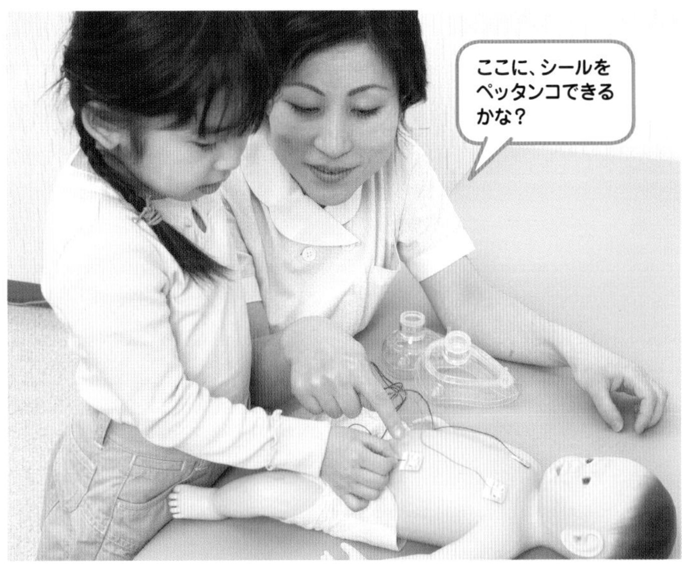
ここに、シールを
ペッタンコできる
かな？

お鼻とお口の上に、
かぶせてね

スーハー、
スーハー

疑似体験：マスク

看護師といっしょにマスクを当てて、ごっこ遊び。マスクを口に当てることに慣れるよう、遊びを通して、呼吸の練習となるよう誘導する。

例えば、「お鼻とお口の上にぴったりかぶせて、はい、スーハー。スーハー、スーハーできるかな？」「○○ちゃん、とっても上手だね」

上手にできたことを積極的にほめる。

CHAPTER 4 日常生活の援助

小児の日常生活援助の特徴

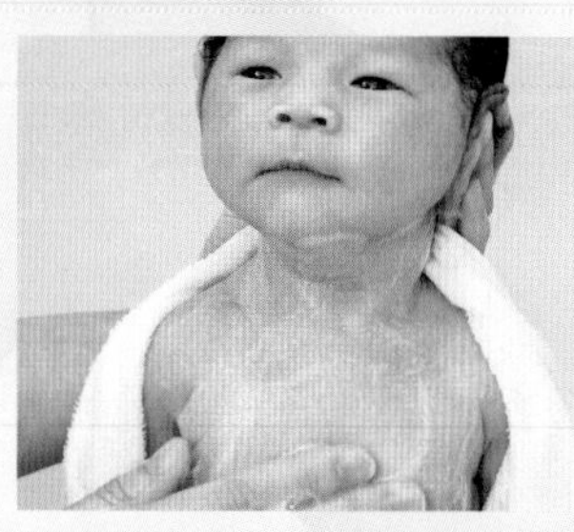

- 治療や処置を伴わない日常生活の援助は、患児とのコミュニケーションの場となる。
- 成長・発達段階に応じた援助が必要であり、成長・発達を的確に評価し、継続的にかかわっていくことが大切である。
- 家族の育児方針を尊重し、援助する。
- 入院中も家族の負担にならない程度にケアに参加してもらい、育児指導の場とする。

日常生活援助の種類

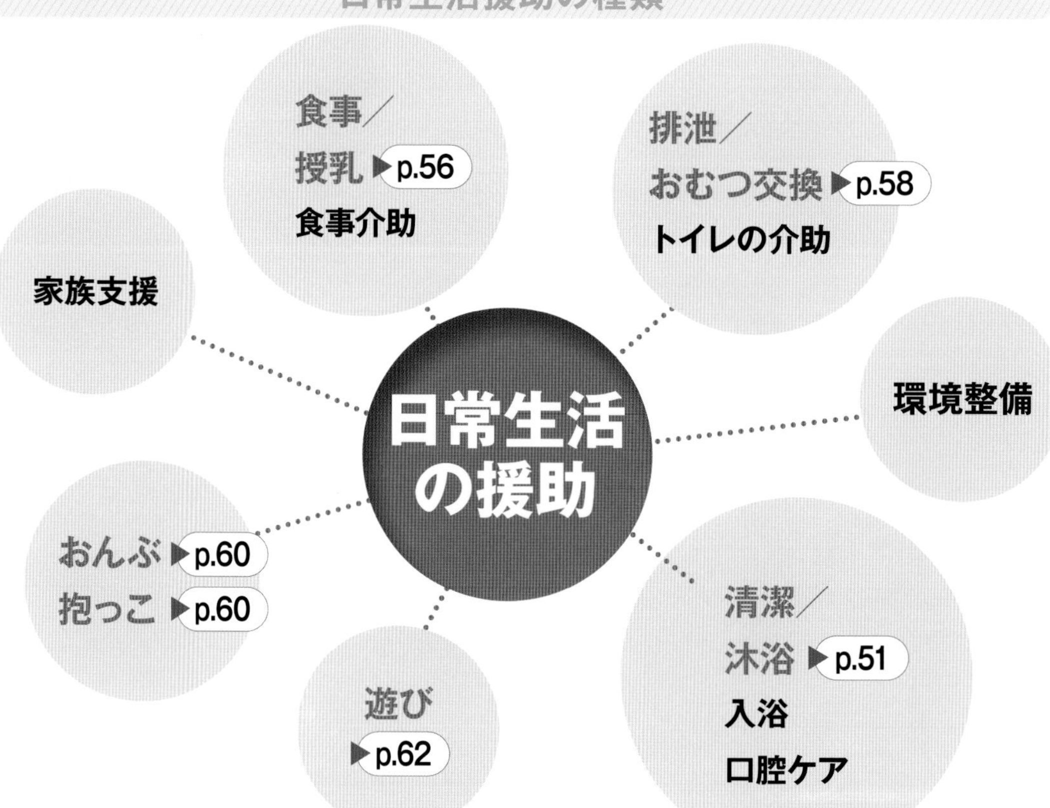

沐浴

4-1

乳児は自分で身体の清潔を保つことができないため、
沐浴は大切なケアである。
感染防止、新陳代謝の促進、観察のためにも重要である。
また、全身状態を観察するよい機会となる。

目的

1. 身体の清潔を保ち、感染を防止する。
2. 血液循環を促進し、新陳代謝を促す。

PROCESS 1 必要物品・沐浴室の準備

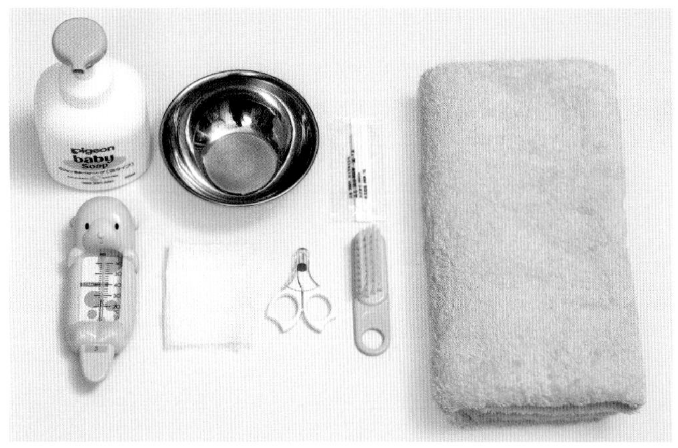

❶ 湯温計
❷ 石けん（泡状のベビーソープ）
❸ ガーゼ　❹ タオル
❺ バスタオル　❻ ボール
❼ 着替えの衣類　❽ 綿棒

沐浴室の室温を25℃前後に調整する。沐浴槽に38～40℃の湯を入れ、石けん・ガーゼ・ボールを使いやすい位置に置く。沐浴後に速やかに着衣できるよう、バスタオルと衣類を広げておく。

POINT

- 温度計と素手の両方で、湯温(38～40℃)を確認する。
- 寒くないよう、室温(25℃前後)に配慮する。
- 沐浴時の使用物品、沐浴後のバスタオル・衣類は使いやすく配置する。

PROCESS 2 沐浴槽に入れる

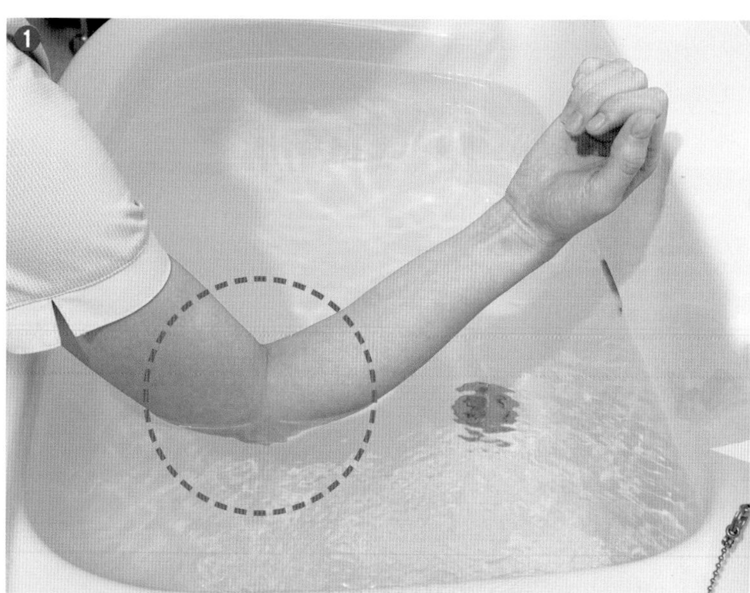

❶ 温度計と、肘の内側で湯温を確認する。熱すぎないか、また冷めていないか、患児を入れる直前に再確認する。

POINT

- 湯の温度に注意する。
- タオルでくるむと乳児は安心し、体動を抑える効果もある。
- 頭部と臀部を保持。落とさないよう注意!
- 足先から湯に入れる。

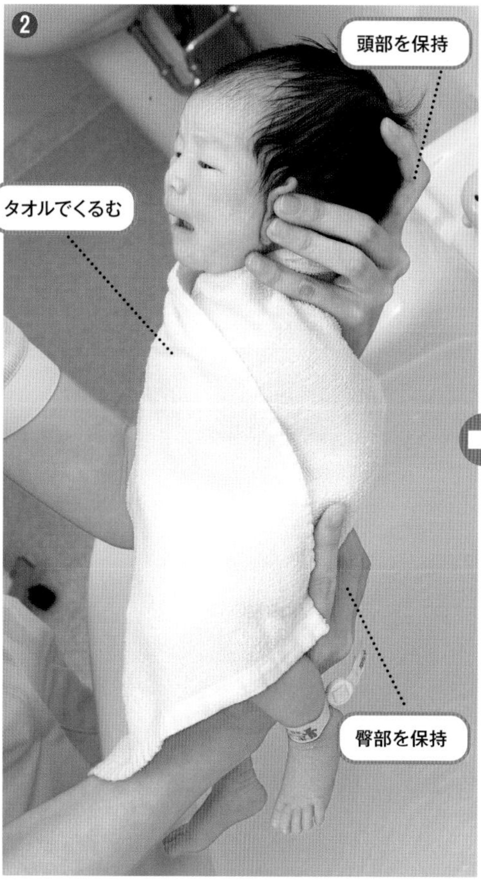

頭部を保持

タオルでくるむ

臀部を保持

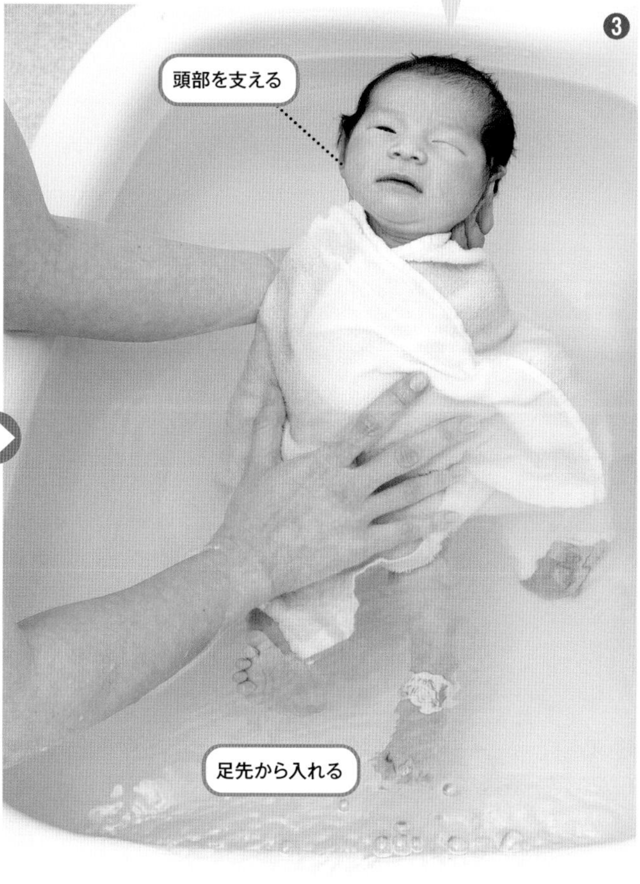

頭部を支える

足先から入れる

❷ 患児をタオルでくるみ、利き手と逆の手で後頭部から頸部を支える。利き手で患児の臀部を保持する。

❸ 患児の様子を観察しながら、ゆっくりと足先から湯に入れていく。

PROCESS 3 顔・耳を拭く

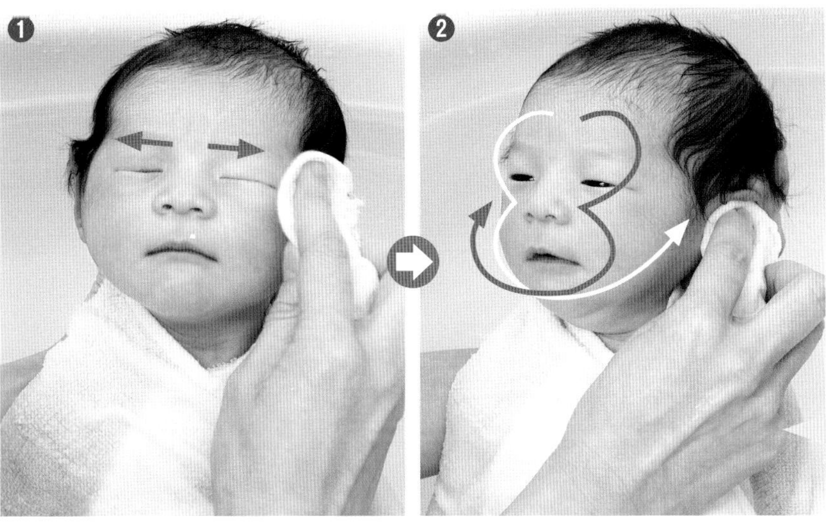

❶ ガーゼを湯で絞り、目頭から目尻に向かって、やさしく拭く。
反対側の目を拭く際は、ガーゼの面を替える。

❷ 右額→右頬→顎→左耳と拭く。同様に、左額→左頬→顎→右耳と拭く。

POINT

- 筋層に沿って拭くと、拭き残しが少ない。
- 順番に拭くようにすると、拭き忘れがなくなる。

PROCESS 4 頭部・前半身を洗う

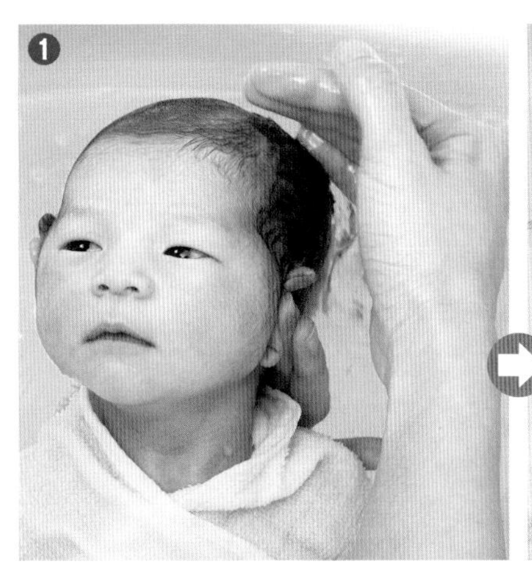

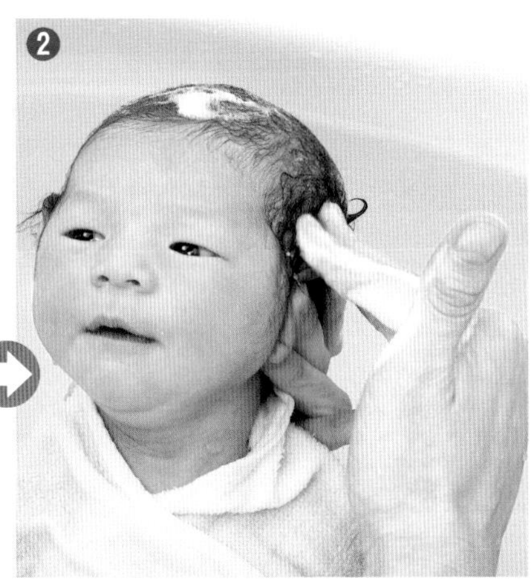

❶ 頭部に湯をかけて、頭髪を濡らす。

❷ 頭髪に石けんをつけ、円を描くように洗う。

❸ 絞ったガーゼで頭部を拭き、石けん分をとる。

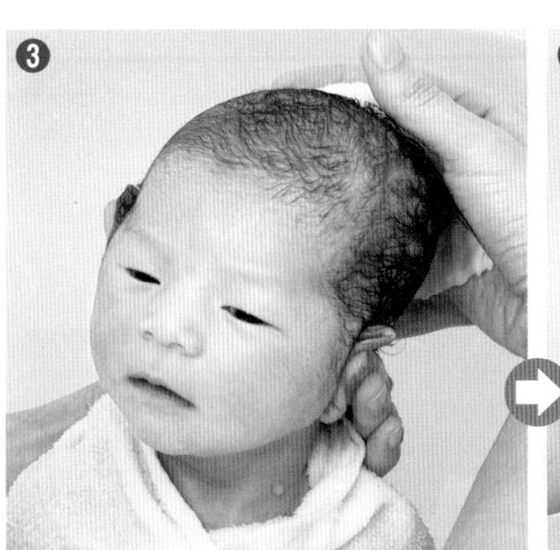

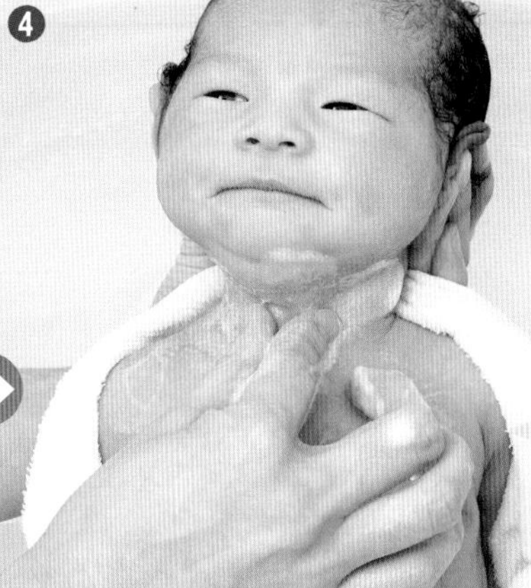

❹ 体を覆うタオルを開き、石けんを手にとって頸部を洗う。

POINT

- 頸部のくびれている部位に、胎脂や汚れがたまりやすい。
- 指先で、くびれを開いてよく洗う。

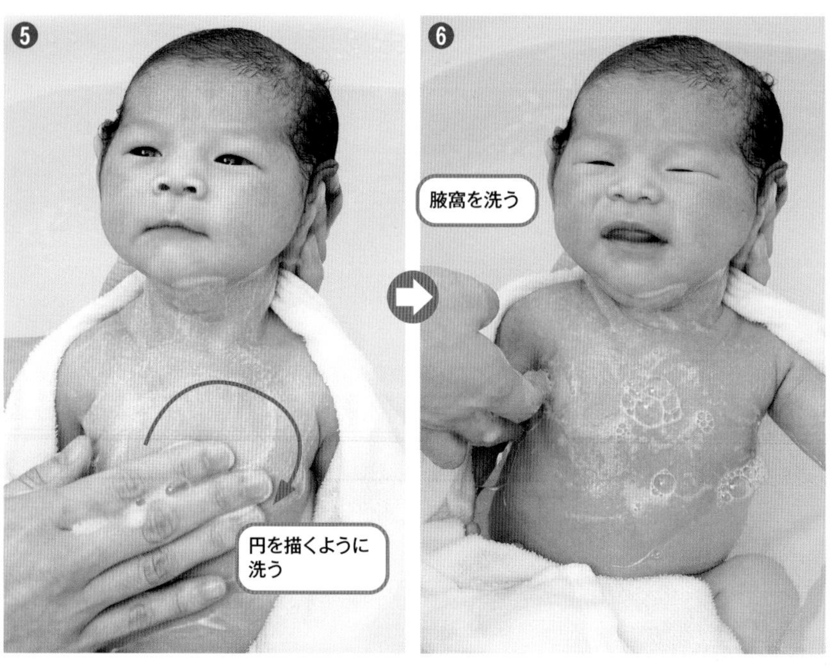

❺ 石けんを手につけて、胸部・腹部に円を描くようにして洗う。

❻ 両腋窩に指を差し入れて洗う。肩から腕・手を握るようにして、回しながら洗う。湯に浸したガーゼで、頸部・胸腹部・両腋窩・肩・腕・手の石けん分をすすぐ。患児が手を握っている場合は、小指から開いて洗う。

PROCESS 5 背部を洗う

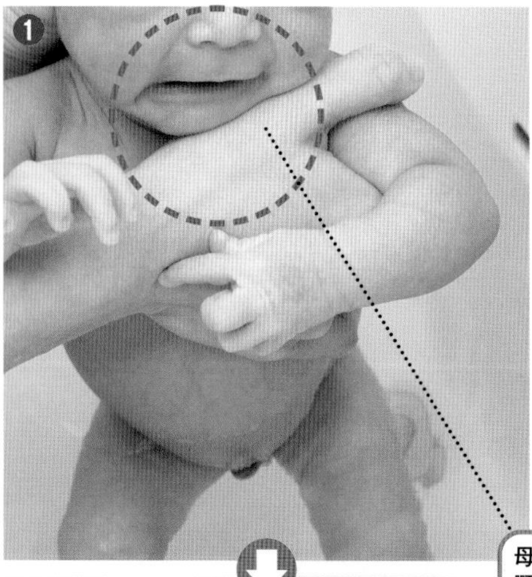

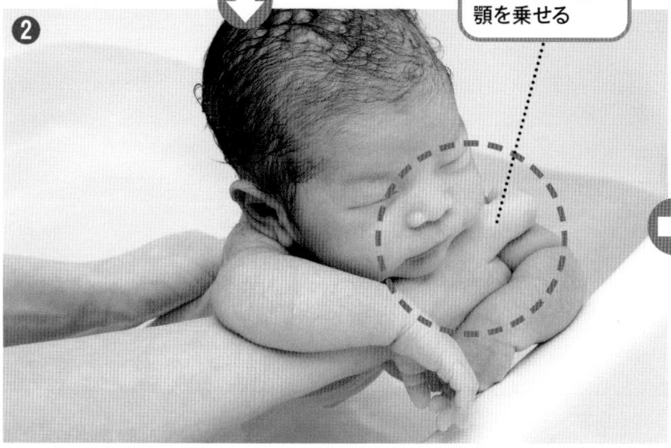

❶❷❸ 利き手で患児の腋窩を支え、母指の付け根に患児の顎を乗せて、腹臥位にする。石けんを手につけて背部･臀部を洗い、湯に浸したガーゼですすぐ。

POINT

- 背部は円を描くように洗う。
- 患児の顔が湯に浸っていないか、頸部を圧迫していないか注意する。

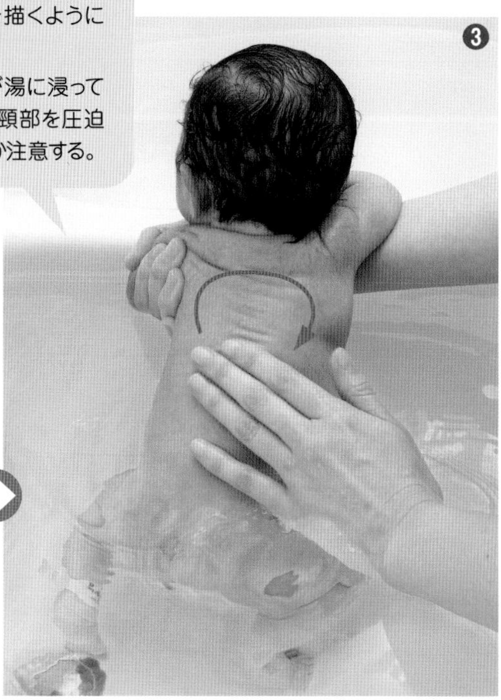

❶
❷
❸
母指の付け根に
顎を乗せる

PROCESS 6 下肢・陰部を洗う

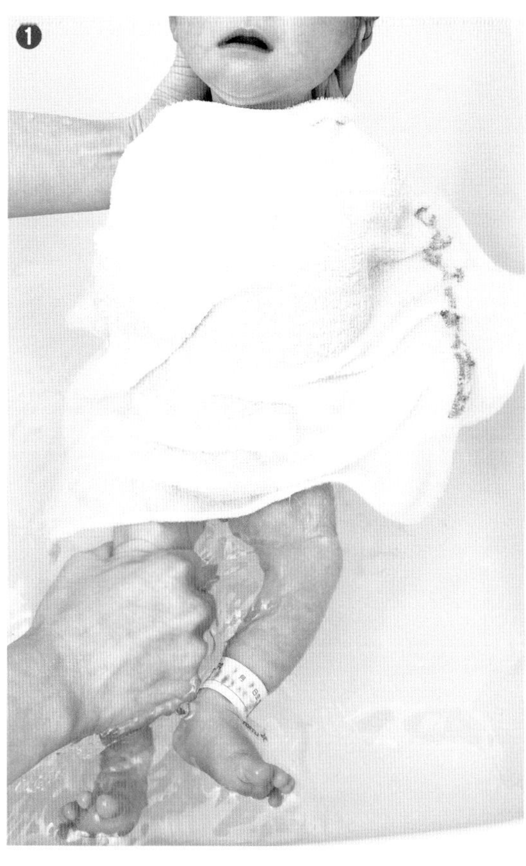

❶ 上半身にタオルをかけて冷えないようにする。手に石けんをつけ、下肢を握って回すようにしながら、大腿→下腿と洗ってすすぐ。

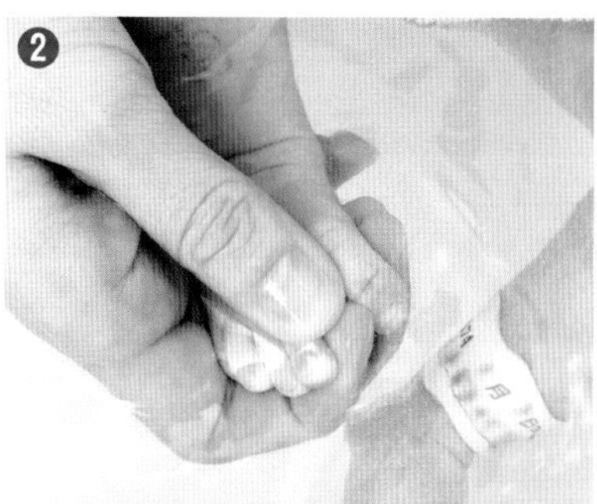

❷ 足の指の間も、手に石けんをつけてよく洗い、すすぐ。

❸ 陰部・肛門は、石けんでよく洗い、すすぐ。

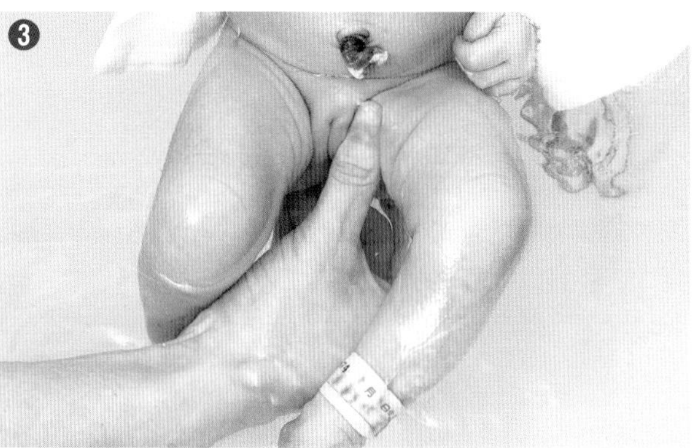

PROCESS 7 かけ湯をし、沐浴槽から上げる

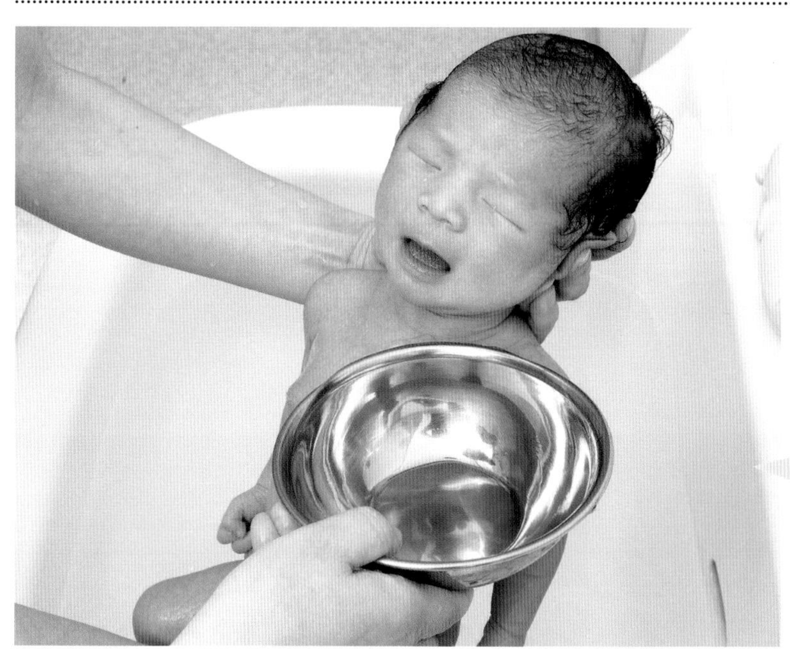

最後に、静かにかけ湯（40℃）をし、患児を沐浴槽から上げる。広げておいたバスタオルの上に寝かせ、水分を拭き取り、着衣・整髪を行う。

POINT

- 沐浴後は、速やかに身体・頭髪をバスタオルで拭き、着衣を整える。
- 手際よく行えるよう、あらかじめバスタオルを広げ、衣類も着せやすく準備しておく。

授乳

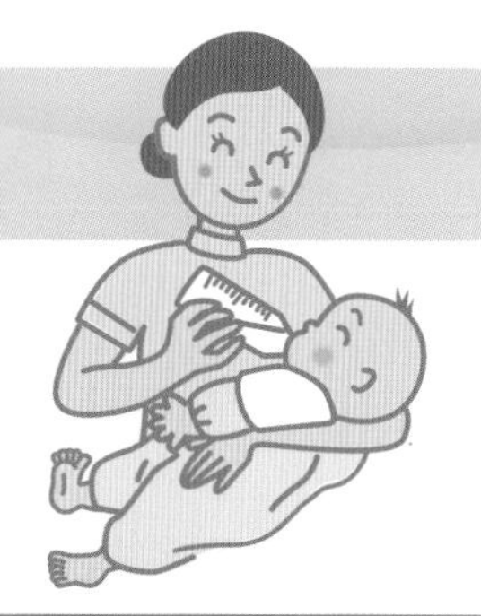

授乳は乳児にとって、成長・発達に
必要なエネルギー・栄養補給であり、援助者との
触れ合いの機会ともなる、大切なケアである。

目的

1. 成長・発達に必要なエネルギー・栄養補給。
2. アレルギー、代謝異常などの治療。

PROCESS 1 必要物品の準備、患児の観察

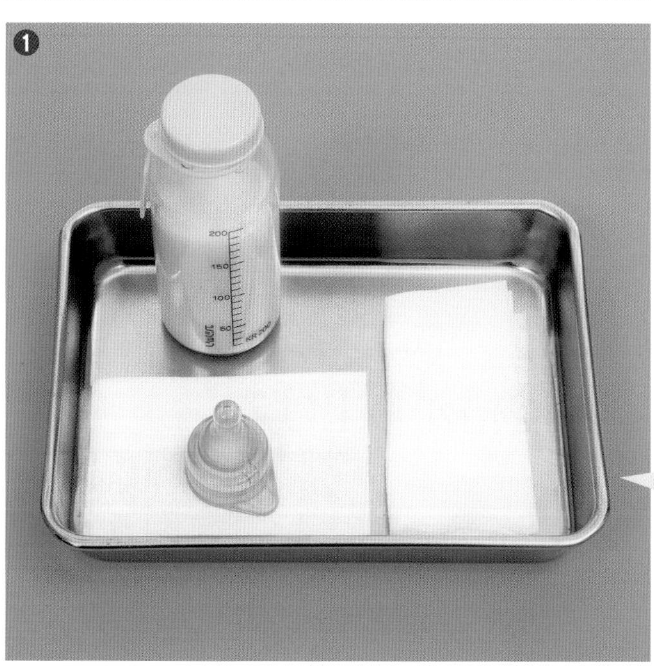

❶ 調乳ミルク ❷ 哺乳瓶
❸ 乳首 ❹ 口拭き用ガーゼハンカチ

❶ 授乳前に、患児の全身状態を観察し、おむつ交換を行う。援助者は手洗いを行い、必要物品を準備する。患児の月齢・吸啜力・疾患などを考慮し、乳首を選択。不潔にならないよう乳首を哺乳瓶に取り付ける。

EVIDENCE

- 乳児は鼻呼吸であるため、鼻汁や鼻閉があると哺乳ができない。必要時、口鼻腔吸引を行う。
- おむつが汚れていると、哺乳が進まないことがある。
- 電子レンジによるミルクの温めは、絶対に行わない。均等に熱が行き渡らず、一部にホットスポットが生じるため、熱傷の危険がある。

❷ ミルクの指示量、患児の氏名を確認する。ミルクを37℃程度に温め、援助者の前腕内側に数滴垂らして、温度を確認する。

POINT

- 熱すぎるミルクは口腔内の熱傷の原因、冷たいミルクは消化不良の原因になるので注意。
- 温めてから2時間以上たったミルクや、温めなおしたミルクは、細菌が繁殖している可能性があるため、使用しない。

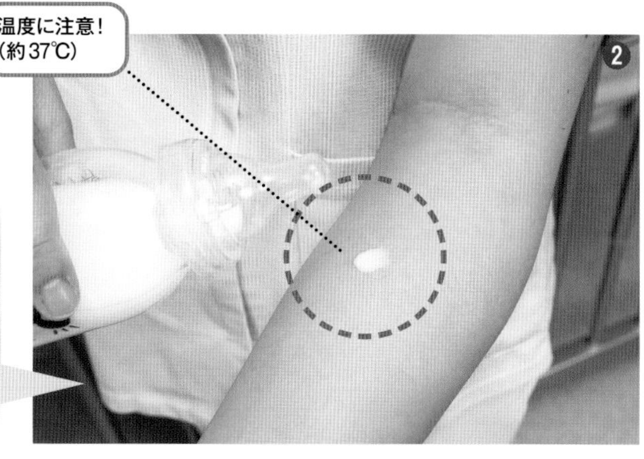

PROCESS 2 哺乳と排気

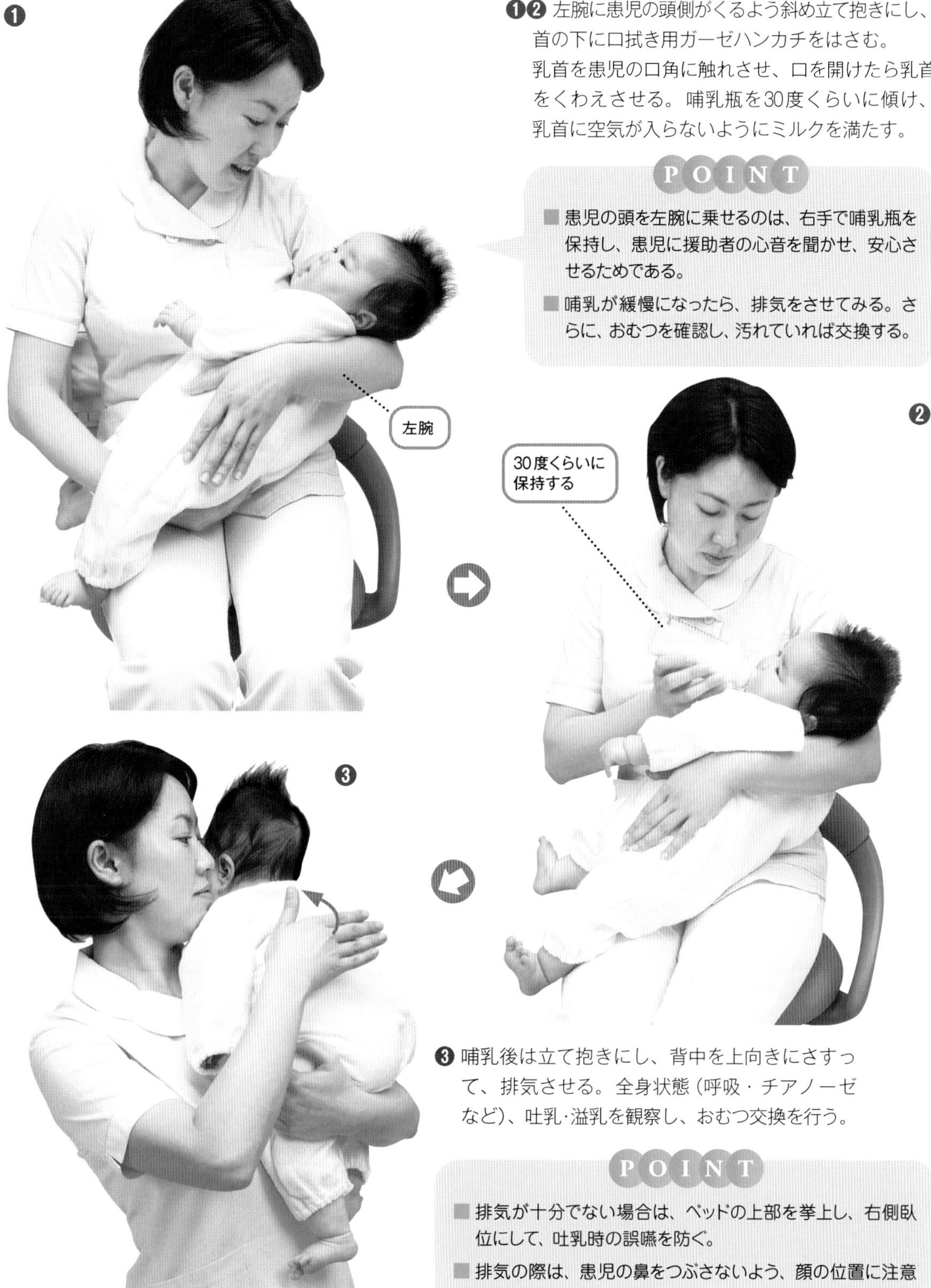

❶❷ 左腕に患児の頭側がくるよう斜め立て抱きにし、首の下に口拭き用ガーゼハンカチをはさむ。
乳首を患児の口角に触れさせ、口を開けたら乳首をくわえさせる。哺乳瓶を30度くらいに傾け、乳首に空気が入らないようにミルクを満たす。

POINT

- 患児の頭を左腕に乗せるのは、右手で哺乳瓶を保持し、患児に援助者の心音を聞かせ、安心させるためである。
- 哺乳が緩慢になったら、排気をさせてみる。さらに、おむつを確認し、汚れていれば交換する。

❸ 哺乳後は立て抱きにし、背中を上向きにさすって、排気させる。全身状態（呼吸・チアノーゼなど）、吐乳・溢乳を観察し、おむつ交換を行う。

POINT

- 排気が十分でない場合は、ベッドの上部を挙上し、右側臥位にして、吐乳時の誤嚥を防ぐ。
- 排気の際は、患児の鼻をつぶさないよう、顔の位置に注意する。耳元で排気させると、小さなげっぷの音も聞こえる。

おむつ交換

陰部・臀部の清潔を保ち、患児が気持ちよく日常生活を送るためには、汚れたままで放置せず、適時、おむつ交換を行う必要がある。

目的　便・尿で汚れた陰部・臀部を清潔にする。

PROCESS 1 必要物品の準備

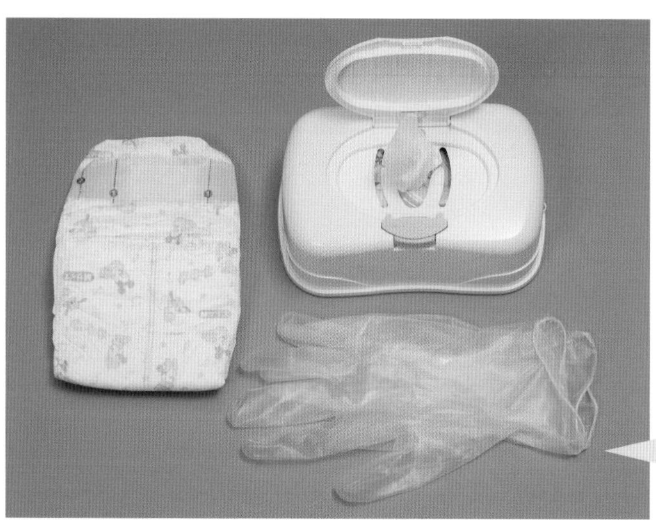

❶ 紙おむつ
❷ お尻拭き
❸ 手袋

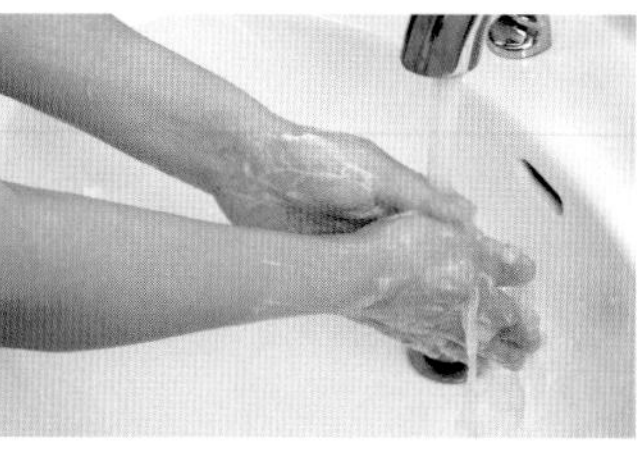

援助者は手洗いを行い、必要物品を準備する。

POINT

■ 排泄物からの交差感染を防ぐため、おむつ交換時には必ず、手袋を着用し、患児ごとに手袋を交換する。

PROCESS 2 陰部・臀部の清拭

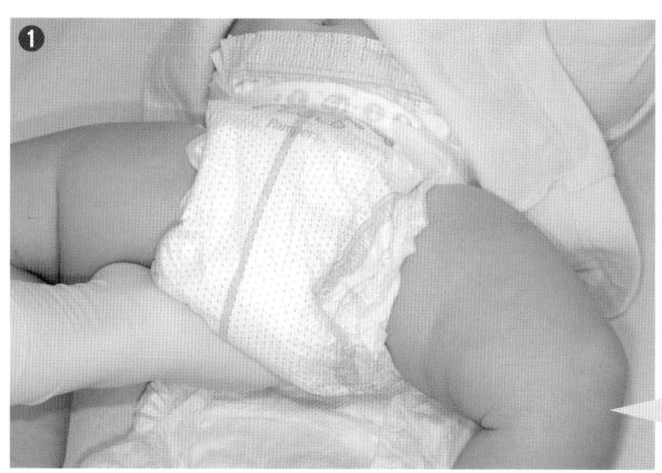

❶ 手袋を装着し、患児の臀部に手を差し入れて挙上し、あらかじめ新しい紙おむつを敷いておく。
紙おむつを開き、便が出ていれば、紙おむつの汚れのついていない面で、陰部・臀部の汚れを拭き取る。

POINT

■ 排泄物が周囲に付着しないよう注意。

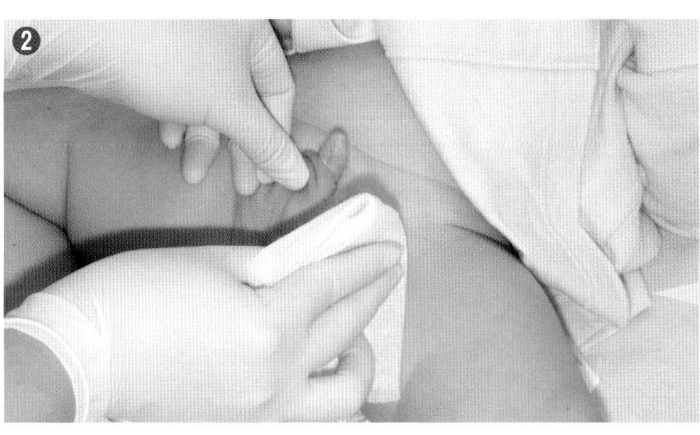

❷ さらに、お尻拭きで陰部・臀部の汚れを拭き取る。

POINT

陰部・臀部の拭き方

- 男児：陰嚢の裏側に汚れが残りやすいため、陰茎・陰嚢を持ち上げて拭く。
- 女児：前から肛門側に向かって、一方向で拭き、尿道口に便が付着しないようにする。
- 一拭きしたら、お尻拭きの面を替えて拭く。

PROCESS 3 おむつ交換

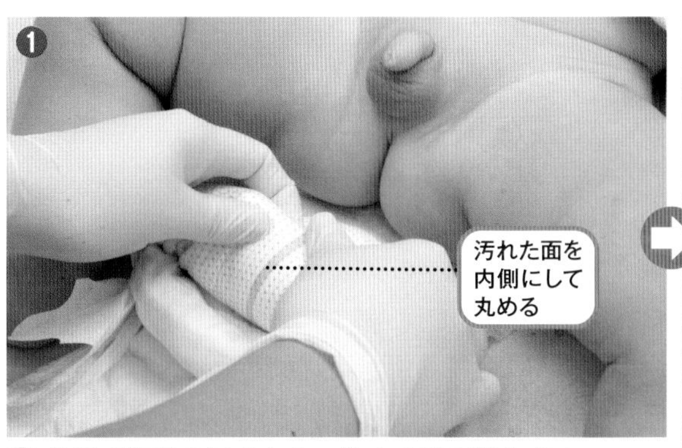
汚れた面を
内側にして
丸める

❶ 片手で患児の足を支え、他方の手で紙おむつを丸めながら取り出す。

POINT

- 汚れた紙おむつは、周囲に便・尿が付着しないよう、注意して丸める。
- 両足をまとめて持ち上げると、股関節脱臼を起こす危険がある。臀部の挙上は、片手を挿入して行う。

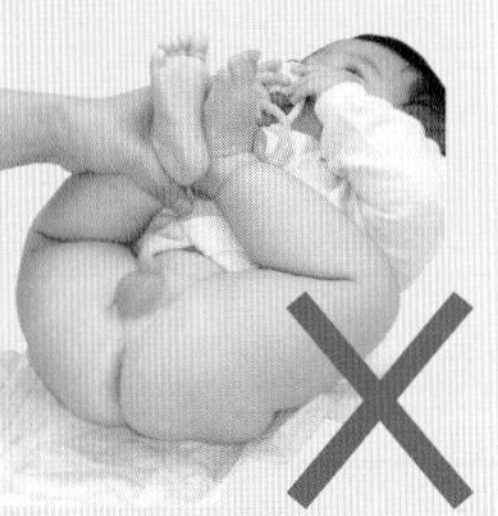

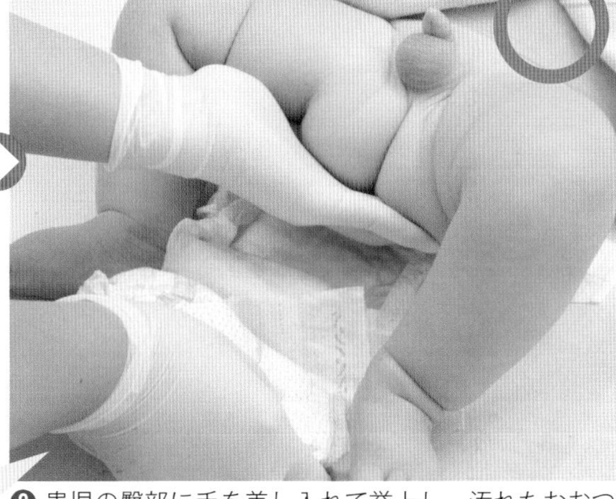

❷ 患児の臀部に手を差し入れて挙上し、汚れたおむつを引き抜く。あらかじめ敷いておいた紙おむつを当てる。

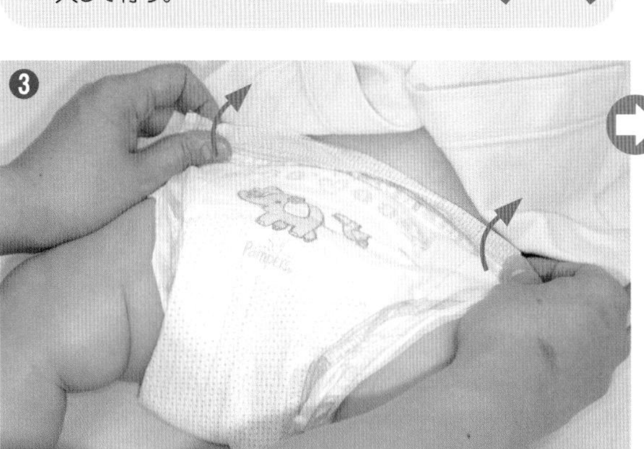

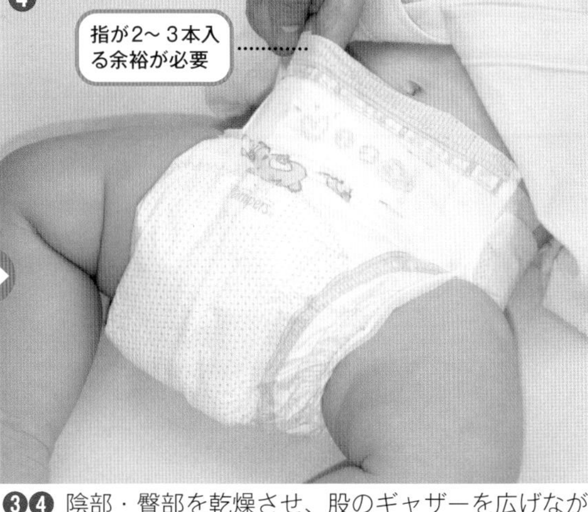
指が2～3本入
る余裕が必要

❸❹ 陰部・臀部を乾燥させ、股のギャザーを広げながら紙おむつを当て、テープをとめる。
きつくないよう、指が2～3本入ることを確認する。

抱っこ・おんぶ

4-2

抱っこは首がすわらない生後3か月ごろまでは「横抱き」、首がすわってからは「立て抱き」をする。おんぶは、首がすわってから行う。

首がすわらないころ

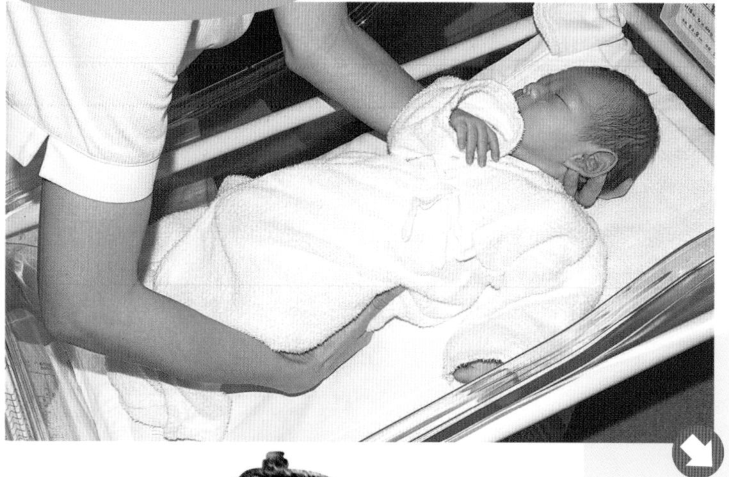

首がすわらない生後3か月ごろまでは、片手で頭を支え、もう片方の手で臀部を支えて、頭から抱き起こす。
患児の頭を肘関節に乗せ、頭から首にかけてまっすぐにして支える。
患児を体から離さないように密着させる。

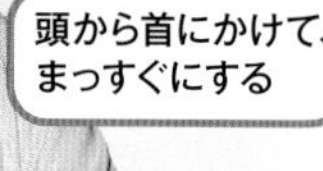
頭から首にかけて、まっすぐにする

POINT

- バスタオルやおくるみで体全体を包むと、安定感が増す。

肘で支える
臀部を支える

POINT

寝かせるときは

- 寝かせるときは臀部から先につけ、最後に頭がガクンとならないように、両手で支えて下ろす。
- 臀部、体、頭の順番に下ろす。

首がすわった後

首がすわってくると横抱きより、立て抱きを好むようになる。
片腕で患児の腰を支え、もう片方の腕で背中を支えて、全身を立てるようにする。

4-3

背中を支える
臀部を支える
抱っこ帯
頭は、援助者より下に
首にひもをかけない
手はひもの上に出す

POINT

抱っこ帯の場合

- 長時間抱くときは、抱っこ帯を使用する。患児が泣いたり、ぐずったりしているときは、ぴったりと抱きかかえると落ち着くことが多い。

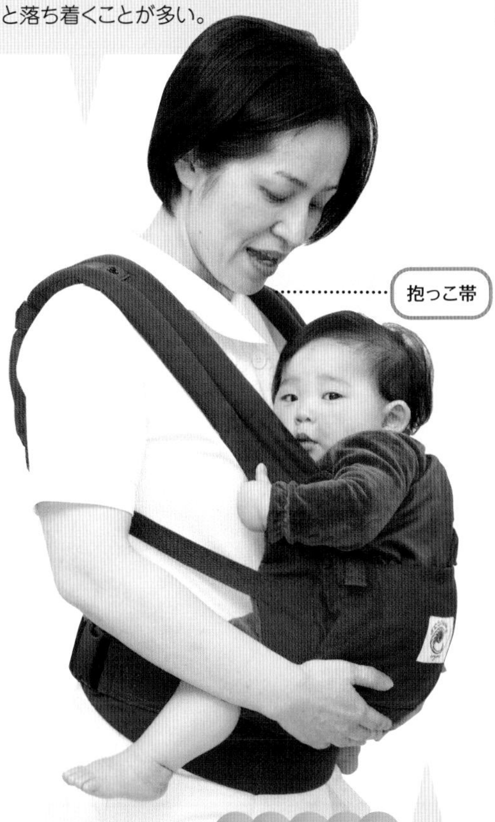

おんぶは首がすわってから行う。背中に乗せるときは2人で行い、患児の頭が援助者より下になるよう、首にひもがかからないよう注意する。患児の手はひもの上に出す。

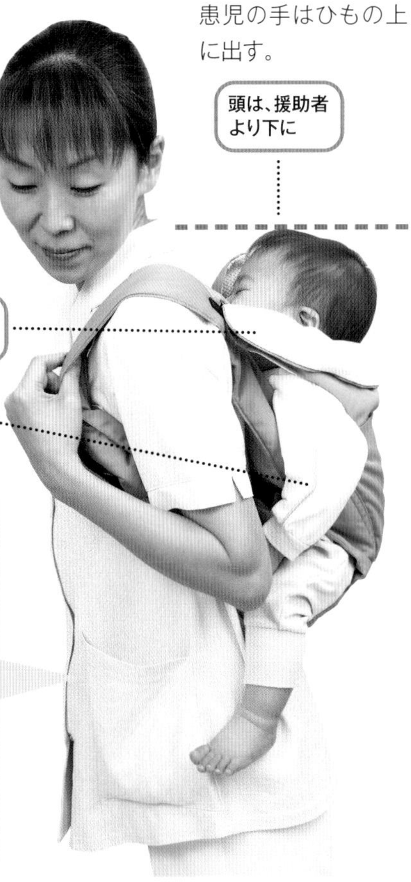

POINT

抱っこ・おんぶの際の留意点

- おんぶは、必ず、首がすわって体がしっかりする生後3か月過ぎからにする。
- 患児の運動を制限し、胸や足を拘束するため、長時間のおんぶは避ける。
- 患児の足を広げて、臀部をしっかり支える。
- 背中に乗せる際は2人で行い、手足の位置や姿勢が不自然でないことを確認。
- おんぶをしていると後ろがみえないため、鏡をみたり、患児の息遣いや動きに注意する。
- 抱っこ帯、おんぶひもは、月齢や発達に応じて使い分ける。

遊び

4-4

病気があっても、小児には遊びが必要であり、遊びを奪ってはならない。入院生活に、遊びを取り入れるよう援助する。

おもちゃの選択

おもちゃは、発達段階（乳児·幼児·学童期）や性別に応じて準備する。乳幼児では、口に入る大きさのおもちゃは禁物。口に入れて気道に詰まり、窒息する危険がある。
患児が、自ら好きなおもちゃを選んで遊べるよう、援助する。

スキンシップ

乳幼児に絵本を読み聞かせる際は、可能なら抱っこしてスキンシップを図る。

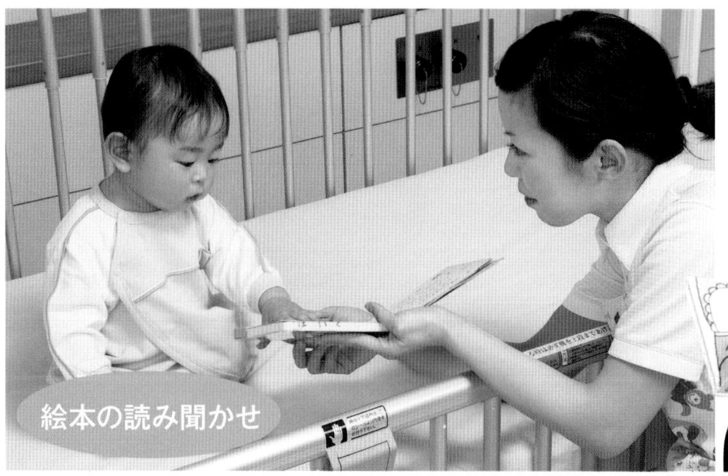

絵本の読み聞かせ

絵本は、患児の発達段階に合わせて選ぶ。絵を指し示して「○○ちゃんは、どうかな?」などと言葉をかけながら、読み進める。声の調子や大きさに変化をつけ、患児の興味を誘う。

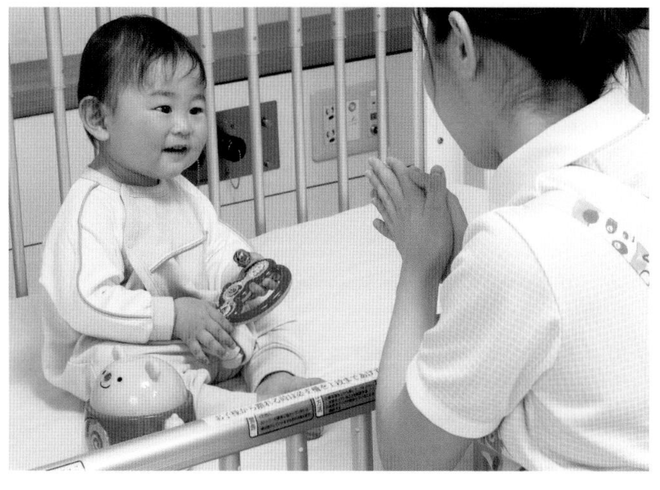

手遊び

歌いながら、手振りで遊ぶ「手遊び」は、全身を動かすことなくベッドで楽しく遊べる。援助者は、日頃からさまざまな手遊びを覚えておくとよい。

工作物での遊び

ときには、身近な素材でおもちゃを作り、患児といっしょに遊びたい。紙コップに輪ゴムを十文字にかけ、重ねて手を離すと、「あっ！　ジャンプした！」。材料を用意し、患児といっしょに作るとよい。

ジャンプした！

よっこらしょ、
どっこいしょ、
それでもかぶは
抜けません

マジックテープ
でとめられる

エプロンシアター

エプロンのポケットから、物語の登場人物が次々に現れ、患児は大喜び。フェルト人形にはマジックテープがついており、話を進めながらエプロンにとめていく。

ポケットから、
大きなかぶが
飛び出した！

CHECK!

プレイルームの活用

院内にプレイルームを設けると、遊びの範囲が広がり、患児同士の交流も広がる。プレイルームを設置する際は、以下の点に留意する。

- 清掃が行いやすく、清潔が保てる安全な床材を使用する。
- 点滴スタンドを使用している患児が利用できるよう、十分なスペースを確保する。
- 患児が興味を示す装飾を行い、明るい雰囲気をつくる。
- 発達段階に合わせておもちゃを選べるよう、収納を工夫する。
- プレイルームは患児が安心できる場であることを保障するため、医療処置は行わない。

CHAPTER 5 身体の計測

身体計測の基本原則

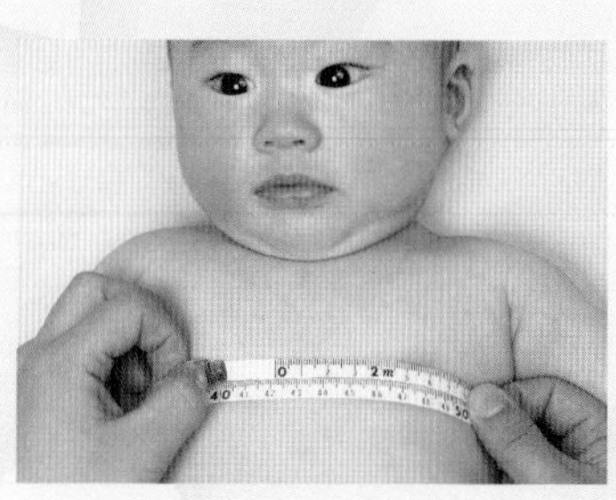

- 小児の発達段階に合わせて
測定器具を選択する。
- 正確な測定器具を使用する。
- 測定条件:
測定器具・測定部位・測定時間、運動・入浴・食事・排泄・体位・衣服などの条件を一定にする。
- プライバシーの保護、保温に十分注意する。
- 小児の安全・安楽を考慮し、
適切な手順と手技で行う。
- 測定前に前回の測定値を確認し、
測定直後に比較して、アセスメントを行う。

身体計測の種類

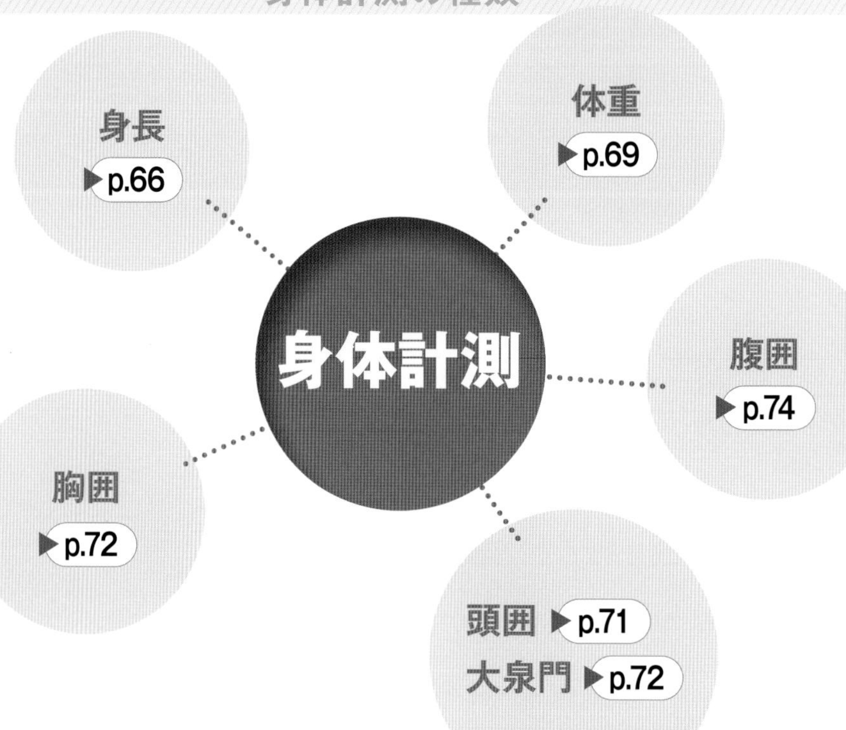

身体計測の意義と特徴

小児期は、成長・発達が著しい時期

小児期、特に乳幼児期は成長・発達が著しい時期である。身体計測の結果を評価することにより、発育状態、栄養状態、疾病の早期発見に役立てる。

身体計測は定期的に行うことで、経過観察となり、治療方針・看護方針の指標となる。

体　重　3か月児は、毎日30gずつ体重が増加中！

●体重は、生後数日間は減少し（生理的体重減少）、その後、増加し始める。生後3～4か月児で出生時の約2倍、1歳児で約3倍、4～5歳児で5～6倍になる。

●1日平均の体重増加量は0～3か月で30g、3～6か月で20gである。乳児期の栄養摂取量や体重増加を評価する際、「平均1日体重増加」がよい指標となる。

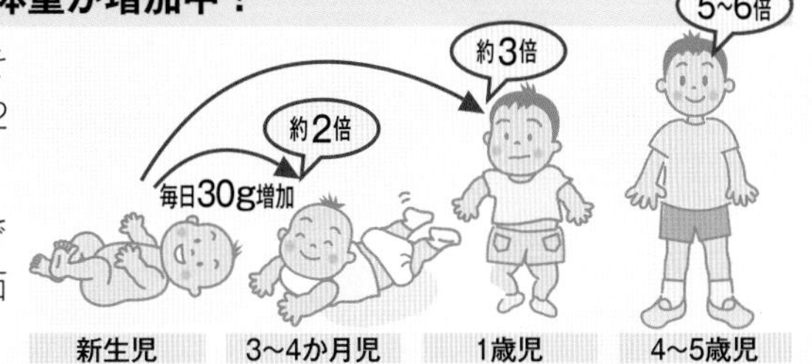

頭囲・胸囲　年齢が小さいほど、頭でっかち

●出生時の頭囲は約33cmで、胸囲より大きい。これが生後1か月から、頭囲と胸囲はほぼ等しく成長し、1歳前後で一致する。2歳以降には胸囲が頭囲より大きくなる。

●生後1年で頭囲は約46cm、成人の約80%となる。乳児期には脳が著しく発達するためである。

●胸郭は、新生児期は左右径と前後径の比がほぼ1：1で、横断面は円形である。年齢とともに左右径が前後径より大きくなり、横断面は楕円形となる。成人では胸郭の前後径と左右径の比は1：1.45である。

体　型　年齢が小さいほど、胴長短足

●身体の構成部分は、それぞれの発達速度を持ち、年齢とともに変化する。

●新生児は、成人に比べて頭部・体幹が大きい。頭長と身長の比は新生児では1:4、2歳児では1:5、12歳児では1:7、成人では1:7.5～8である。

●下肢長と身長の比は新生児で1:3、成人で1:2。年少児ほど重心が上にあり、転倒しやすい。

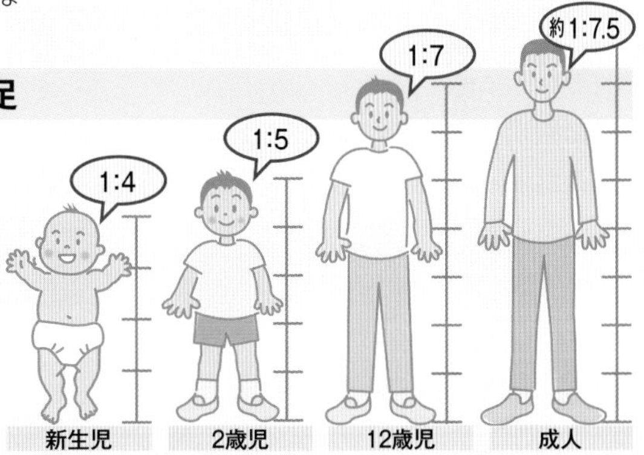

乳幼児の体重、身長、頭囲の成長と必要カロリーの基準

年 齢	体重増加	身長の伸び	頭囲の伸び	必要摂取カロリー
0～3ヵ月	30g/日	3.5cm/月	2.0cm/月	120kcal/kg/日
3～6ヵ月	20g/日	2.0cm/月	1.0cm/月	110kcal/kg/日
6～9ヵ月	15g/日	1.5cm/月	0.5cm/月	100kcal/kg/日
9～12ヵ月	12g/日	1.2cm/月	0.5cm/月	100kcal/kg/日
1～2歳	2.5kg/年	1.0～0.6cm/月	2.0cm/年	90kcal/kg/日
3～5歳	2kg/年	7～6cm/年	0.7cm/年	82kcal/kg/日

＊ 厚生労働省. 平成12年度日本人乳幼児の身体計測値および第六次日本人栄養所要量より概算／児玉浩子：2 成長. 小児科学. 文光堂, 2004, p.12より

身長の測定

身長測定は小児の骨格や筋の成長・発達状態を評価するのに有効であり、疾病や異常の早期発見、治療効果の判定にも利用される。

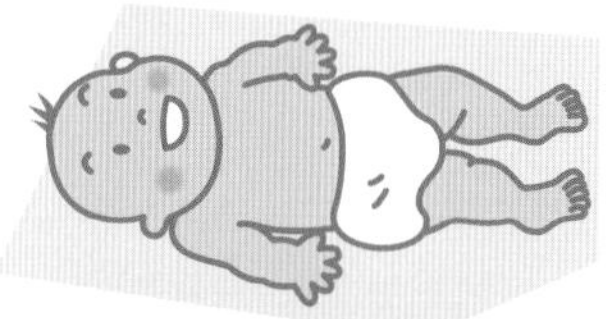

目的

1. 小児の骨格や筋の成長・発達状態、身体のバランスを評価する。
2. 栄養状態の評価。
3. 疾病や異常の早期発見、治療効果の判定。

PROCESS 1 必要物品の準備

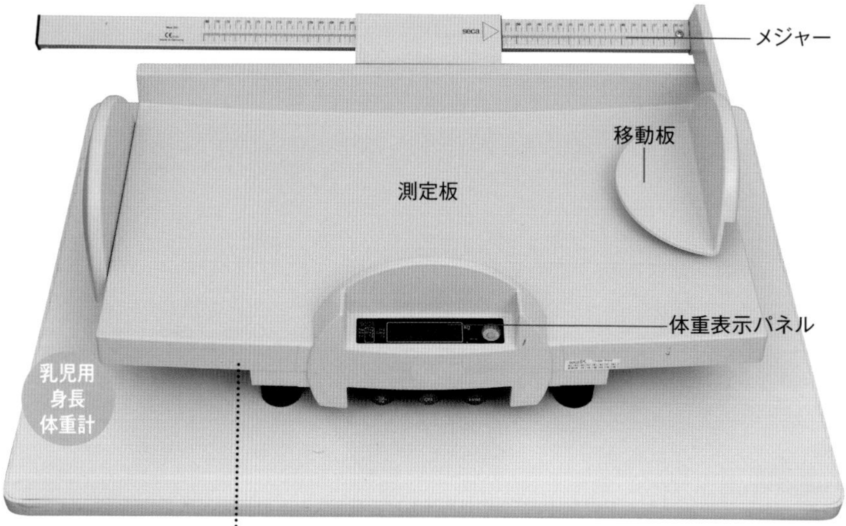

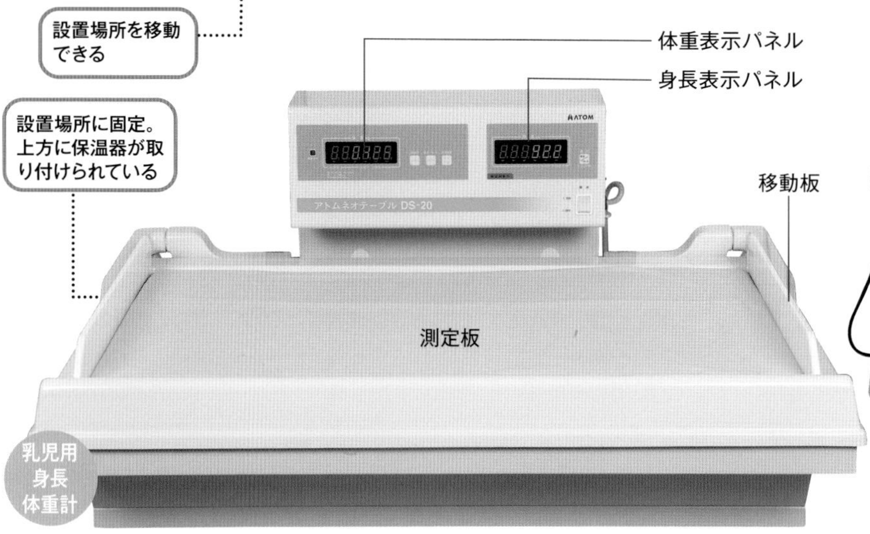

❶ 身長計
❷ 筆記用具
❸ メモ用紙

5-1

PROCESS 2 身長の測定

前回の測定値を記録しておき、身長計を点検。デジタル計の場合は0設定を確認する。
室温を26℃前後に保ち、乳児を裸にして乳児用身長計に寝かせる。乳児の膝を軽く押さえて下肢を伸展させ、移動板を足底に当てて、測定値を読む。測定は看護師2名で行い、安全に留意する。前回測定値との差が著しい場合は、測定方法を再確認し、再測定する。

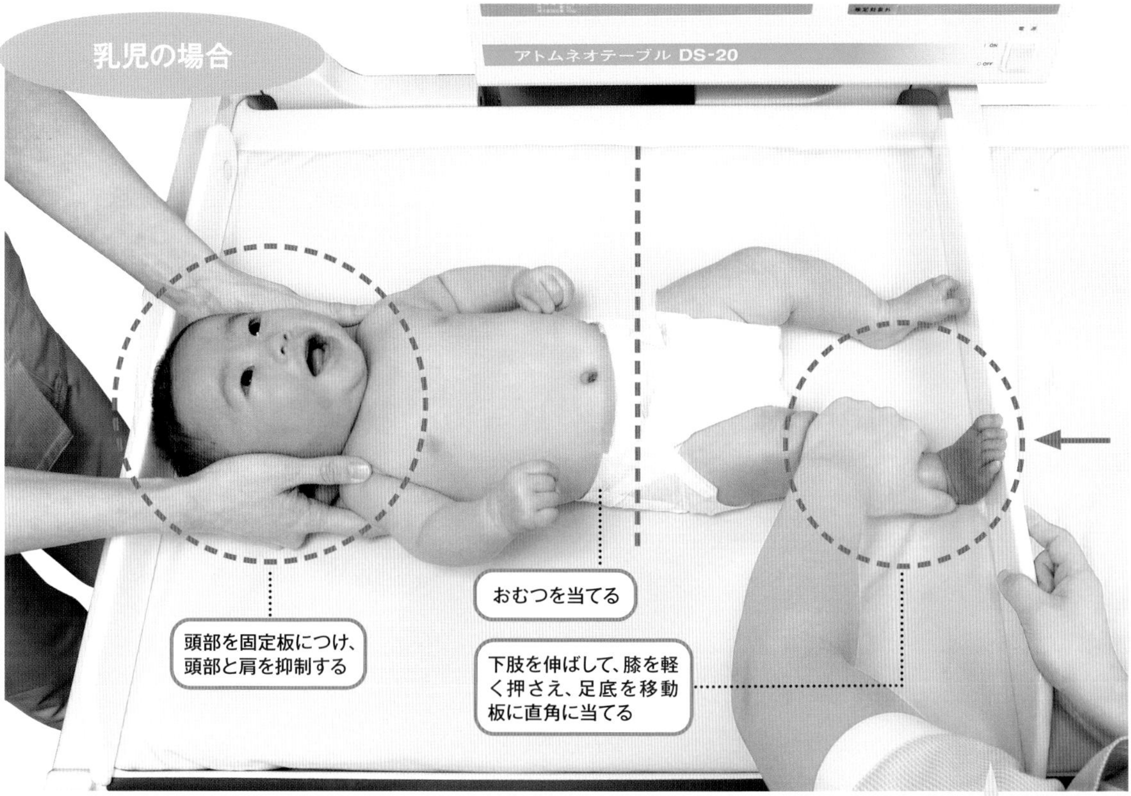

乳児の場合

アトムネオテーブル DS-20

頭部を固定板につけ、頭部と肩を抑制する

おむつを当てる

下肢を伸ばして、膝を軽く押さえ、足底を移動板に直角に当てる

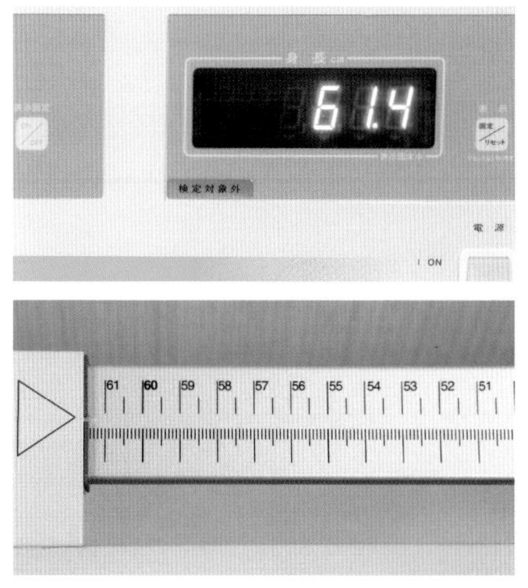

測定値はデジタル表示のものと、メジャーを読むタイプのものがある。

POINT

- 腸骨稜を結ぶ線と移動板を平行にする。両足が押さえられない場合は、特にこの点に留意する。
- おむつを当てて、不意の排尿に備える。
- 耳孔と目を結んだ線が、測定板に対して垂直になるよう頭部を固定。移動板と足底が、直角になるよう固定。
- 測定値は、小数点第1位まで読む。

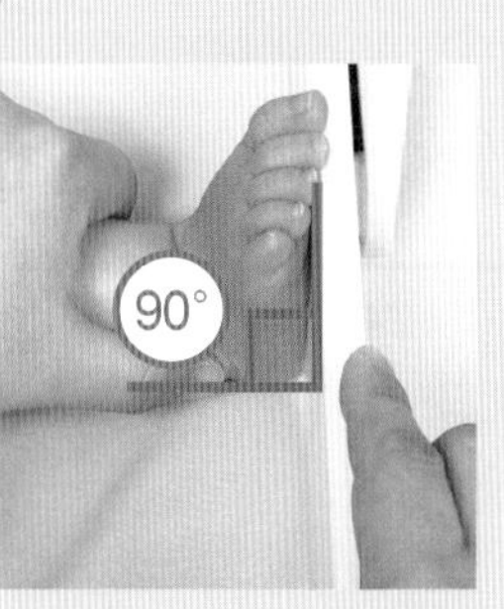

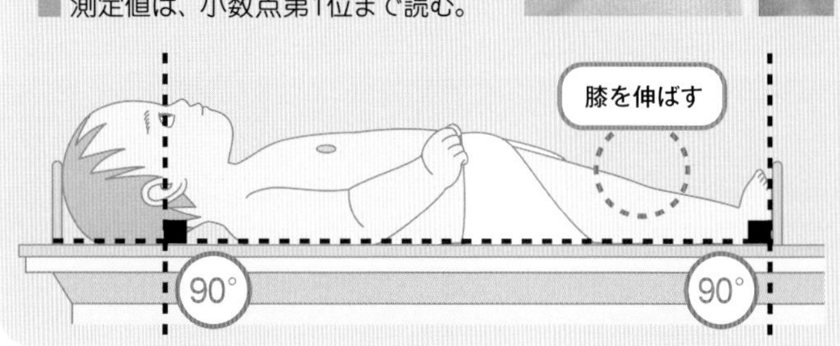

5-2

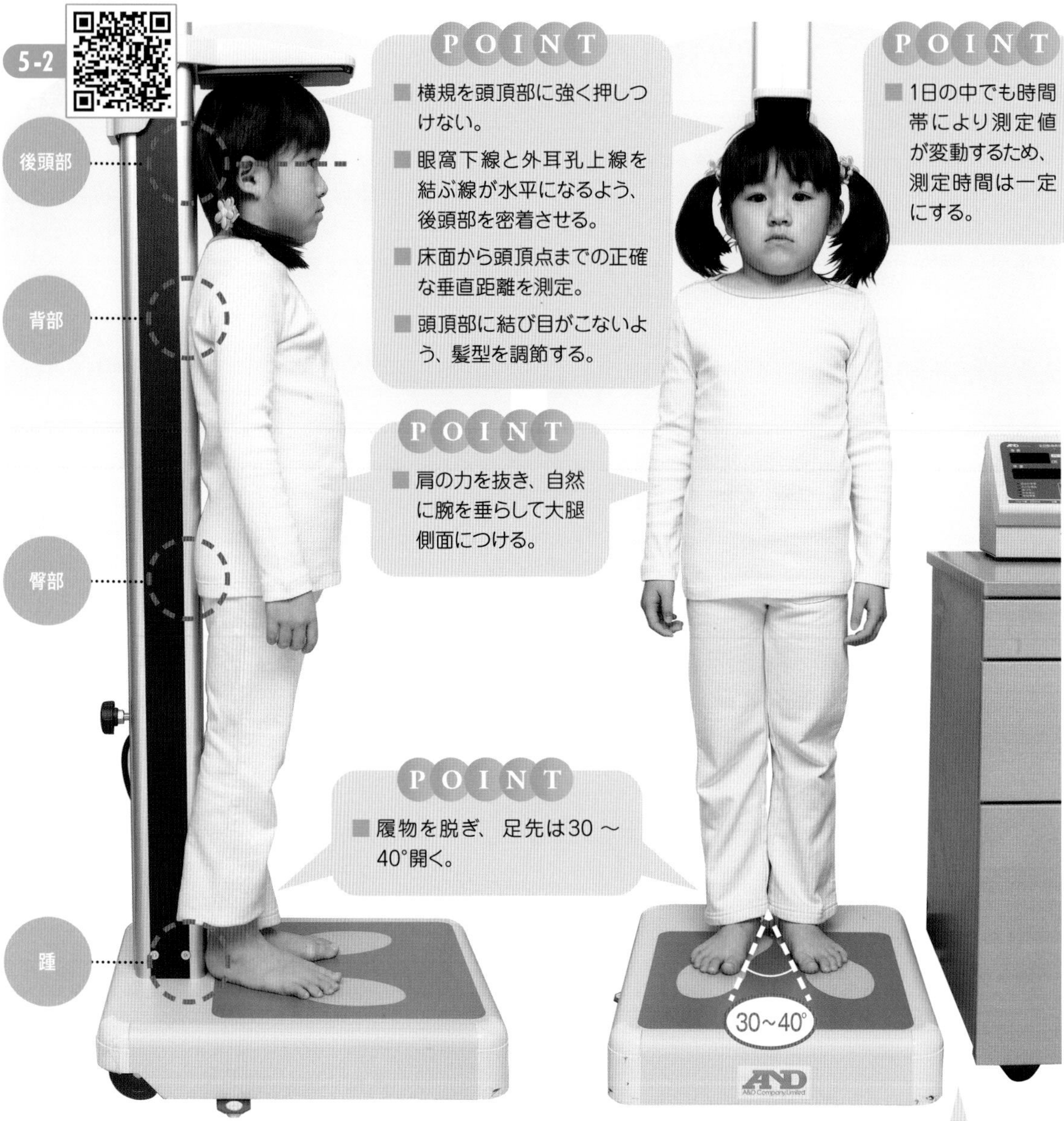

後頭部

背部

臀部

踵

POINT

■ 横規を頭頂部に強く押しつけない。

■ 眼窩下線と外耳孔上線を結ぶ線が水平になるよう、後頭部を密着させる。

■ 床面から頭頂点までの正確な垂直距離を測定。

■ 頭頂部に結び目がこないよう、髪型を調節する。

POINT

■ 1日の中でも時間帯により測定値が変動するため、測定時間は一定にする。

POINT

■ 肩の力を抜き、自然に腕を垂らして大腿側面につける。

POINT

■ 履物を脱ぎ、足先は30～40°開く。

30～40°

幼児・学童の場合

前回の測定値を記録しておく。身長計を点検する（尺柱は垂直、横規は尺柱に対して直角。デジタル計では0設定）。

履物を脱ぎ、足踏み台の上に乗る。尺柱に踵・臀部・背部・後頭部を密着させ、足先は30～40度開く。

横規を下ろし、目の高さと目盛りを水平にして測定値を読む。前回測定値との差が著しい場合は、測定方法を再確認し、再測定する。

右の写真のように体重も同時に測定できるタイプもある。

POINT

■ デジタル計の場合は、測定前に0設定が正確にされていることを確認。

■ 測定値は、表示通りに読む。

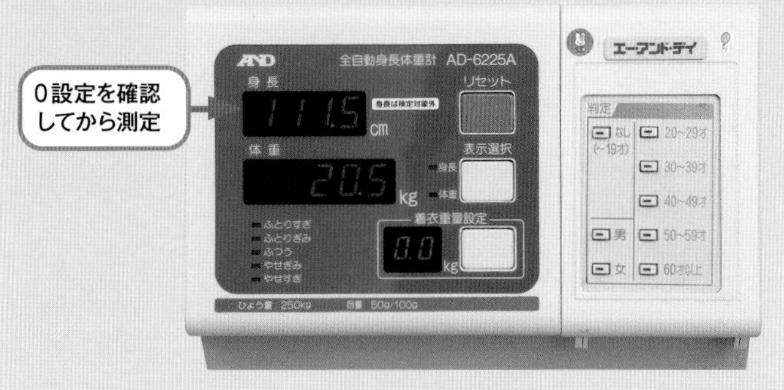

体重の測定

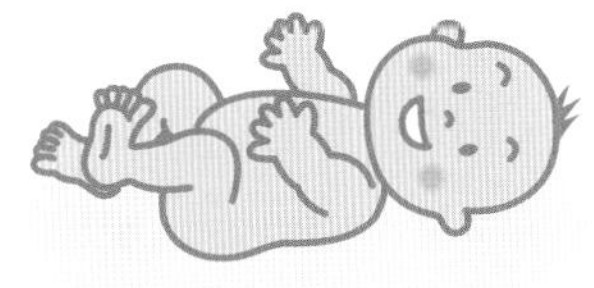

体重測定は、成長・発達状態、栄養状態の評価の指標になるほか、栄養の必要量、水分量、薬剤の投与量の算出に用いられる。
浮腫や脱水など病状経過の把握、異常の早期発見にも役立つ。

目的

1. 小児の成長・発達状態や栄養状態の評価。
2. 栄養の必要量、水分量、薬剤の投与量の算出。
3. 疾病や異常の早期発見。
4. 浮腫や脱水の病状経過の把握、治療効果の判定。

PROCESS 1 必要物品の準備

❶ 体重計　❷ バスタオル
❸ 筆記用具　❹ メモ用紙
❺ スクリーン（必要時）

POINT

- 体重は、授乳・入浴・排便などにより変動する。授乳前、入浴前など、測定条件を一定にする。
- 一般的に新生児・乳児には感量5～10g、幼児・学童には感量50g以下のものを使用する。

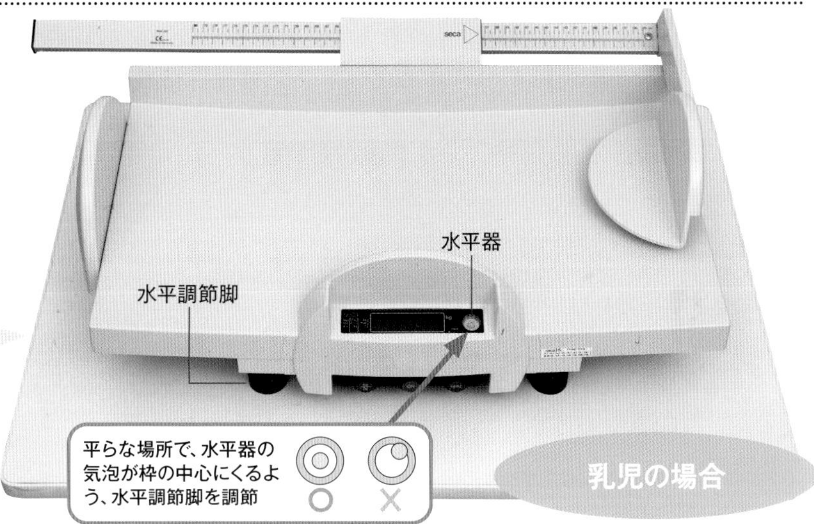

乳児は寝たまま計測できるようベビースケールを使用する。幼児・学童は立位で測定できる体重計を選択する。前回測定値を記録し、体重計を点検。室温を26℃前後に調整し、必要時、スクリーンやカーテンを使用してプライバシーに配慮する。
点滴固定用シーネを使用している場合は、あらかじめシーネの重さを測定しておく。

POINT

- 体重計は平らな場所に置き、固定して使用する。
- デジタルの場合は、0設定を確認する。
- 衣類を着たまま測定する場合は、衣類の重量を測定しておく。

PROCESS 2 体重の測定

5-3 

乳児用体重計にバスタオルを敷き、目盛りを0点に設定。デジタルの場合は0設定を確認する。衣服を脱がせて裸にし、乳児を体重計に静かに乗せる。測定中は乳児から目を離さず、手を体の上方に差し出して転落を防止する。

体動の少ない時点で値を読み取り、前回測定値との差が著しい場合は測定方法を再確認し、再測定する。

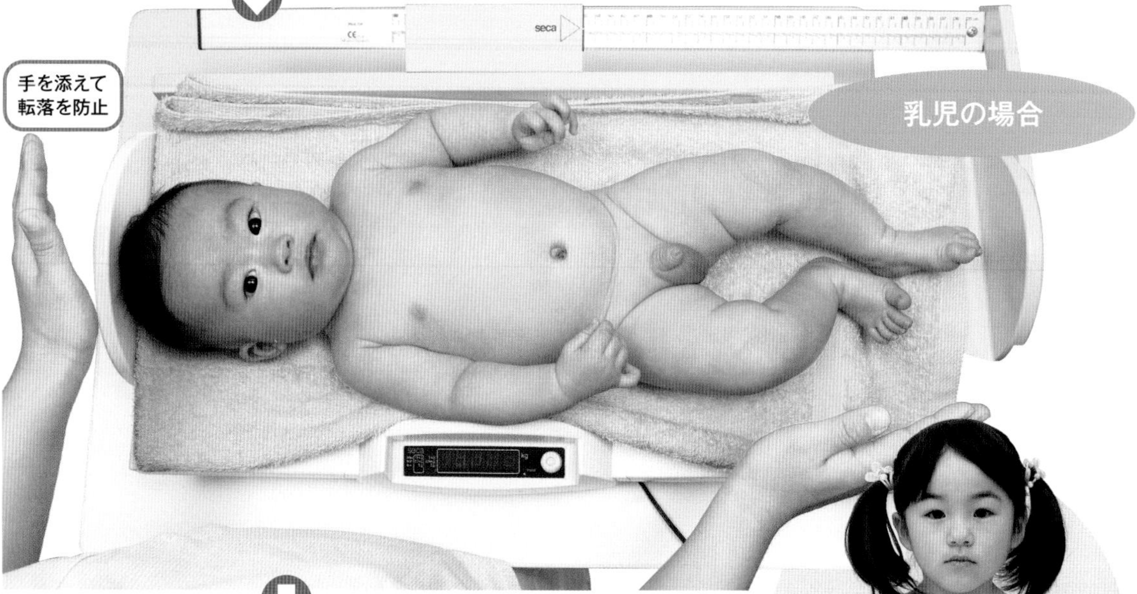

手を添えて転落を防止

乳児の場合

5-4

幼児・学童の場合

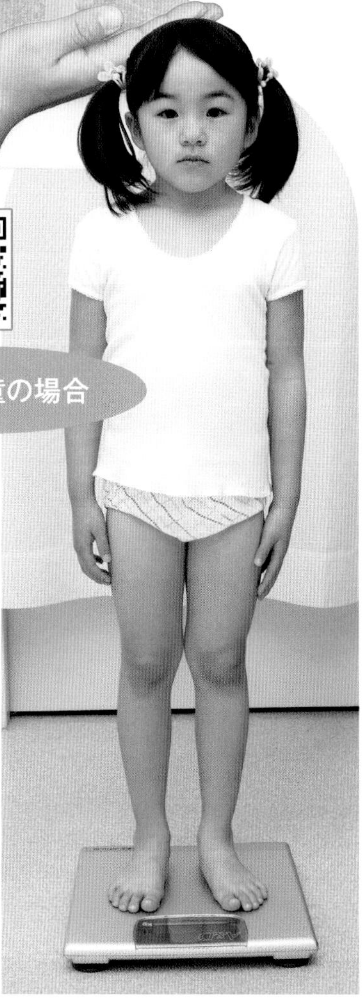

患児や家族に説明し、衣類を脱がせて体重計に静かに乗せる。測定値を読み取り、前回測定値と比較。差が著しい場合は再測定する。衣類を着たまま測定した場合は、衣類の重量を差し引く。

POINT

- 2歳未満の場合は、仰臥位か坐位かを選択する。
- 体重測定時、小児の発達状態、栄養状態、皮膚の状態を評価し、疾病・障害・虐待の早期発見や予防に努める。
- 測定値に著しい増減がみられる場合は、医師に報告する。脱水・浮腫・腹水などの場合、体重の変化によって治療方針が決定される。
- 健康時との体重差を把握する。

頭囲・胸囲・腹囲の測定

頭囲・胸囲・腹囲を正しく測定し、
小児の成長・発達状態や栄養状態を評価する。
また、疾病や異常の早期発見、経過観察のデータとして役立てる。

目的
1. 小児の成長・発達状態や栄養状態の評価。
2. 疾病や異常の早期発見、症状の経過観察。

PROCESS 1 必要物品の準備と患児・家族への説明

前回の測定値を記録し、メジャーなどを点検する。室温を26℃前後に調整し、患児または家族に測定の説明をして納得を得る。
測定は仰臥位、もしくは坐位・立位で行う。必要時、スクリーンやカーテンを使用する。

❶ メジャー
❷ ノギス（必要時）
❸ 筆記用具・メモ用紙

PROCESS 2 頭囲の測定

5-5

メジャーが患児の後頭結節（後頭の最も突出した部分）、前頭結節を通るよう、頭部周囲に密着させて巻きつける。体動が激しい場合は、看護師2名で行う。測定値は小数点第1位まで読む。
前回測定値との差が著しい場合は、再測定。必要時、測定部にフェルトペンで印をつける。

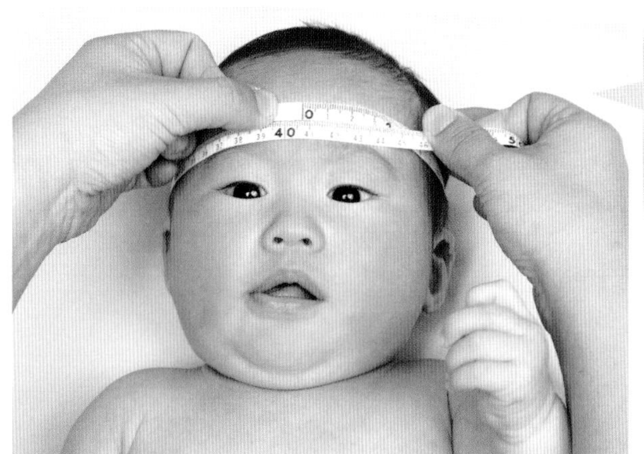

POINT
- メジャーがねじれたり、曲がったりしないよう注意。
- きつく締めすぎないよう注意。
- 測定時は頭の形、乳児では大泉門の大きさや膨隆の観察を行う。

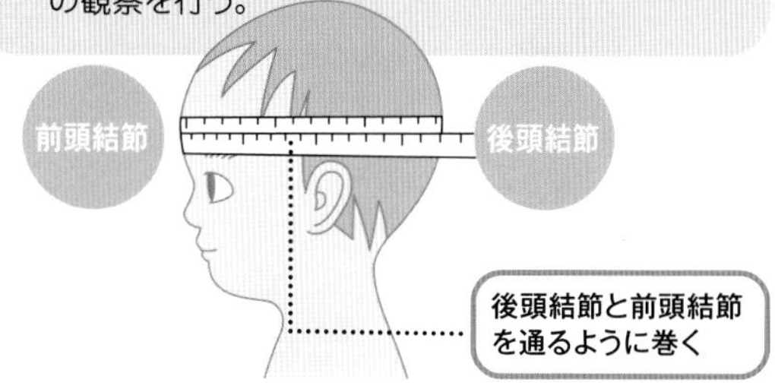

PROCESS 3 大泉門の測定

5-6

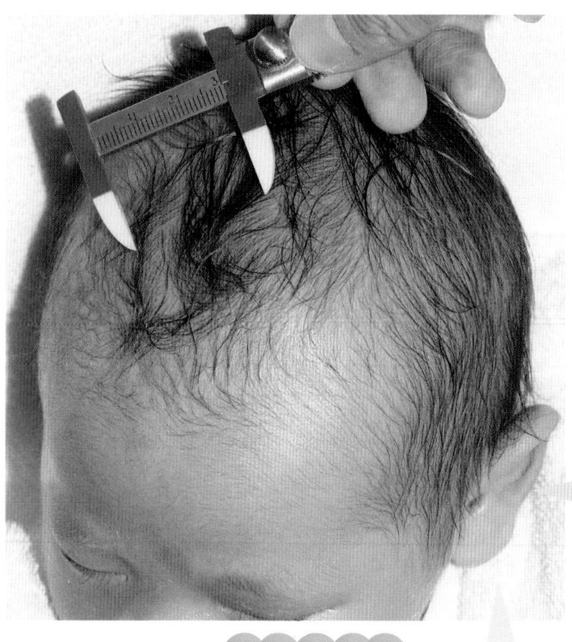

乳児の場合

乳児では、頭囲の測定時、大泉門の大きさや膨隆の観察を行う。測定者は、示指と中指で大泉門の骨縁を触診する。大泉門の菱形の中点にノギスを当て、中点を結ぶ線の長さを2方向から測定する。測定単位はcm、a×bcmと小数点第1位まで記録する。

POINT

大泉門の大きさの評価法

- 大泉門の大きさの評価は(a+b) /2で行い、a×bと表記する。
- 新生児の平均値は2.5cm。

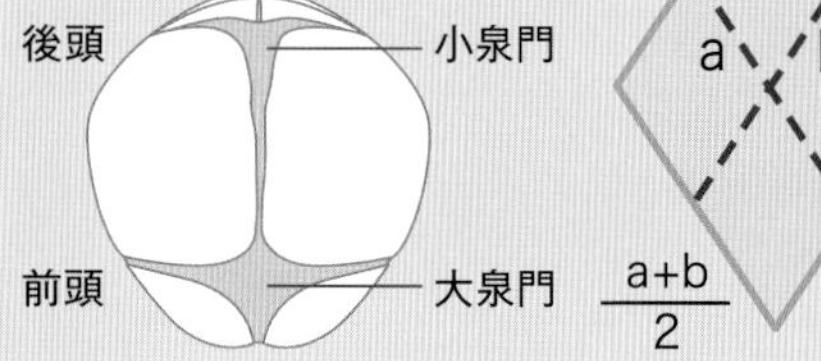

月齢	1~3か月	7~9か月	9~11か月
大泉門の大きさ(㎝)	2.5×2.5	3.6×3.6	3.2×3.2

EVIDENCE

- 大泉門は、生後9～10か月ごろまでしだいに大きくなり、以降は縮小し、1歳半ごろまでに閉鎖する。
- 大泉門が膨隆しているときは髄膜炎などによる頭蓋内圧亢進を、陥没しているときには脱水症を疑う。

PROCESS 4 胸囲の測定

5-7

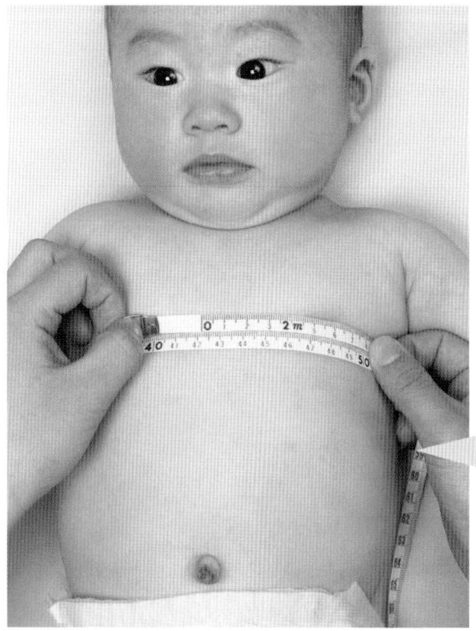

乳児の場合

乳児の衣類を脱がせ、仰臥位をとる。メジャーを背面は肩甲骨直下、前面は乳頭直上部に当て、皮膚に密着させて正確に1周させる。

自然な呼吸状態で、呼気と吸気の間に目盛りを読み、前回測定値と比較。差が著しい場合は、再度測定する。

POINT

- 乳児はあやしながら、すばやく測定。必要時、家族の協力を得る。
- 呼気と吸気の間に目盛りを読む。
- 測定値の単位はcm、小数点第1位まで記録する。前回測定値との差も記録。
- メジャーを引き抜くときは、乳児の体を浮きぎみにして、ゆっくりと。強く引き抜くと摩擦が生じ、苦痛を与えたり、皮膚を傷つける場合がある。

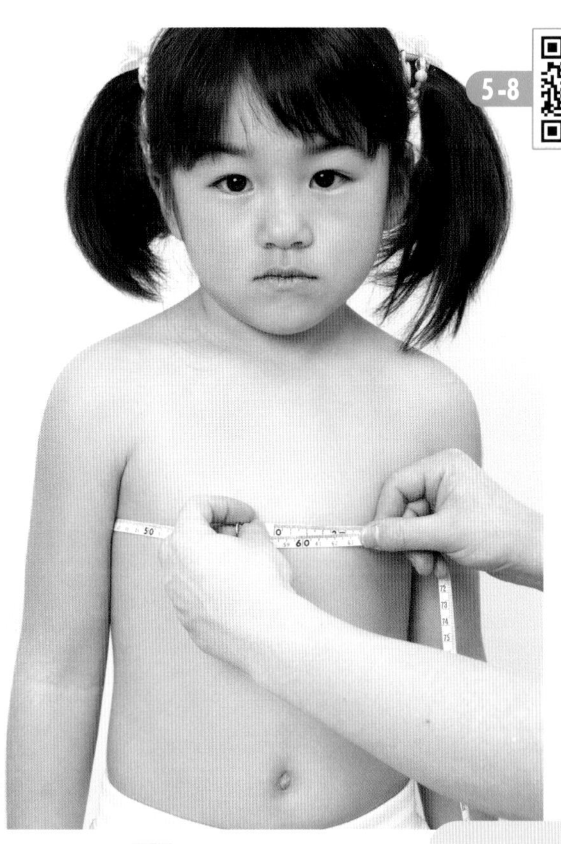

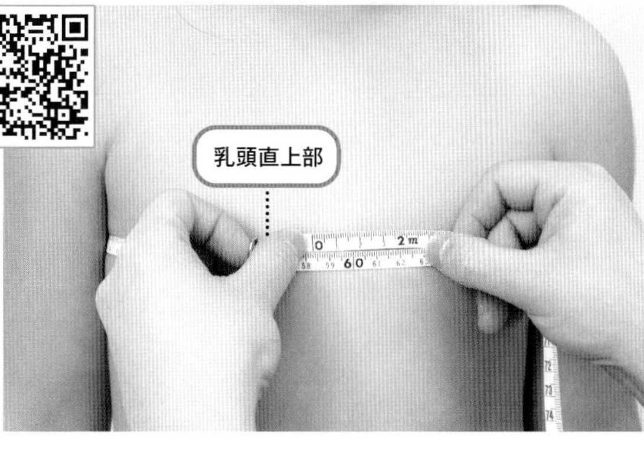

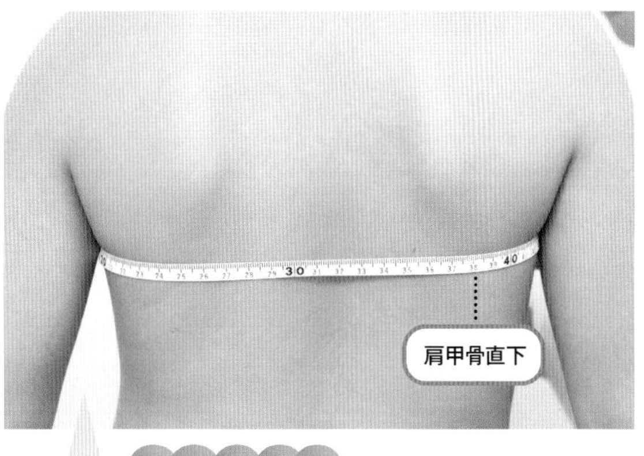

幼児・学童の場合

幼児・学童は立位の姿勢をとり、メジャーが肩甲骨直下、乳頭直上部を通るように巻きつける。皮膚に密着させて、正確に1周させる。自然な呼吸状態で、呼気と吸気の間に目盛りを読む。

POINT

- 羞恥心に配慮し、スクリーンを使用するなど、プライバシーを保護する。
- きつく締めすぎないよう注意。
- 呼気と吸気の間に目盛りを読む。
- 単位はcm、小数点第1位まで記録。前回測定値との差が著しい場合は再測定。前回測定値との差も記録。
- 乳房が隆起している年長女子は、乳頭の位置にかかわらず、肩甲骨直下を基準として、胸部周囲を水平に1周する。裸にせず、衣類の前を開いて測定してもよい。

CHECK!

メジャーは仰臥位ではベッド面に垂直、立位では水平

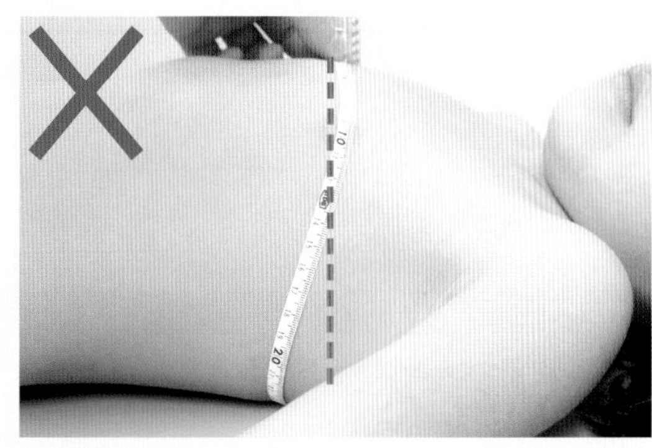

- メジャーは仰臥位ではベッド面に垂直となり、立位では床面に水平となる。
メジャーがねじれたり、曲がったりしないよう皮膚に密着させ、正確に1周させて測定することが必要である。

PROCESS 5 腹囲の測定

5-9

5-10

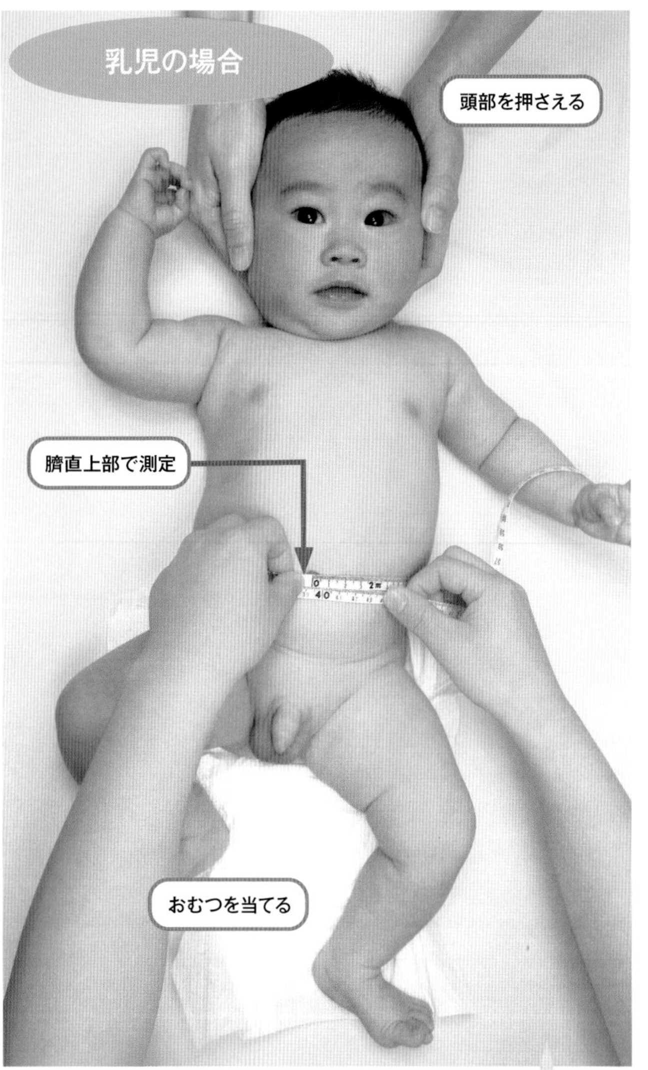

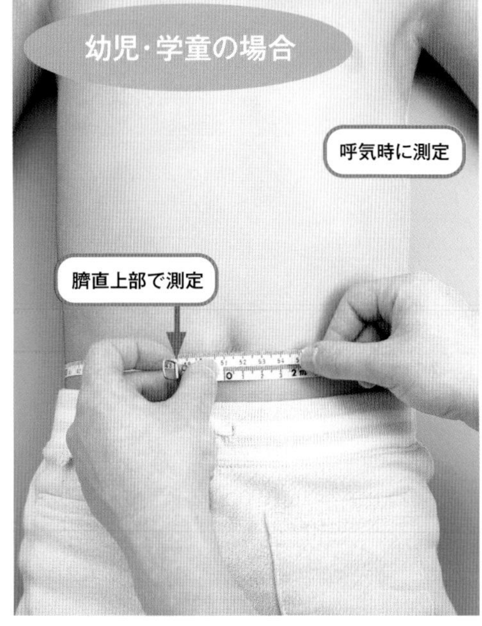

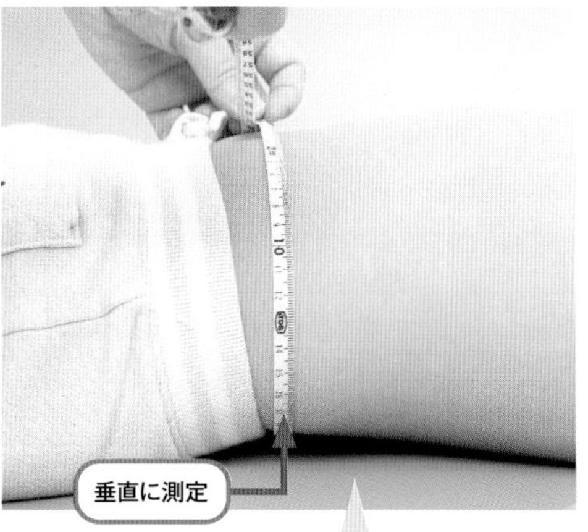

腹囲は乳幼児・学童とも、仰臥位で測定する。
メジャーが臍上を通過するよう腹部周囲に正確に巻きつける。
呼気時に目盛りを読み、測定値を記録。 前回測定値と比較する。
1日の中でも測定値に変動があるため、授乳前、食事前など、測定時間を一定にすることが必要である。

POINT

- 測定時間を一定に。
- メジャーは臍直上部を通り、ベッド面に対して垂直となる。
- 呼気時に測定。
- 単位はcm、小数点第1位まで記録。前回測定値との差が著しい場合は再測定。
- 乳児はあやしながら、すばやく測定。必要時、家族の協力を得る。
- きつく締めすぎないよう注意。

CHECK!

腹囲は仰臥位で測定

- 両膝を伸ばした体位で測定する。
- 疾患によっては、臍直上部と腹部の最大部の2か所を測定する。

身体発育曲線を用いて評価

身長・体重・頭囲・胸囲の測定値は身体発育曲線(p.189)を用いて評価する。
また、平均値を参考にするとともに、出生時からの個人差があるため、
その小児の前回の測定値からの増加量を目安にする。

乳幼児身体発育調査（平均値） 平成22年 厚生労働省統計調査

年・月齢	男子				女子			
	身長（cm）	体重（kg）	頭囲（cm）	胸囲（cm）	身長（cm）	体重（kg）	頭囲（cm）	胸囲（cm）
出生時	48.7	2.98	33.5	31.6	48.3	2.91	33.1	31.5
0年 1～2月未満	55.5	4.78	37.9	37.5	54.5	4.46	37.0	36.6
2～3	59.0	5.83	39.9	40.0	57.8	5.42	38.9	38.9
3～4	61.9	6.63	41.3	41.8	60.6	6.16	40.2	40.5
4～5	64.3	7.22	42.3	42.9	62.9	6.73	41.2	41.7
5～6	66.2	7.67	43.0	43.7	64.8	7.17	41.9	42.4
6～7	67.9	8.01	43.6	44.2	66.4	7.52	42.4	43.0
7～8	69.3	8.30	44.1	44.7	67.9	7.79	43.0	43.5
8～9	70.6	8.53	44.6	45.0	69.1	8.01	43.5	43.8
9～10	71.8	8.73	45.1	45.4	70.3	8.20	43.9	44.1
10～11	72.9	8.91	45.5	45.6	71.3	8.37	44.3	44.4
11～12	73.9	9.09	45.9	45.9	72.3	8.54	44.7	44.6
1年 0～1月未満	74.9	9.28	46.2	46.1	73.3	8.71	45.1	44.8
1～2	75.8	9.46	46.5	46.4	74.3	8.89	45.4	45.1
2～3	76.8	9.65	46.8	46.6	75.3	9.06	45.6	45.3
3～4	77.8	9.84	47.0	46.9	76.3	9.24	45.9	45.5
4～5	78.8	10.03	47.3	47.1	77.2	9.42	46.1	45.8
5～6	79.7	10.22	47.4	47.3	78.2	9.61	46.3	46.0
6～7	80.6	10.41	47.6	47.6	79.2	9.79	46.5	46.2
7～8	81.6	10.61	47.8	47.8	80.1	9.98	46.6	46.5
8～9	82.5	10.80	47.9	48.0	81.1	10.16	46.8	46.7
9～10	83.4	10.99	48.0	48.3	82.0	10.35	46.9	46.9
10～11	84.3	11.18	48.2	48.5	82.9	10.54	47.0	47.1
11～12	85.1	11.37	48.3	48.7	83.8	10.73	47.2	47.3
2年 0～6月未満	86.7	12.03	48.6	49.4	85.4	11.39	47.5	48.0
6～12	91.2	13.10	49.2	50.4	89.9	12.50	48.2	49.0
3年 0～6月未満	95.1	14.10	49.7	51.3	93.9	13.59	48.7	49.9
6～12	98.7	15.06	50.1	52.2	97.5	14.64	49.2	50.8
4年 0～6月未満	102.0	15.99	50.5	53.1	100.9	15.65	49.6	51.8
6～12	105.1	16.92	50.8	54.1	104.1	16.65	50.0	52.9
5年 0～6月未満	108.2	17.88	51.1	55.1	107.3	17.64	50.4	53.9
6～12	111.4	18.92	51.3	56.0	110.5	18.64	50.7	54.8
6年 0～6月未満	114.9	20.05	51.6	56.9	113.7	19.66	50.9	55.5

CHECK!

カウプ指数・ローレル指数による発育評価

小児の栄養状態、体格の評価には、
カウプ指数（Kaup Index）・ローレル指数（Rohrer Index）が広く用いられている。
カウプ指数は、体重増加が著しい生後3か月以内を除く乳幼児が対象となる。
カウプ指数はボディマス指数（Body Mass Index）と同様の計算式を用いる。
幼児期後半より学童には、ローレル指数を用いる。

カウプ指数

カウプ指数＝体重(g)÷身長^2(cm)×10

(例) 体重 :10kg／身長 : 80cmの場合

10,000÷80^2×10
＝10,000÷6,400×10
＝15.625
＝16

ローレル指数

ローレル指数＝体重(g)÷身長^3(cm)×10^4

(例) 体重 :20kg／身長 : 120cmの場合

20,000÷120^3×10^4
＝20,000÷1,728,000×10,000
＝115.7407
＝116

乳幼児の発育評価

発育状態	カウプ指数
肥 満	20以上
肥満傾向	18～20
標 準	15～18
やせぎみ	13～15
や せ	13未満

幼児期後半～学童の発育評価

発育状態	ローレル指数
肥 満	160以上
肥満傾向	145～160
標 準	115～145
やせぎみ	100～115
や せ	100未満

計算尺を活用して、迅速に評価！

カウプ指数・ローレル指数による発育評価を行うには、写真のような計算尺を用いるとよい。
計算尺は、身長の値をセットすると、該当する体重値の位置に、
指数と判定が表示される仕組みになっている。
迅速に正確に、判断を行うことができるため、臨床で活用されている。

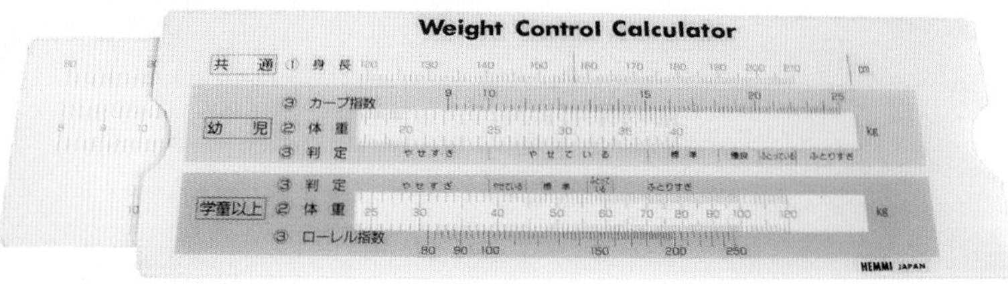

CHAPTER 6

安静

小児における安静の特徴

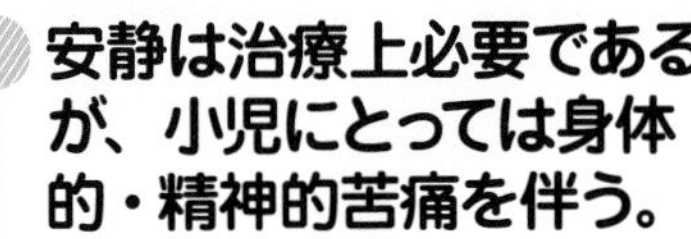
- 安静は治療上必要であるが、小児にとっては身体的・精神的苦痛を伴う。

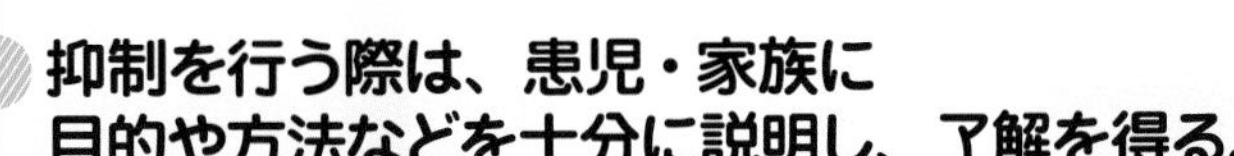
- 抑制を行う際は、患児・家族に目的や方法などを十分に説明し、了解を得る。
- 患児の発達が阻害されないよう、必要最小限の部位で抑制を行う。

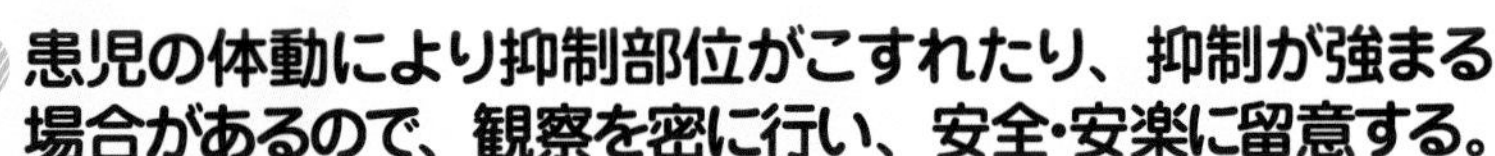
- 患児の体動により抑制部位がこすれたり、抑制が強まる場合があるので、観察を密に行い、安全・安楽に留意する。
- 抑制を行う際は、適応を医師とともに査定し、解除するための評価を適宜行い、早期に解除する。
- 抑制は必要最小限にし、看護師や家族がそばにいるときなどは、可能な限り抑制を解除する。

安静の種類と場所

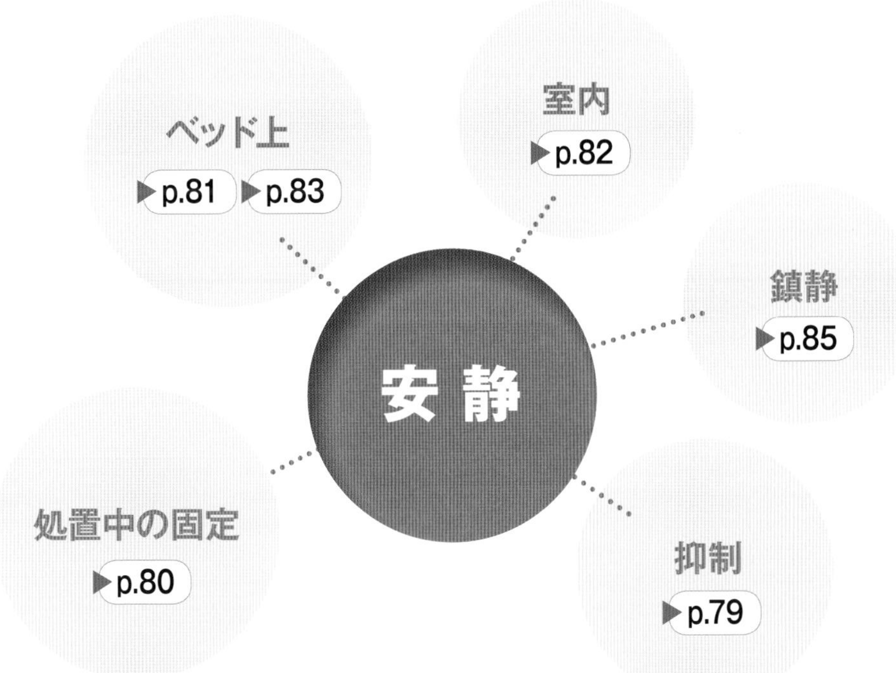

抑制

抑制は、医師の指示のもと必要最小限に行う。
実施に際しては患児と家族に必要性を
十分に説明することが大切である。
患児の状態に応じて、毎日カンファレンスを開き、
速やかに抑制を解除する努力が最も重要である。

目的

- 処置・検査・治療などを安全に施行するために、身体の一部、あるいは全身の運動を制限する。

留意点

1. 抑制は、身体的・精神的苦痛を伴う処置であるため、最小限にとどめる。
2. 抑制中は、遊びの工夫や声かけなどを十分に行い、精神的安定を図るように努める。
3. 医師の指示に基づいて実施し、抑制の必要性については適切に評価する。
4. 患児・家族に十分に説明し、同意を得る。
5. 身体抑制中の患児の状態・反応を観察する。

抑制時の注意点

抑制は必要最小限にとどめることが大切

「小児看護領域で特に留意すべき子どもの権利と必要な看護行為」（日本看護協会:小児看護領域の看護業務基準,1999）では、子どもが抑制や拘束をされずに医療を受ける権利が保障されている。さらに、やむを得ず抑制する際は説明を行い、必要最小限にとどめることが明記されている。

小児看護領域で特に留意すべき子どもの権利と必要な看護行為（抜粋）

〔抑制と拘束〕

①子どもは抑制や拘束をされることなく、安全に治療や看護を受ける権利がある。

②子どもの安全のために、一時的にやむを得ず身体の抑制などの拘束を行う場合は、子どもの理解の程度に応じて十分に説明する。
あるいは、保護者に対しても十分に説明を行う。その拘束は、必要最小限にとどめ、子どもの状態に応じて抑制を取り除くよう努力をしなければならない。

抑制時の観察ポイント

- 抑制の効果
- 循環障害の有無（圧迫・痛み・内出血・擦過傷）
- 皮膚の状態（色・温度・発汗の有無）
- 呼吸状態
- バイタルサイン
- 患児の精神状態

体幹の抑制

体幹の抑制は、採血や胃管挿入時など一時的に行う場合と、手術後の絶対安静や人工呼吸器使用時など、重症度の高い患児に継続的に行う場合とがある。

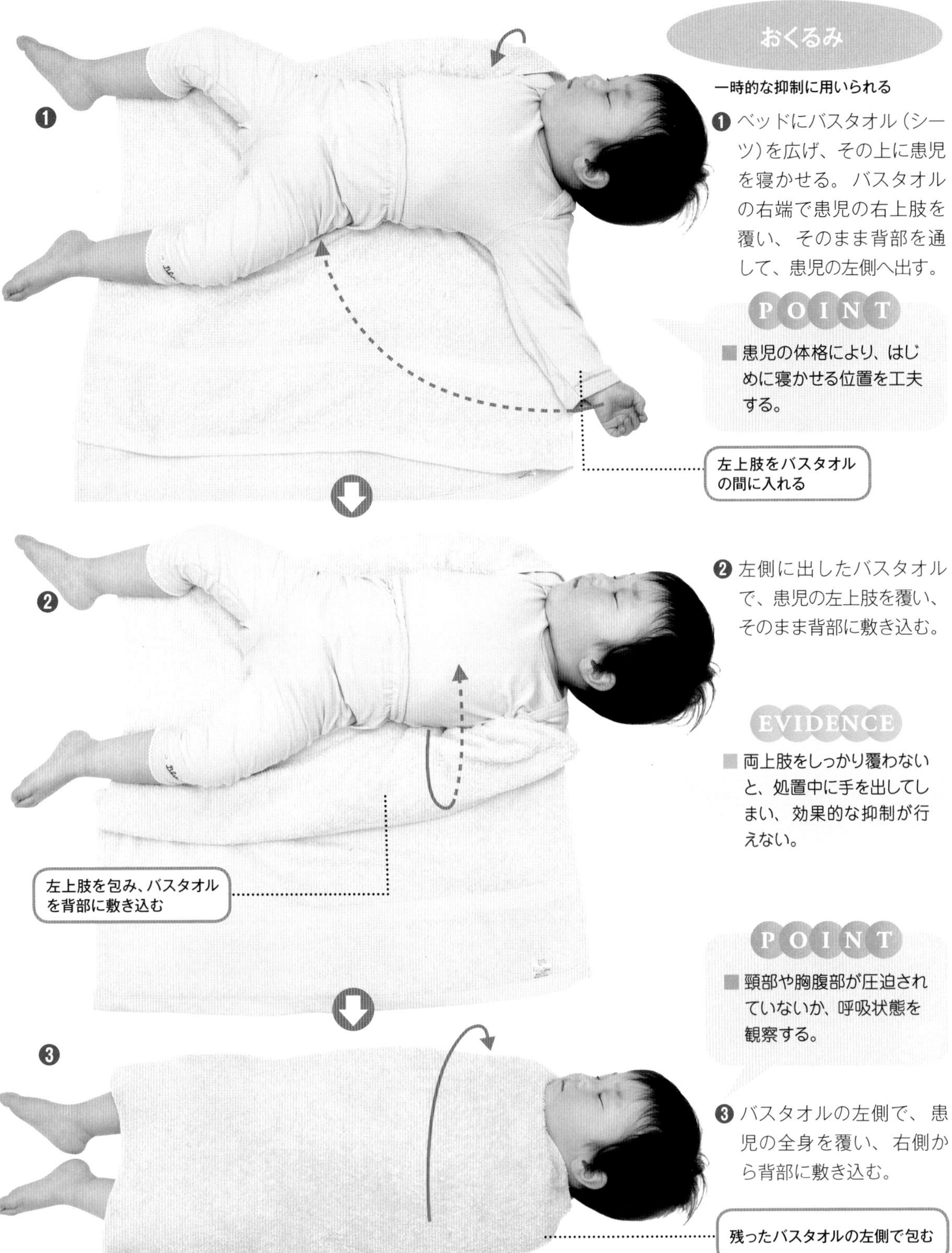

❶
左上肢をバスタオルの間に入れる
❷
左上肢を包み、バスタオルを背部に敷き込む
❸
残ったバスタオルの左側で包む

おくるみ

一時的な抑制に用いられる

❶ ベッドにバスタオル（シーツ）を広げ、その上に患児を寝かせる。バスタオルの右端で患児の右上肢を覆い、そのまま背部を通して、患児の左側へ出す。

POINT

■ 患児の体格により、はじめに寝かせる位置を工夫する。

❷ 左側に出したバスタオルで、患児の左上肢を覆い、そのまま背部に敷き込む。

EVIDENCE

■ 両上肢をしっかり覆わないと、処置中に手を出してしまい、効果的な抑制が行えない。

POINT

■ 頸部や胸腹部が圧迫されていないか、呼吸状態を観察する。

❸ バスタオルの左側で、患児の全身を覆い、右側から背部に敷き込む。

CHECK!

処置時に抑制する際の留意点

処置の前に

処置をする前に、「どのような処置を行い、どのくらい時間がかかるのか」を患児に説明し、協力を得る。患児が自ら処置にのぞめるよう支援し、理解や協力が十分に得られない場合のみ、抑制を行う。
やむをえず抑制する場合は、患児・家族にどのような方法で行うかを説明し、了解を得る。その際、抑制の方法を患児が選択できるようにする。

処置中は

処置中は適宜声かけをし、押さえつけられることによるストレスを和らげ、患児の反応を観察する。

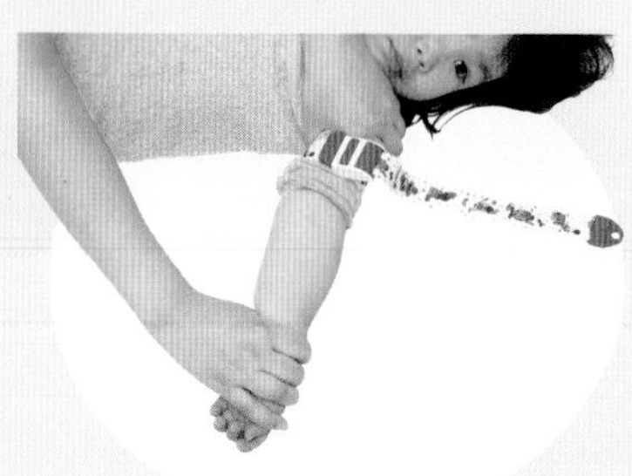

処置が終わったら

処置が終わったら速やかに抑制を解除し、がんばりを認めてほめる。家族が処置に立ち会わない場合は、処置中の様子を伝え、家族からもがんばったことをほめてもらう。

CHECK!

6-1

レストレーナーを使用する場合

採血や縫合など、痛みや苦痛を伴う処置を行う際、レストレーナーを使用する場合がある。
レストレーナーは、患児をバスタオルで包み、台に寝かせてネットで抑制する。処置を行う上肢または下肢をネットの外に出し、それ以外の四肢・体幹を同時に抑制することができるため、2名で十分に介助できる。介助者の十分な確保がむずかしい場合に、使用する。

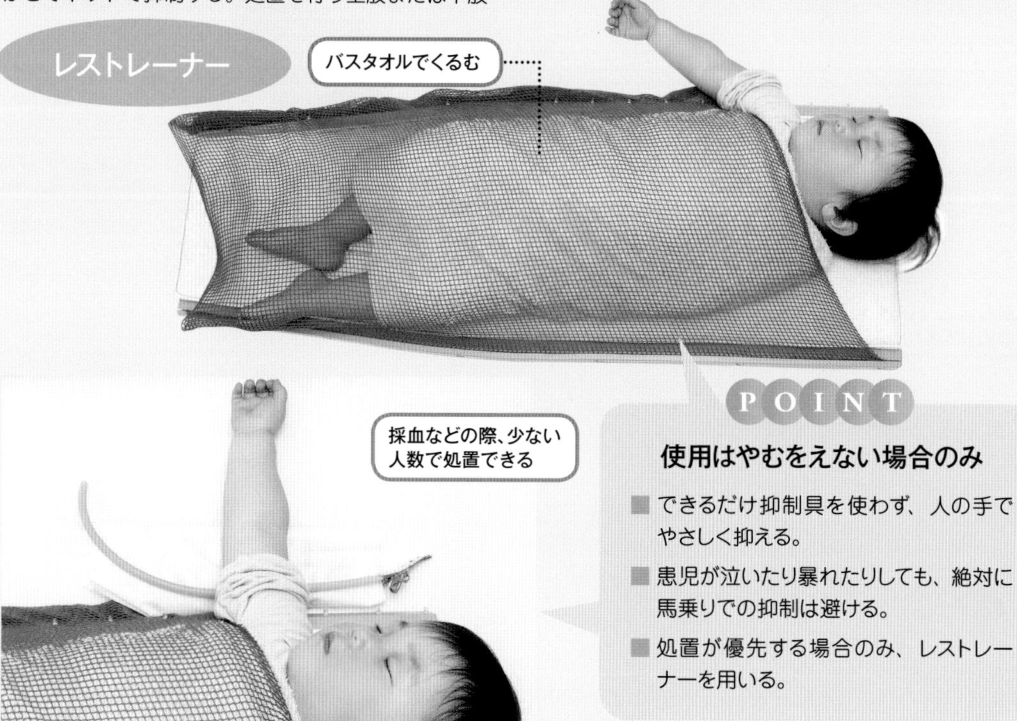
レストレーナー
バスタオルでくるむ
採血などの際、少ない人数で処置できる

POINT

使用はやむをえない場合のみ

- できるだけ抑制具を使わず、人の手でやさしく抑える。
- 患児が泣いたり暴れたりしても、絶対に馬乗りでの抑制は避ける。
- 処置が優先する場合のみ、レストレーナーを用いる。

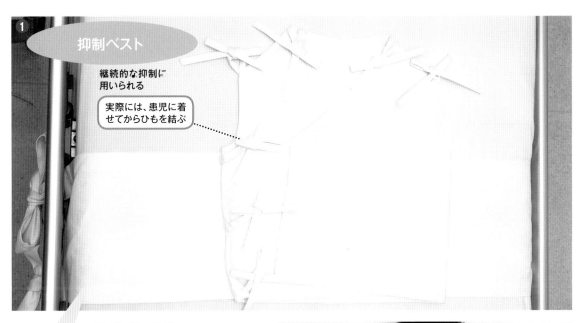

POINT

ベッド枠に、しっかり固定

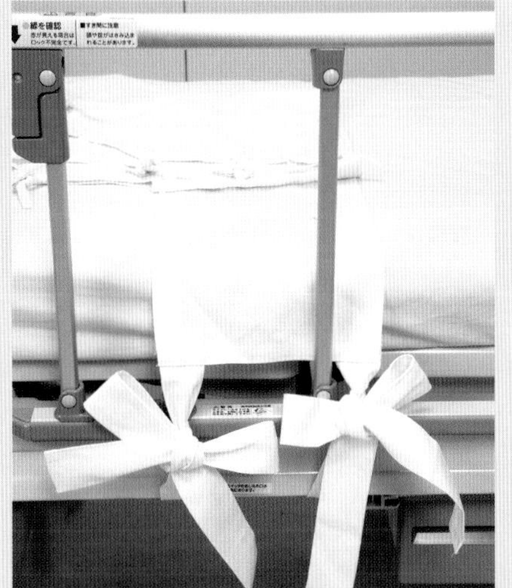

- 抑制ベストは、ひもをベッド枠にしっかりと結びつけて固定する。結び目が、ゆるまないよう注意。
- ベッドに固定してから、患児に着せる。

POINT

- 頸部・腋窩部などが圧迫されていないか、皮膚の状態を観察する。
- 胸郭が圧迫されていないか、呼吸状態を観察する。
- 上体を起こす場合、体が足側にずり落ちてくるので、臀部を砂嚢などで固定する。
- 背部に発汗しやすいので、背中にタオルを敷く。必要時、ベストを交換する。

❶ 患児に合ったサイズのベストを選択し、まず、ひもをベッド枠にしっかりと結びつけて固定する。

❷ ベストを開いて、その上に患児を寝かせ、ベストを着せる。ベストは肩と前のひもを結んで着せる仕組みになっている。

四肢の抑制

四肢の抑制は、患部やドレーン、チューブなどに手が触れるのを防ぐために用いられる。
抑制具にはベルト、ひも、厚手の布地などがある。

肘関節抑制帯

肘関節抑制帯は、芯の入った厚手の布製で、マジックテープでとめる仕組みになっている。
患児に合ったサイズの抑制帯を選択する。

POINT
- かわいらしいデザインで、できるだけ"拘束"のイメージを和らげる。

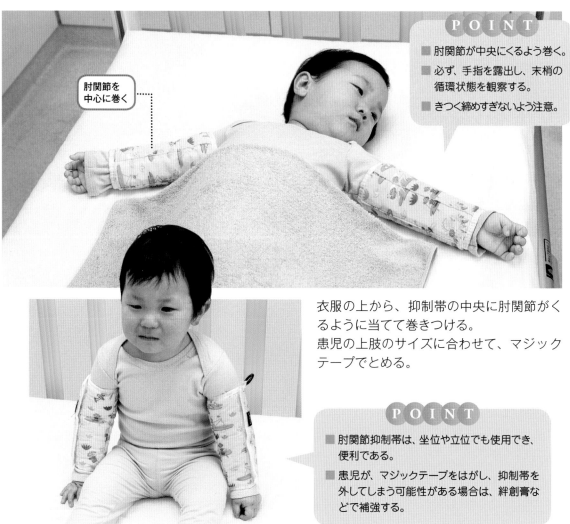

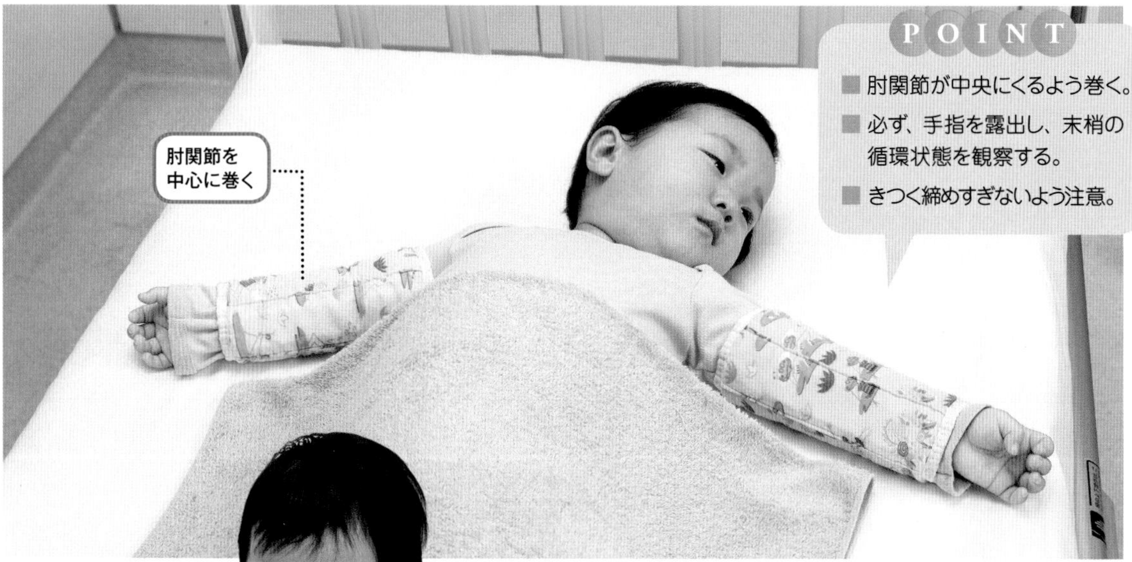

肘関節を中心に巻く

POINT
- 肘関節が中央にくるよう巻く。
- 必ず、手指を露出し、末梢の循環状態を観察する。
- きつく締めすぎないよう注意。

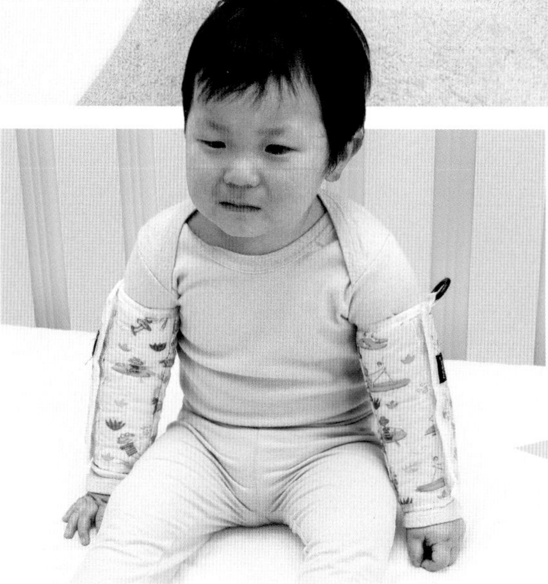

衣服の上から、抑制帯の中央に肘関節がくるように当てて巻きつける。
患児の上肢のサイズに合わせて、マジックテープでとめる。

POINT
- 肘関節抑制帯は、坐位や立位でも使用でき、便利である。
- 患児が、マジックテープをはがし、抑制帯を外してしまう可能性がある場合は、絆創膏などで補強する。

四肢抑制帯（Ⅰ）

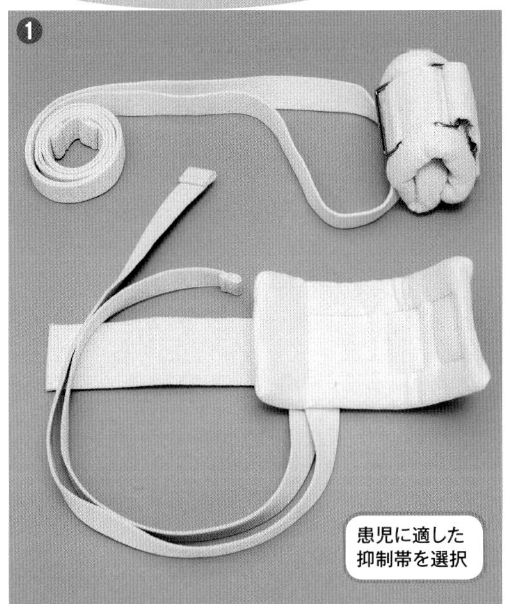

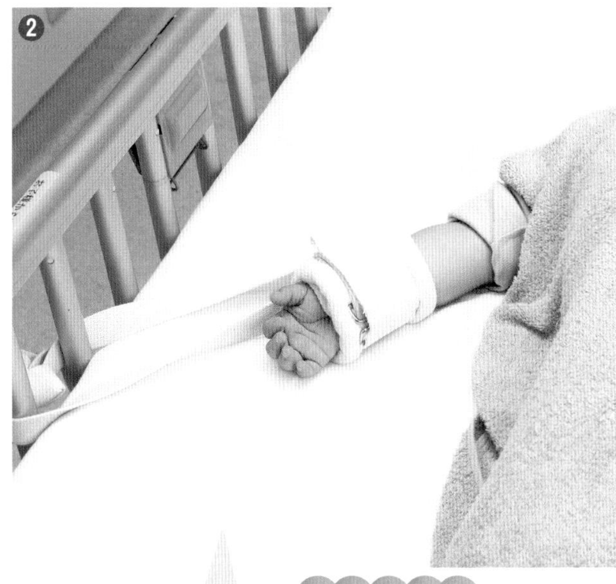

❶❷ 抑制帯を患児の手首に巻きつけ、ひもをベッド柵に結びつけて、上肢の位置を固定する。

POINT

- 手首をきつく締めすぎないよう注意。
- 上肢は、患部に届かない位置に固定する。

四肢抑制帯（Ⅱ）

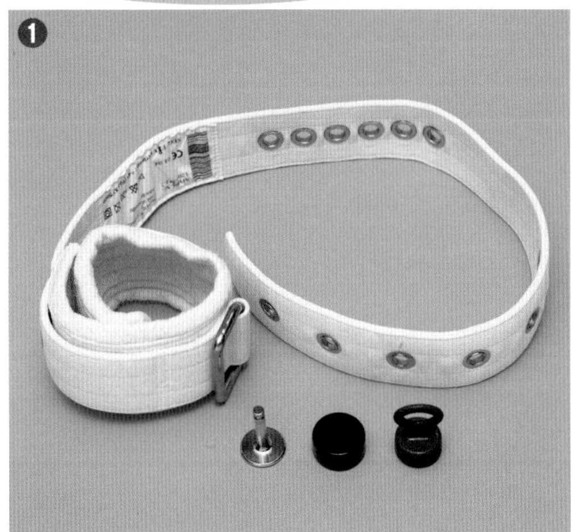

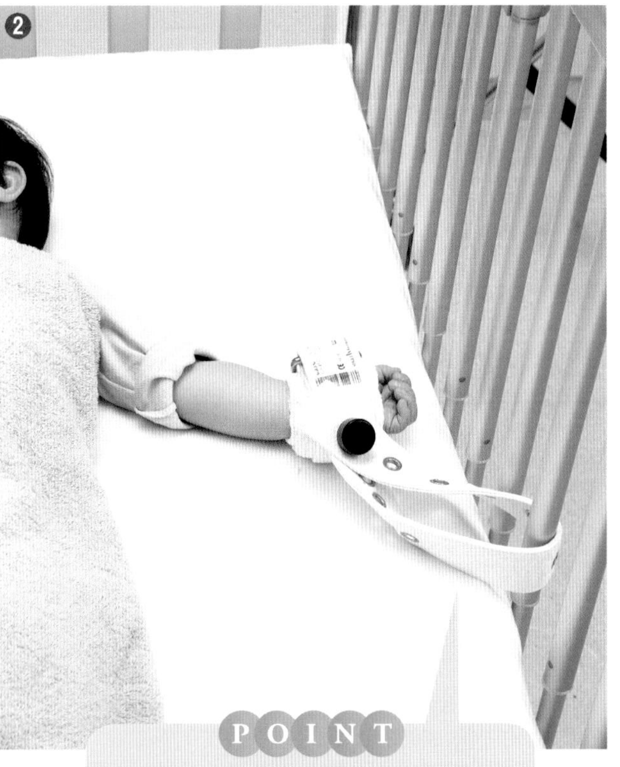

❶❷ 抑制帯を患児の手首に巻き、手首の太さに合わせて、鋲を調整穴に通す。ベルトを締め、ベッド柵にかけて固定する。

POINT

- 調節穴による固定では締め具合が難しい場合は、内側にガーゼやハンドタオルを巻くなどして微調整する。

POINT

- 上肢は、患部に届かない位置に固定する。

ひもによる抑制

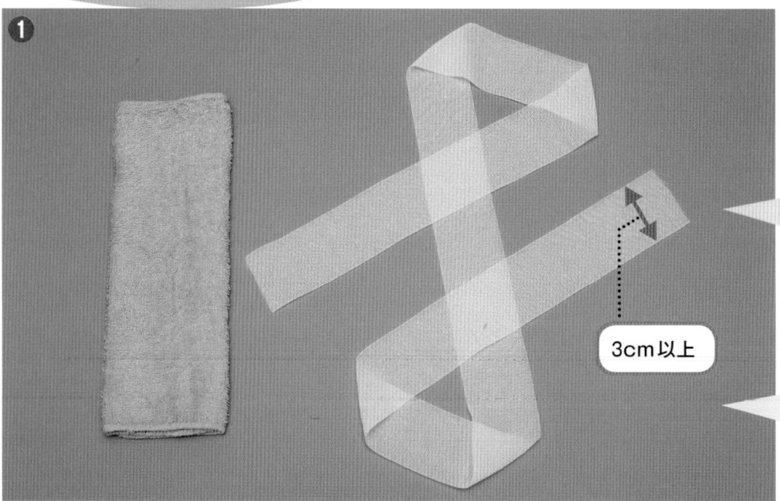

❶ 幅3cm以上のひもと、手首に巻くタオルを用意する。

POINT

■両腕を抑制する場合は、同じ物品を2セット用意する。

EVIDENCE

■ひもは幅が広いほうが、手首への接触面が広く、締めすぎを防止できる。

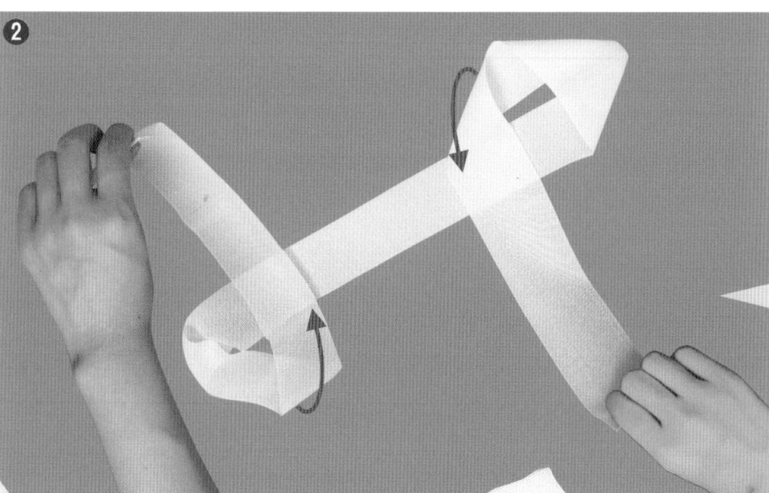

❷ ひもの両端をそれぞれ左右の手に持ち、写真のように8の字形にして置く。

POINT

■左右の手で、それぞれ左回りに輪を作る。

POINT

■輪がくずれないよう合わせる。

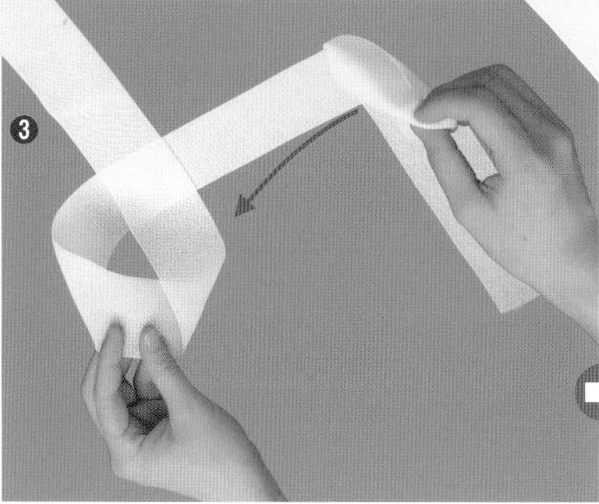

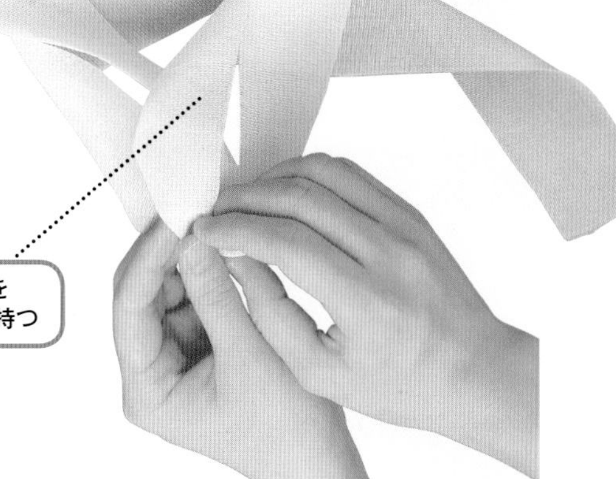

❸❹ 左右の輪の部分を持ち、2つの輪を合わせる。片手で2つの輪をまとめて保持する。
このとき、ひもの下端は台の上に置いたままにする。

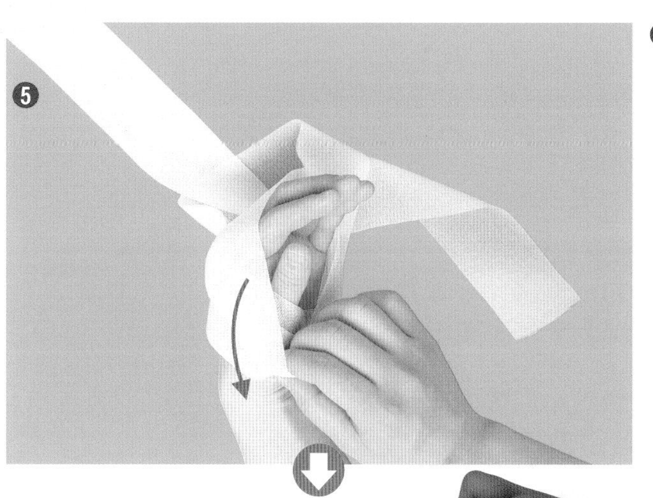

❺ 片手を輪に通し、手首の部分まで入れる。

POINT ひもによる抑制の注意点

- ひもは、患児の手が抜けない程度に引き絞る。
- ひもが手首に食い込まないよう、必ずタオルを巻く。
- 強く締めすぎないよう注意。

❻❼ もう片方の手で、ひもの下端を2本同時に引くと、輪が引き絞られる。適度に引き絞り、輪をタオルを巻いた患児の手首に通し、ひもの下端をベッド枠に結びつける。

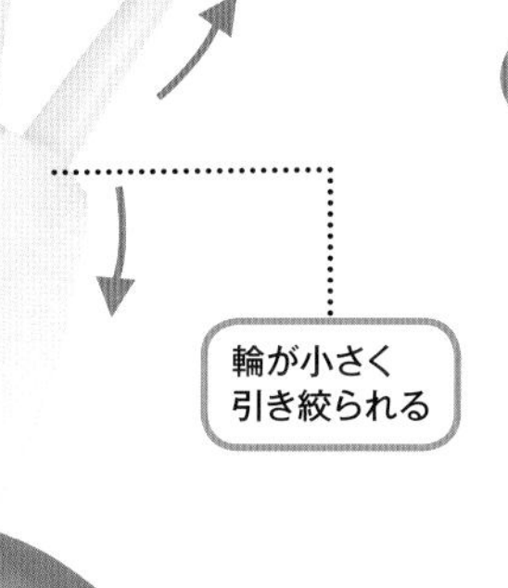

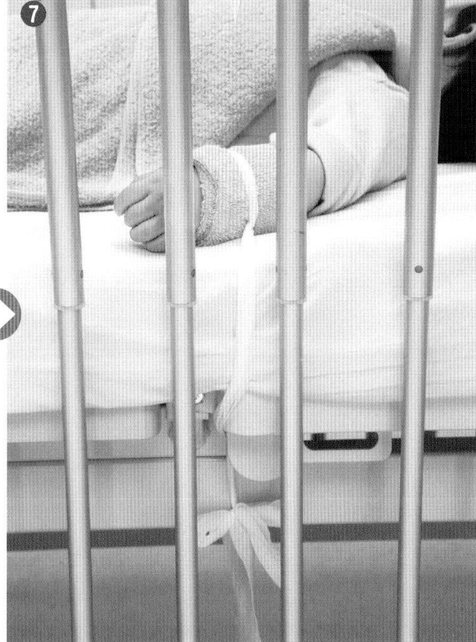

POINT 顔・頭部に手が届かないよう抑制する場合

- 上肢が肩よりも上にならないよう、下肢側の位置に抑制帯を結びつける。
- 必要時、両手を抑制する。
- 上肢の抑制は、睡眠時に手が患部にいかないよう、寝かしつけてから行うことが多い。
- アトピー性皮膚炎などの場合、無意識に患部を掻かないよう、上肢を抑制する。

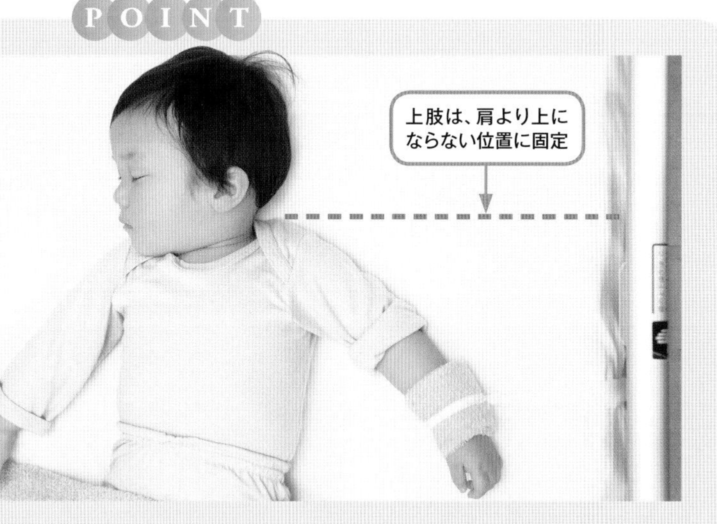

CHAPTER 7

移動・移送

小児の移動・移送の特徴

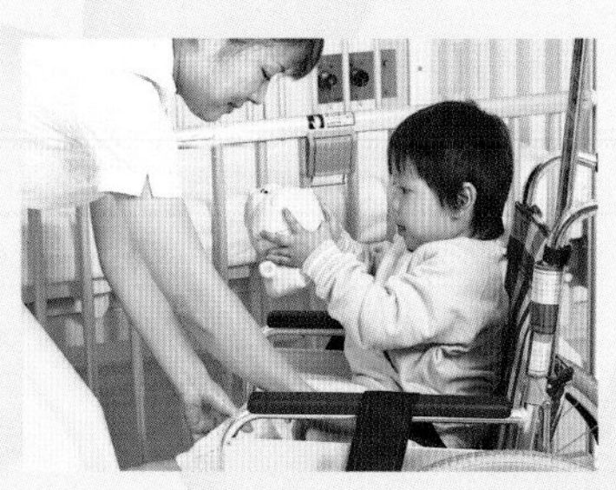

- 移動・移送にはベビーカー、車椅子またはストレッチャーを使用する。
- 抱っこやおんぶでの移送は転落・転倒の危険があるため、行わない。
- 移送中、援助者は患児のそばを離れず、目を離さない。
- 移送中に酸素療法や吸引処置を行う場合は、車椅子やストレッチャーに医療機器を確実に取り付ける。

移動・移送の種類

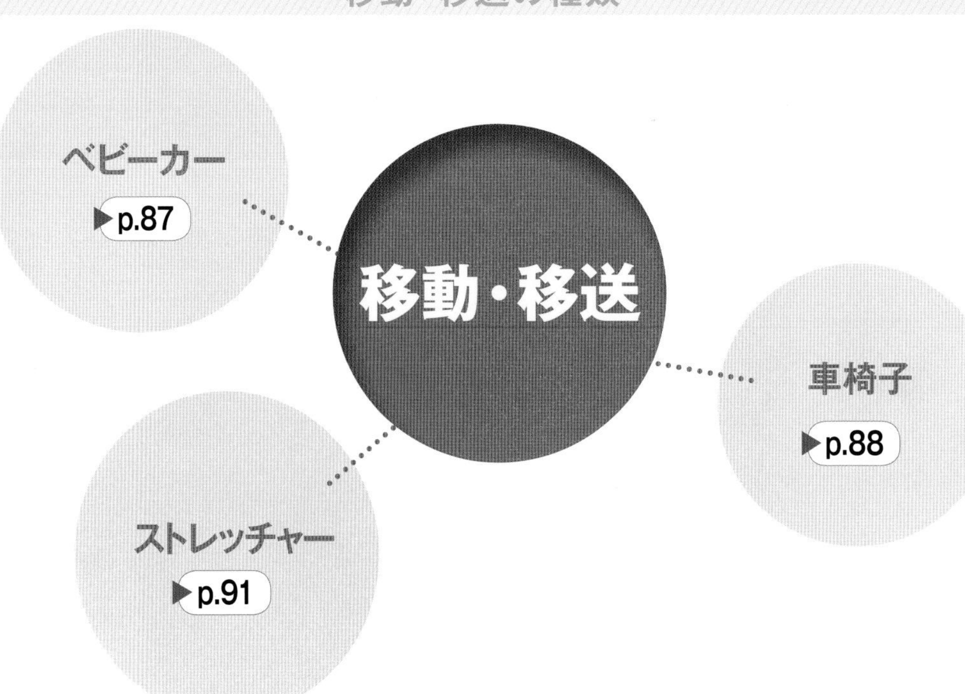

ベビーカー

ベビーカーは患児にかぎらず、乳幼児の日常生活でよく用いられる移送用具である。
仕組みをよく知って、安全に使用することが大切である。

POINT

ベビーカーの点検ポイント

患児を乗せる前にベビーカーの点検を行う。

- 車輪はスムーズに動くか?
- 車輪のロックはしっかりとかかるか?
- ベルトはきちんと締まるか?

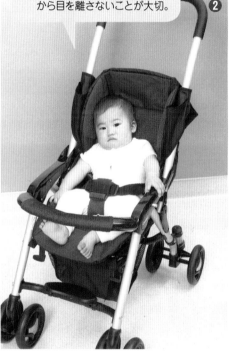

❶ ベビーカーの車輪をロックし、確実に車輪が固定されていることを確認する。

POINT

- ベビーカーに乗せたら、患児から目を離さないことが大切。

❷ 前面のバーを外して患児を座面に深く乗せる。股ベルト、腰ベルトをしっかりと締め、前面のバーを戻す。

POINT

股ベルト、腰ベルトで転落防止!

- ベビーカーに乳幼児を乗せる際は、必ず、股ベルトと腰ベルトの両方を締め、転落を防止する。
- 患児の体格に合わせ、締めすぎて圧迫することなく、固定する。

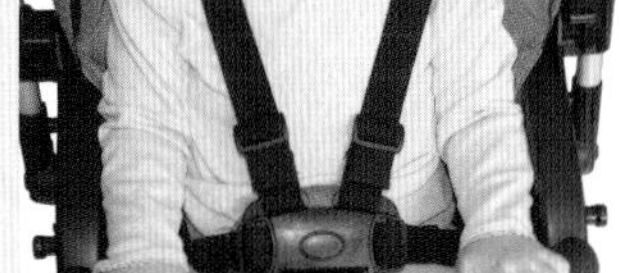

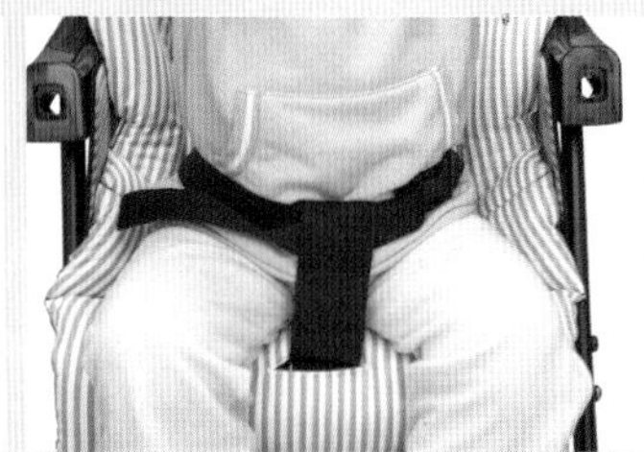

POINT
ベビーカーのタイプ
■ベビーカーには仰臥位で乗るA型、坐位で乗るB型がある。

❸ベビーカーで患児を移送する際は、車輪のロックを外し、患児の様子を観察しながら、段差や障害物に注意する。患児をベビーカーから降ろす際は、まず車輪をロックし、ベルトを外す。

車椅子

車椅子で、患児を安全・安楽に移送するため、車椅子の構造、操作方法を十分に理解しておく必要がある。

車椅子には、小児用と成人用がある。小児の体格に合った車椅子を選択し、転落やずり落ちなどを防止する。

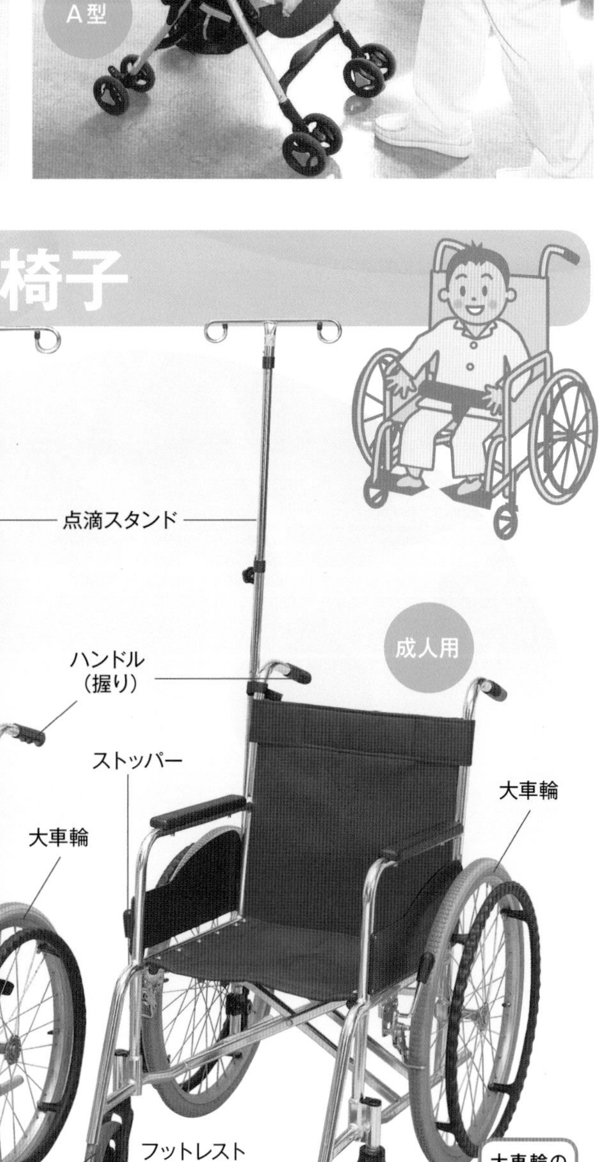

ベッドから車椅子への移動

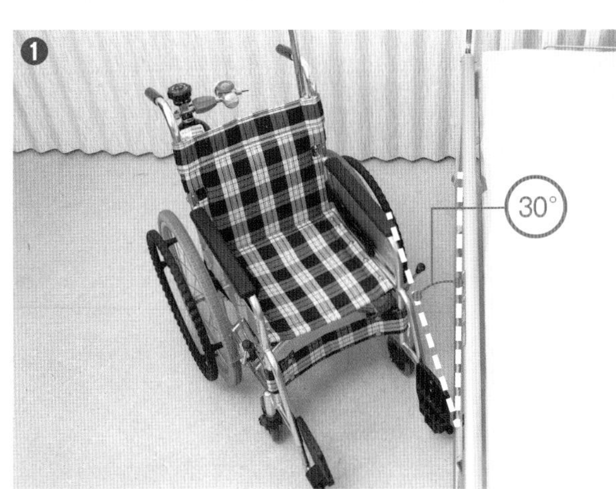

❶ 患児に車椅子に移動することを説明する。ベッドに対して30度の角度で車椅子を置き、フットレストを上げて、ストッパーをかける。

POINT

- 患児に負担をかけないよう、最短距離で移動する。
- 援助者にとっても最小限の負担で移動できるようにする。

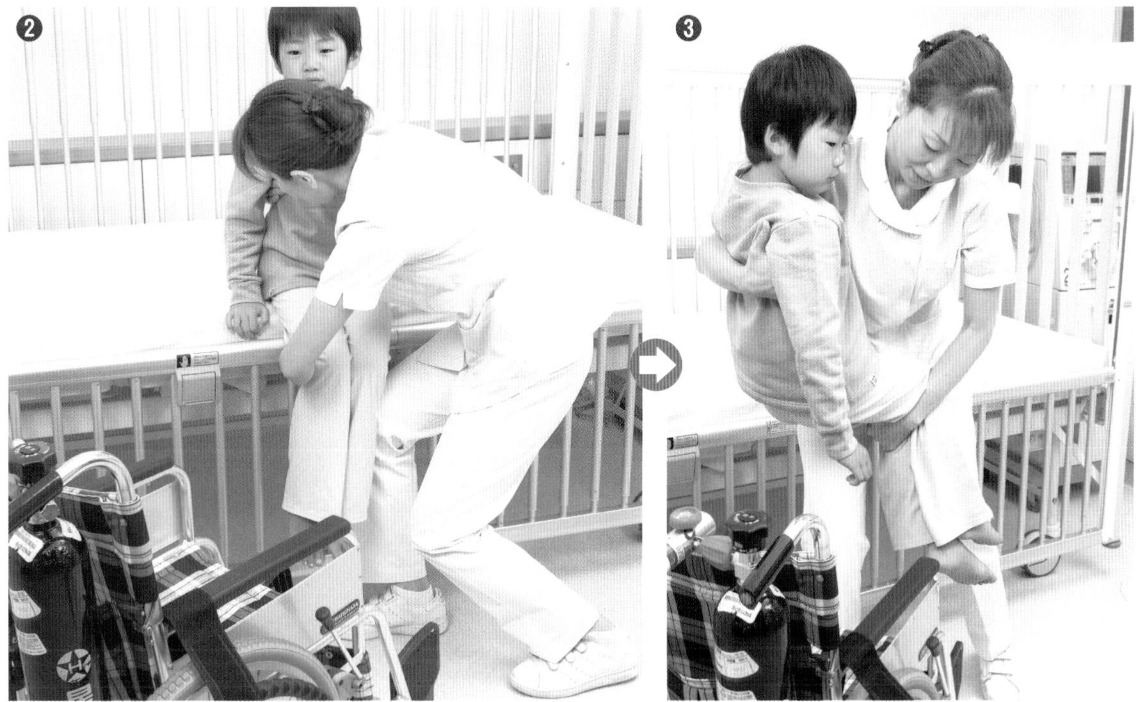

❷❸ 援助者は患児の腋窩から手を差し入れ、背中に回して反対側の腋窩に手を置く。もう片方の手で患児の膝を支え、ゆっくりと持ち上げて体を回転させ、車椅子に腰かけさせる。
腰ベルトを締め、フットレストを下げて両足を置く。

POINT

酸素吸入や点滴を行っている場合は

- 患児が酸素吸入中の場合は、移動前にまず、マスクやカニューレのチューブを車椅子の酸素ボンベに接続する。
- 点滴を行っている場合は、移動前に点滴ボトルを車椅子側のスタンドにかけ替える。
- 酸素チューブ、輸液ラインともに車輪に巻き込まれないよう座面内に収める。

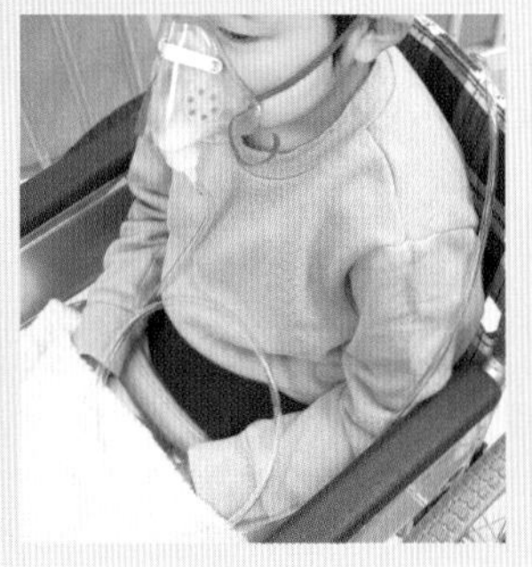

輸液ポンプ・酸素ボンベを装着する場合

車椅子に輸液ポンプや酸素ボンベを装着する場合は、かなりの重量となり、重心が後ろに偏る。このため、転倒などの危険を避けるため、砂嚢などを座面の下に置いてバランスをとる。 酸素チューブ、輸液ラインが車輪にからまることがないよう、注意する。

POINT

- 輸液ポンプはなるべく低い位置に取り付け、重心を低くして安定させる。
- 輸液ポンプの操作パネルが援助者側に向くよう、取り付ける。

輸液ポンプ
車椅子全体の
重心が後ろに偏る
酸素ボンベ
前部を重くして
バランスをとる
必要がある
医療用酸素

うっかり!

- 患児を車椅子に乗せてから忘れ物に気づき、取りに戻ってしまった!

→ 車椅子に乗せたまま患児のそばを離れることがないよう、必要物品は事前に準備する。

POINT

- 酸素チューブや輸液ラインが、車輪にからまないよう注意。
- チューブ類は座面内、患児の膝上に収める。
- 患児の状態に応じて、SpO_2 などのモニタリングを行いながら移送する。

POINT

- 輸液ポンプや酸素ボンベを装着する場合は、重心が後ろに偏るので、前部の座面下に砂嚢などを置いて、バランスをとる。

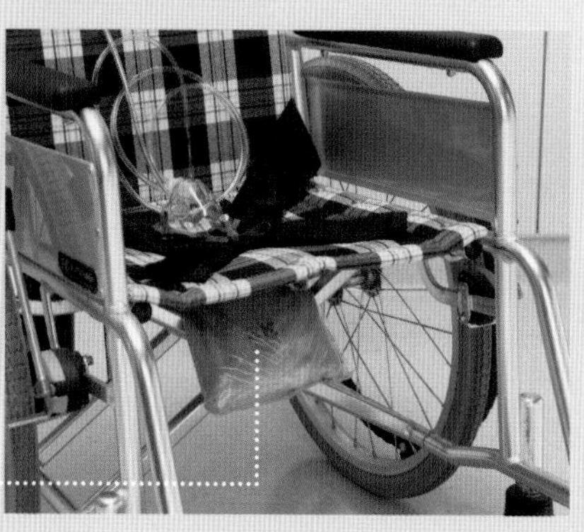
砂嚢

車椅子での移送

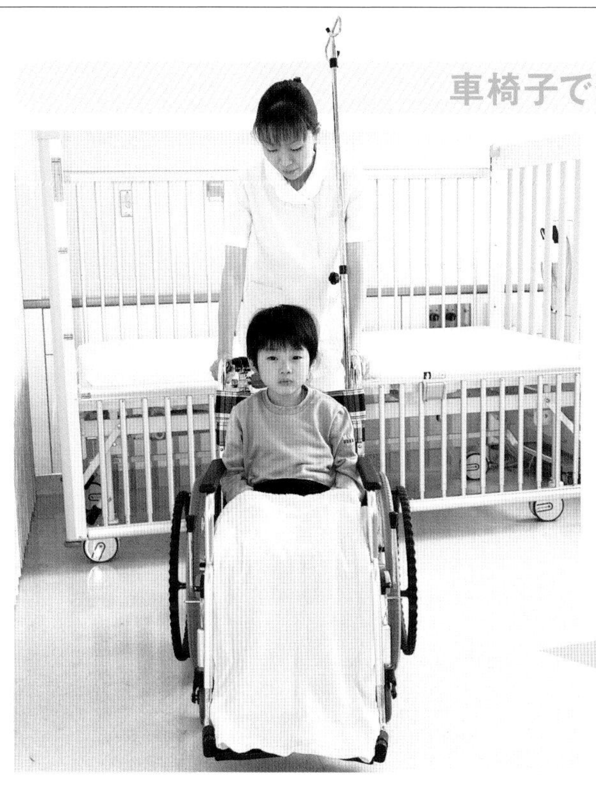

患児が車椅子に深く腰かけていること、フットレストに足が乗っていることを確認。ひざ掛けをかけ、患児の様子を観察しながら、車椅子を操作する。

POINT

移送前は、ここに注意!

- 両足はきちんとフットレストに乗っているか?
- 深く腰かけ、腰ベルトを締めているか?
- チューブ類は、座面内に収まっているか?

ストレッチャー

乳幼児用のストレッチャーには、
転落を防止する工夫、
乳幼児の不安を和らげる工夫が必要である。

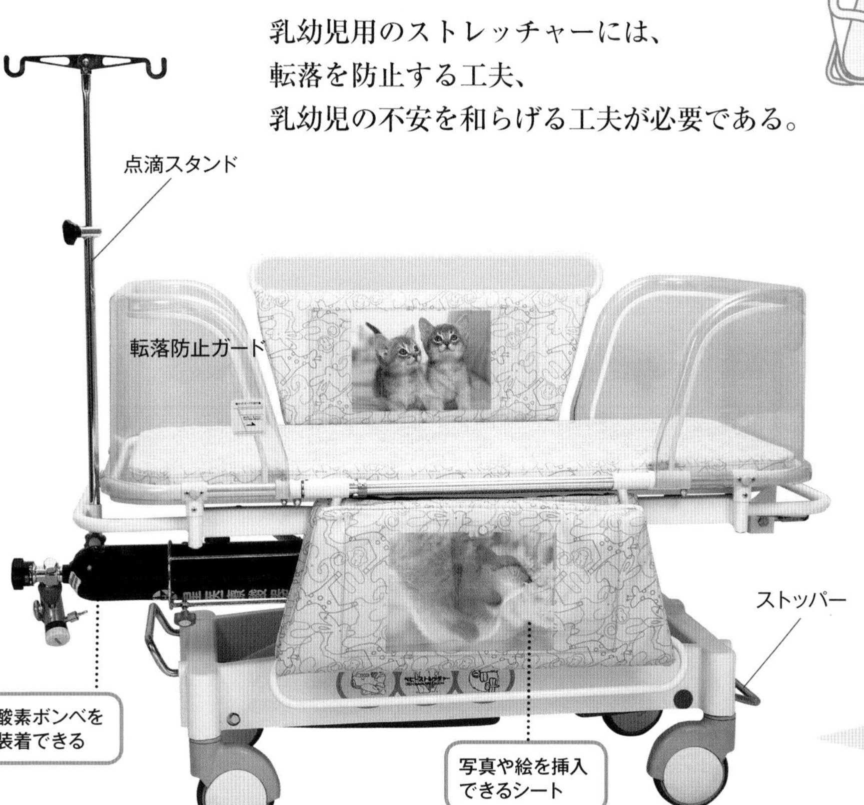

写真の乳幼児用ストレッチャーは、転落防止ガードが透明な素材で、写真や絵を挿入できるよう柵にシートが張られ、乳幼児を安全に、また機嫌よく移送できる工夫が施されている。

POINT

- 患児の移送前に、キャスターの動き、柵の上がり具合、ストッパーのかかり具合などを点検しておく。

ベッドからストレッチャーへの移動

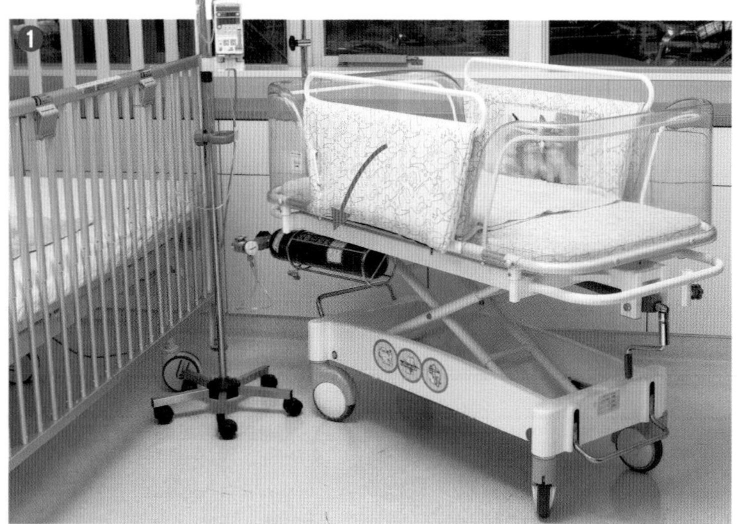

❶ 患児と家族に移動することを説明する。ストレッチャーをベッドに対して45度の位置に置き、ストッパーをかけて柵を下ろす。

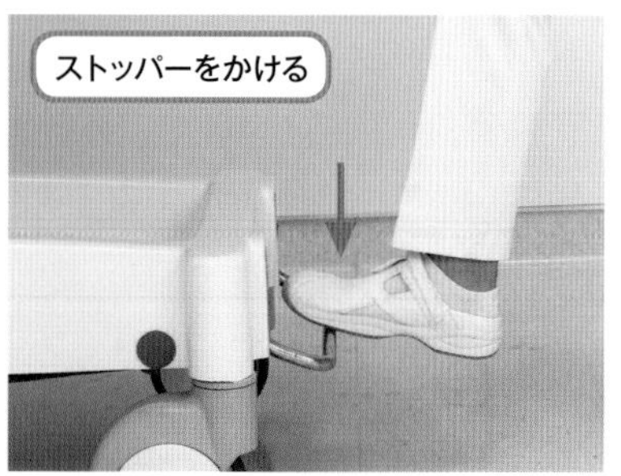

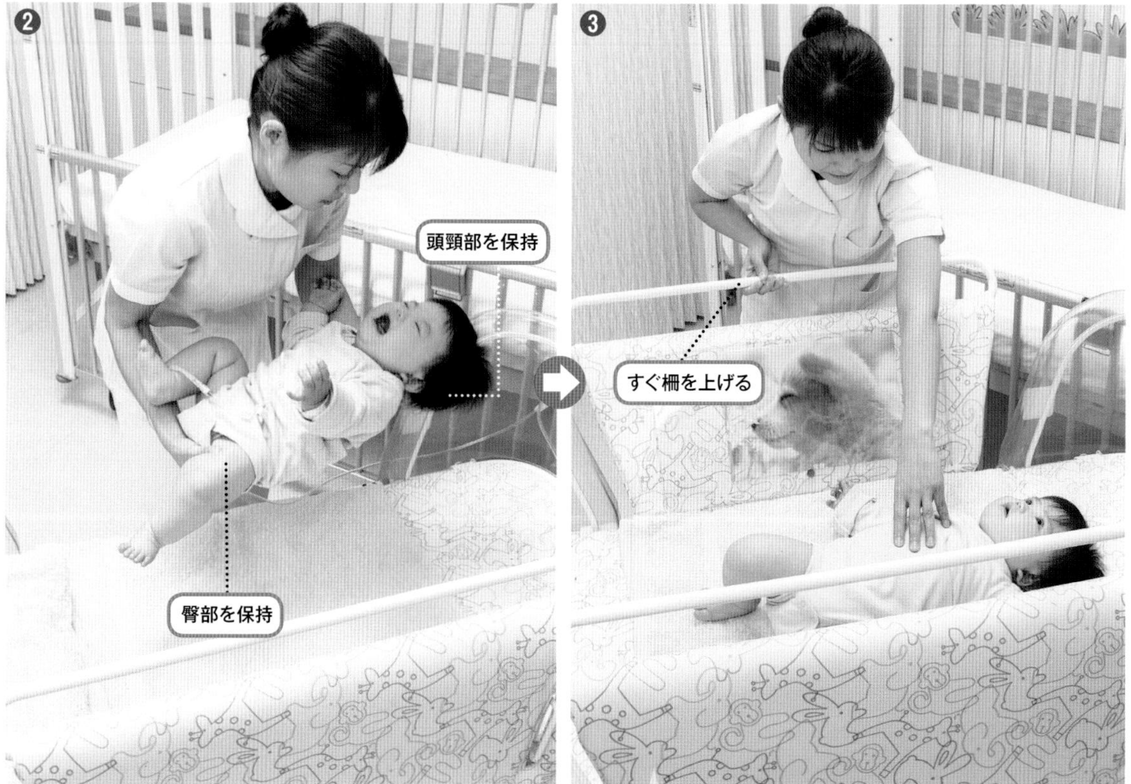

❷ 患児の頭頸部と臀部を保持し、ベッドからストレッチャーに移動させる。この際、患児を落とさないよう、実施者の体に患児を密着させる。

❸ 患児をストレッチャーに寝かせ、すぐに柵を上げる。患児をあやして落ち着かせ、掛け物をかける。柵の状態を確認し、ストッパーを外す。足側を進行方向に向け、2名（頭側と足側）で移送する。

POINT

- 患児を抱いて移動する際は、落とさないように注意！実施者の体に患児を密着させる。
- 患児をストレッチャーに移したら、ただちに柵を上げる。
- 移送時は、掛け物を忘れずに。
- 移送時は足側が前。足側に1名、頭側に1名ついて移送する。

POINT

酸素吸入を行っている場合は

■酸素吸入を行っている場合は、ストレッチャーに移動する前に、マスクやカニューレのチューブをすばやく酸素ボンベに接続。流量を設定する。

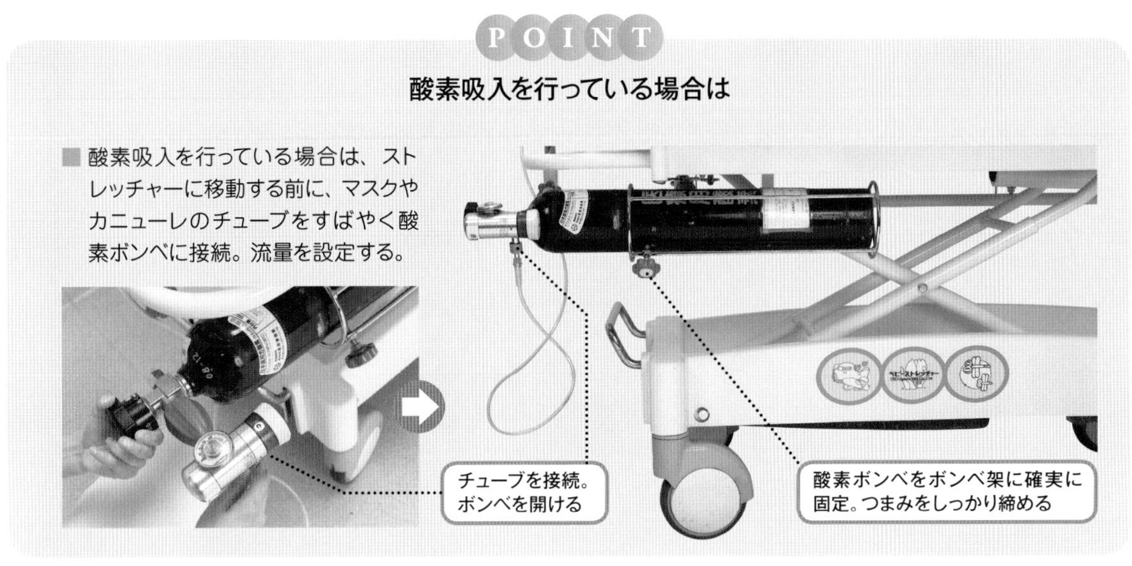
チューブを接続。
ボンベを開ける
酸素ボンベをボンベ架に確実に固定。つまみをしっかり締める

輸液ポンプ使用中の移動

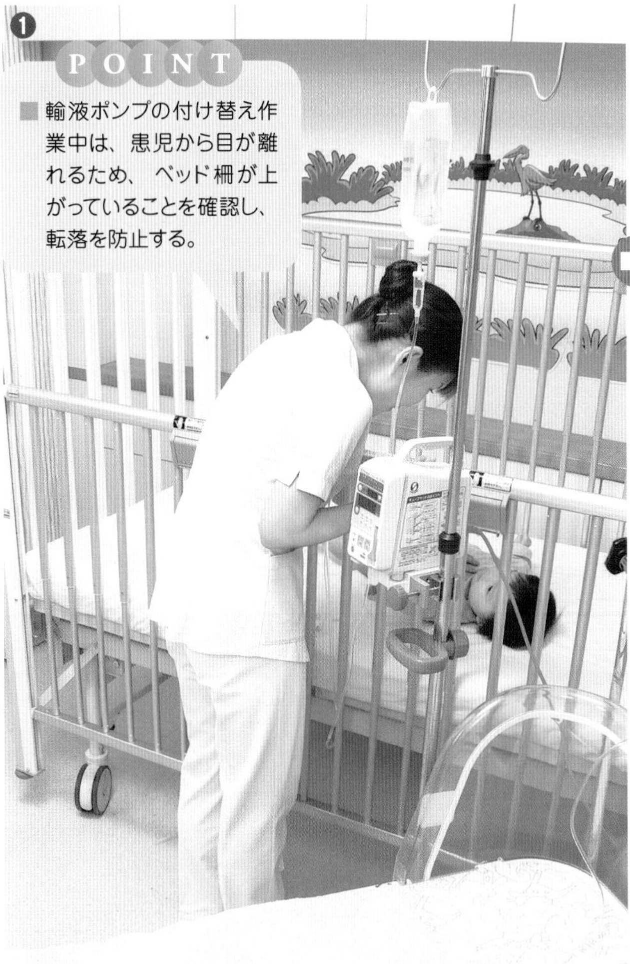

❶
POINT
■輸液ポンプの付け替え作業中は、患児から目が離れるため、ベッド柵が上がっていることを確認し、転落を防止する。

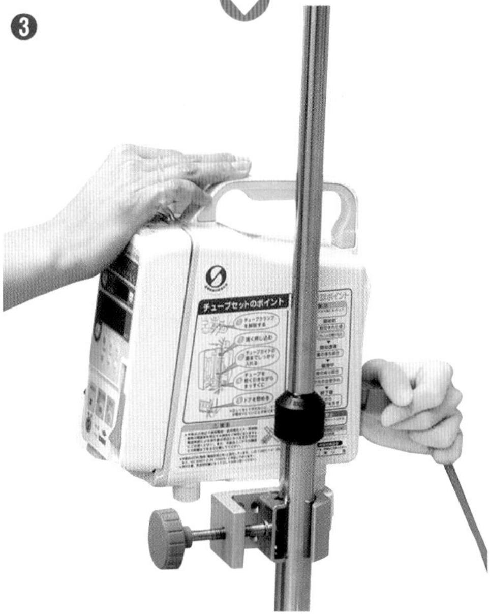

❷

❸

❶ ストレッチャーをベッドに対して45度の位置に置き、ストッパーをかける。ベッド柵が上がっていることを確認する。

❷❸ まず、輸液ラインのクレンメを閉じる。次に、輸液ポンプの電源コードを抜く。

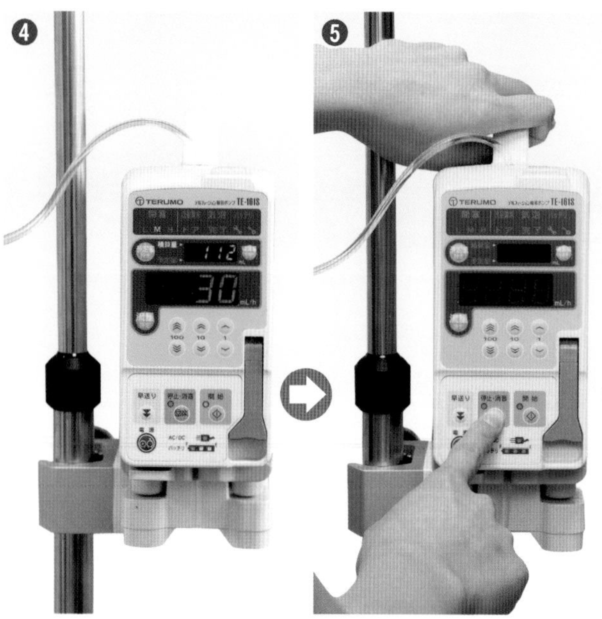

❹❺ 停止ボタンを押して、輸液ポンプを停止する。

うっかり!

■ クレンメを閉じる前に、輸液ラインを外してしまった!

→ 薬液が一気に流れて(フリーフロー)、危険! 必ず、クレンメを閉じてから、ポンプの扉を開ける。

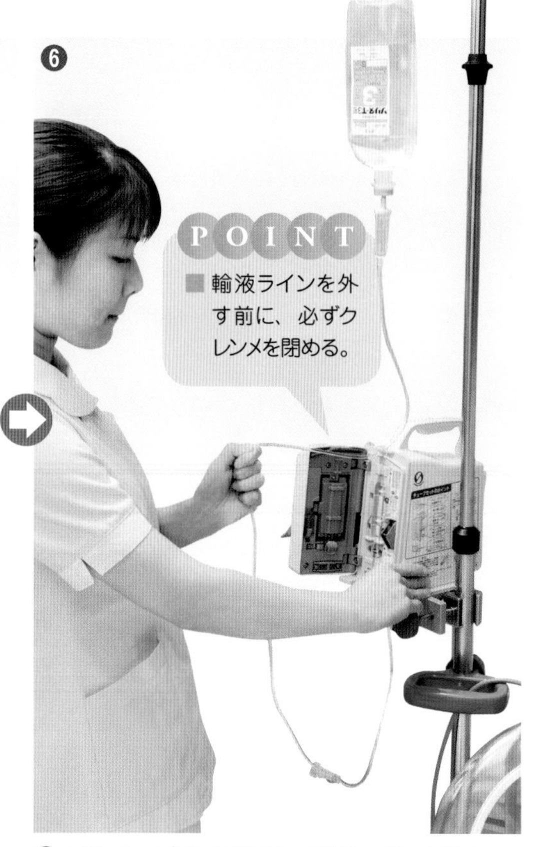

❻
POINT
■ 輸液ラインを外す前に、必ずクレンメを閉める。

❻ 輸液ポンプの扉を開け、輸液ラインを外す。

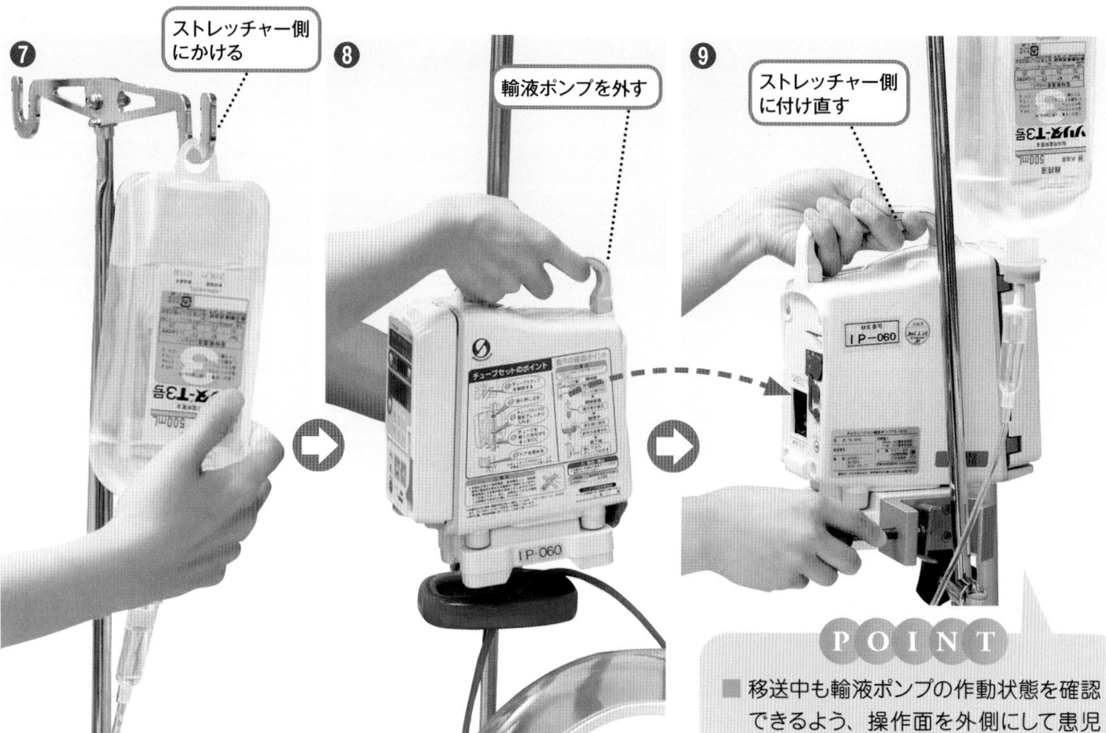

❼ 輸液ボトルをストレッチャー側の点滴スタンドにかけ直す。

❽❾ 輸液ポンプを点滴スタンドから外し、ストレッチャー側の点滴スタンドに取り付ける。

POINT

■ 移送中も輸液ポンプの作動状態を確認できるよう、操作面を外側にして患児の頭側に取り付ける。

■ 輸液ポンプを固定しているネジをしっかりとめる。

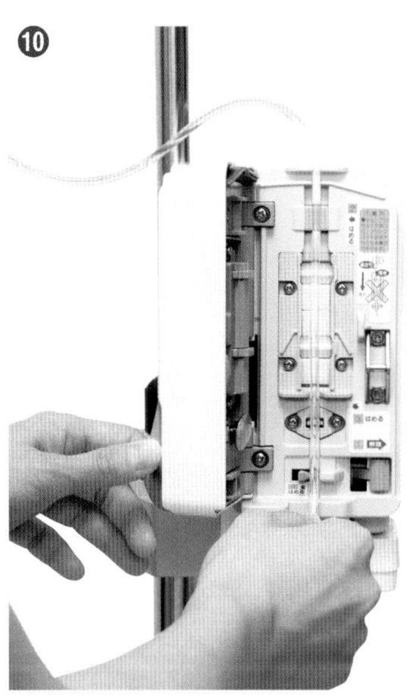

⑩ 輸液ポンプに輸液ラインをセットし、ポンプの開始ボタンを押す。

うっかり!

移送することに気をとられ、輸液ポンプの開始を忘れた!

→ 移送前に、刺入部からポンプまで輸液ラインをたどり、異常がないことを確認する。

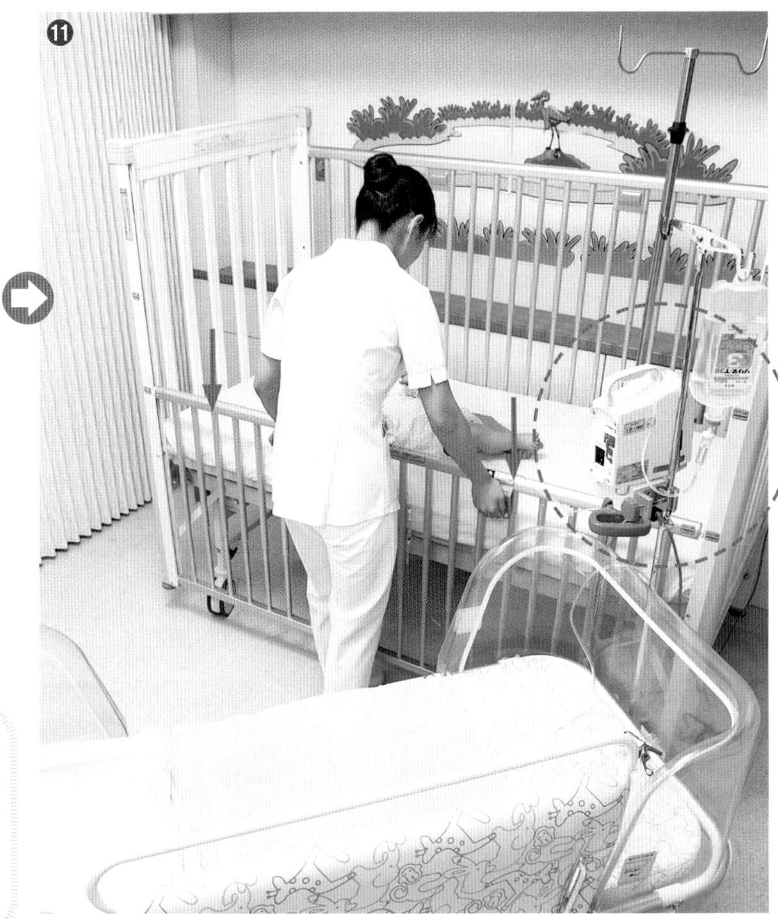

⑪ 患児を移動させるため、ベッド柵を下ろす。

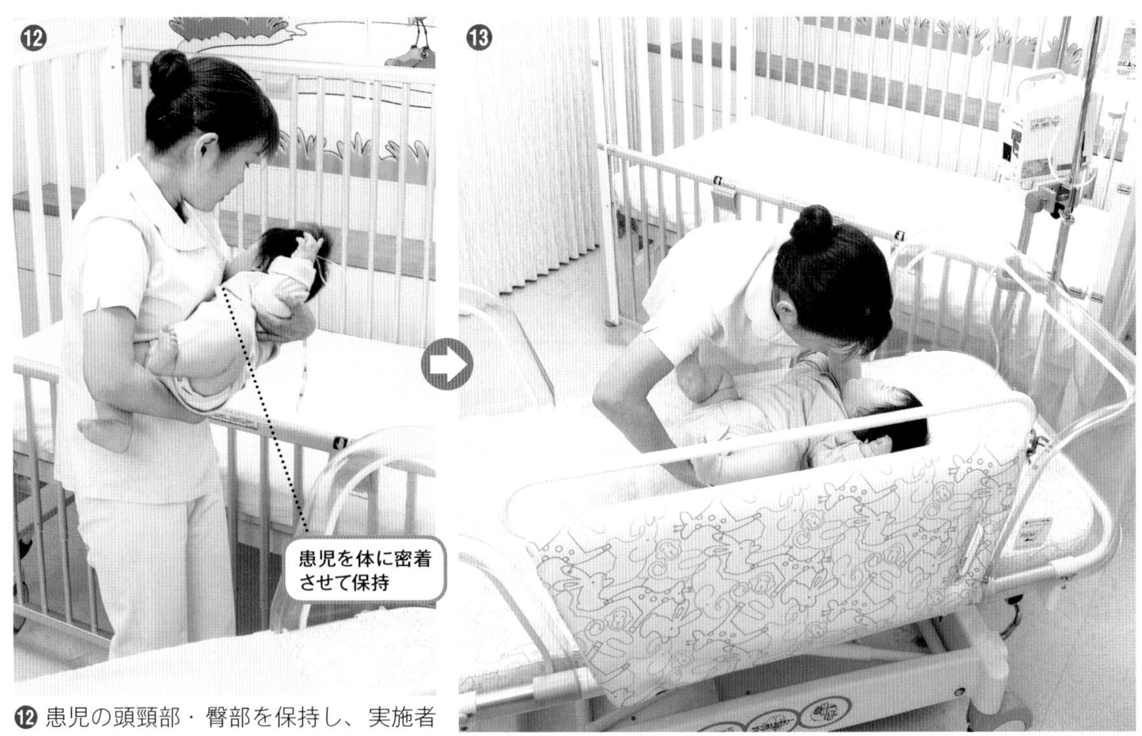

⑫ 患児の頭頸部・臀部を保持し、実施者の体に密着させて移動する。

⑬ ストレッチャーに寝かせ、柵を上げて掛け物をかける。

CHAPTER 8

安全

小児の安全に関する特徴

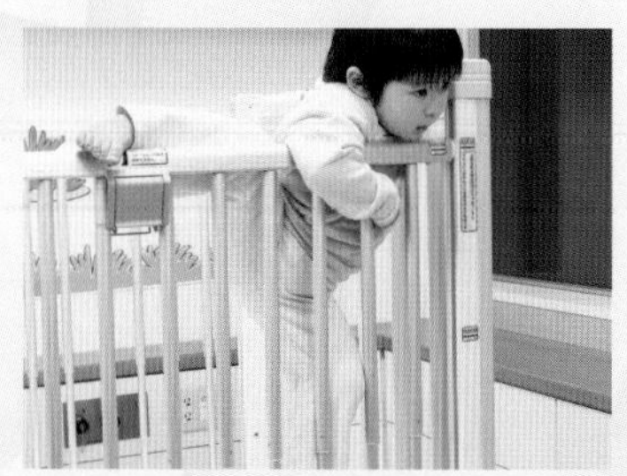

- 月齢・年齢が小さいほど、頭部の割合が大きく、身体のバランスを崩しやすい。
- 成長・発達の過程や成育環境により、危険や事故の要因が異なる。
- 日常と異なる環境（入院など）では、予測のつかない特異な行動を起こす場合がある。
- 日々、成長・発達するため、昨日までできなかったことができるようになり、危険行動の回避が予測困難である。
- 社会性が未熟であるため、事故や事件に巻き込まれやすい。

安全にかかわる要素

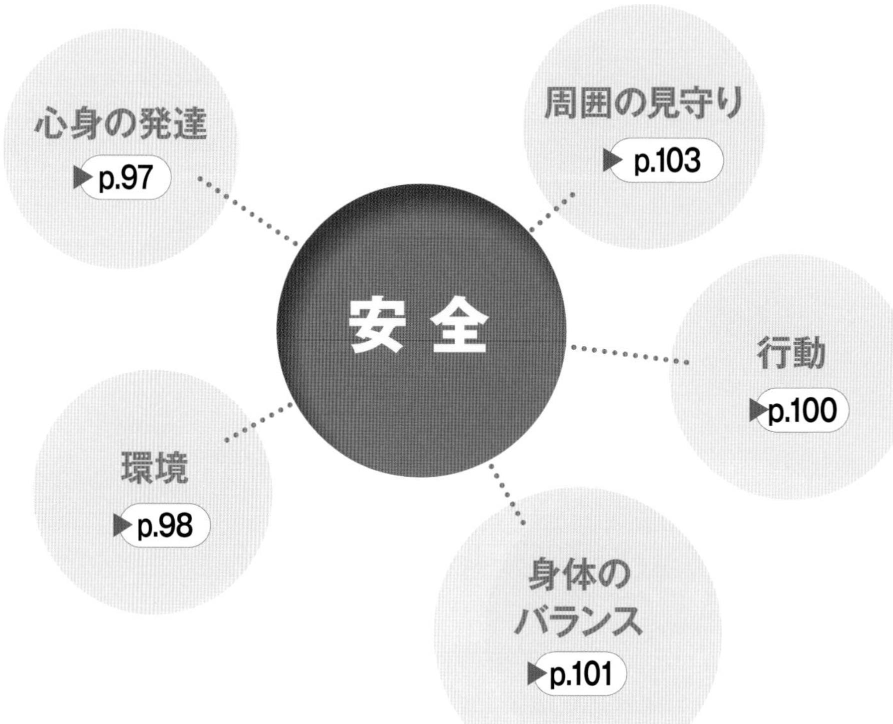

小児に起こりやすい事故

成長・発達の過程で起こりやすい事故を知り、予防する

小児の1歳から14歳までの死亡原因では「不慮の事故」が多く、ほんのちょっとした不注意や観察不足が思わぬ結果を招くことがある。
小児の安全を守るためには、成長・発達・性別・環境ごとに起きやすい事故を知り、安全確保のための環境整備が重要である。

小児に多い不慮の死亡事故

	第1位	第2位	第3位
全体	不慮の窒息	交通事故	不慮の溺死及び溺水
0歳	不慮の窒息	不慮の溺死及び溺水	転倒・転落・墜落
1～4歳	不慮の窒息	交通事故	不慮の溺死及び溺水
5～9歳	交通事故	不慮の溺死及び溺水	不慮の窒息
10～14歳	不慮の溺死及び溺水	交通事故	不慮の窒息

厚生労働省：令和2年度 人口動態調査より

生後4か月まで（首がすわるまで）

行動： 1日の大半を眠って過ごす。乳を飲んだり、自分の指をなめたり、おしゃぶりをしたりと口と手の動きが中心である。

対策： 適切な育児環境を整える。養育者の経験不足や不注意により、事故が発生しやすいので注意する。

事故の種類

- ●添い寝や吐乳による窒息
- ●ふかふかの布団にうつ伏寝で窒息
- ●入浴時の転落
- ●養育者が抱いたまま転倒
- ●熱いミルクによる熱傷
- ●乗車中の事故

生後5～11か月

行動： 寝返り、ハイハイ、つかまり立ち、歩行が始まり、行動範囲が日々変化する。視覚、手、全身を使って行動し、反応する。

対策： 小児の身辺全体に注意を払い、危険なものを周囲に置かない。

事故の種類

- ●ベッドやソファーからの転落
- ●誤飲：タバコ・ボタン形電池など
- ●誤嚥：ピーナッツ、豆類など
- ●浴槽への転落
- ●ベビーカーや椅子からの転落
- ●歩行時の転倒

1～3歳

行動： 1人歩きができるようになり、新しい手段や繰り返しの行動様式により、物事を認知。いたずらや挑戦を好み、活発に活動する。

対策： 日頃から模範となるような行動様式をみせ、小児から注意をそらさず見守る。

事故の種類

- ●飛び出しや歩行中の交通事故
- ●プールや川、海での事故
- ●滑り台、ブランコからの転落
- ●ライターや湯沸しポットによる熱傷
- ●室内での転倒、机や椅子の角による切り傷、打撲

4～5歳

行動： 友達とごっこ遊びやおしゃべりをし、言葉の使用が本格化する。全身の運動調整力が急激に伸びる。興味のおもむくままに行動する。

対策： キャラクターなどを活用し、疑似体験を通して、安全に対する適応能力を育てる。

事故の種類

- ●自転車の事故
- ●用水路やため池への転落
- ●ライターなど、火遊びによる熱傷
- ●乗り物など、ドアにはさまれる

6～12歳

行動： 危険を回避する知識・能力は備わっているが、仲間の影響を受けやすく、危険な遊びにエスカレートしやすい。好奇心が旺盛になり、危険な行動を好む。

対策： 生命の大切さ、自分や友人を尊重することなど、人間としての基本的な道徳心を養う。

事故の種類

- ●登下校時の事故・交通事故
- ●友達とのけんか、いじめ
- ●けが、転倒・転落

13～14歳

行動： 二次性徴に伴い、急激な身体的変化と心のアンバランスが生じ、心理的に不安定となりやすく、衝動的な事故や自傷行為に走る場合がある。

対策： 人的・物理的環境を整え、心の安定を保つよう、養育者以外の専門家など信頼できる支援者の協力を求める。

事故の種類

- ●打撲・骨折
- ●自傷行為・自殺
- ●交通事故
- ●傷害事件など

ベッドからの転落防止

病院における事故では、成人・小児を問わず、ベッドからの転落・転倒が圧倒的に多い。小児におけるベッドからの転落防止対策は、入院時のベッドの選択から始まる。

ベッドの選択

ベッドには「新生児用ベッド」「乳幼児用ベッド」「成人用ベッド」の3種類がある。ベッドは患児の生活の場である。安全な日常生活を保障するため、患児の成長・発達に合わせてベッドを選択する必要がある。

新生児用ベッド

POINT

- マットレスは固めにし、隙間を作らない。
- ベッド周囲にガーゼやひも(お守りなど)を置かないよう注意。

POINT

- ベッドは柵やレバーに不良欠損がなく、整備・点検されたものを用意する。
- ベッド柵の隙間から患児の頭や顔が出ないものを選択する。
- 患児がベッド柵を飛び越えることができないように、環境を整備する。

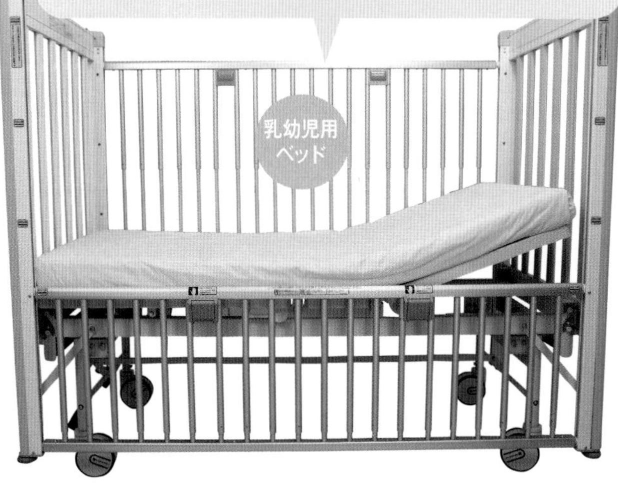

乳幼児用ベッド

POINT

- 成人用ベッドで、家族が患児に添い寝をするなどの安易な選択は控える。

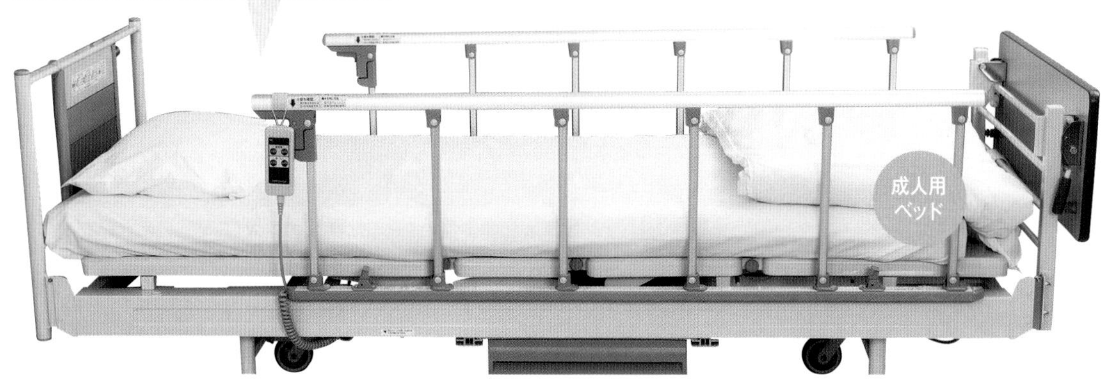

成人用ベッド

乳幼児用ベッドの仕組み

レバーを引いて、
柵を下ろす
上段

乳幼児用ベッドにはベッド柵がついており、写真のタイプは、3段階の高さでとめることができる。
キャスター（車輪部）にはストッパーがあり、静止時には、必ずストッパーで固定する必要がある。さらにベッドの角度調節を行うハンドルがついている。

POINT

- ベッド柵は、用途に応じて上段・中段・下段の高さに変えられる。
- 柵についているレバーは両手で取り扱う。
- 柵の高さは下段より下には下げない。
- 包帯などを使って柵を固定してはならない。

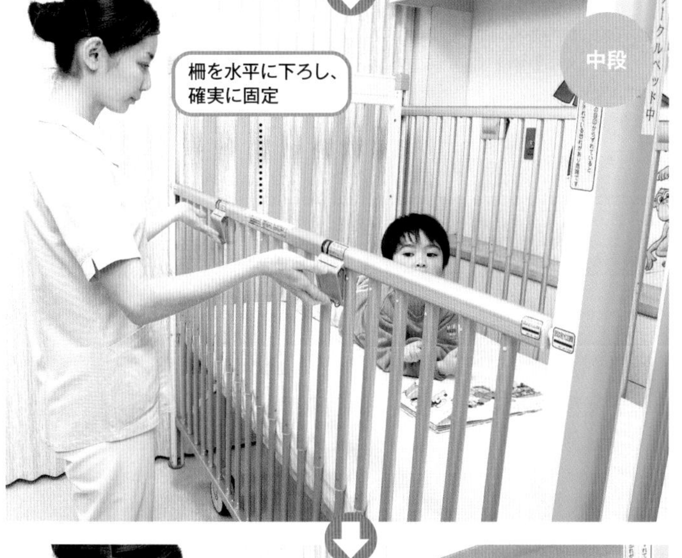
中段
柵を水平に下ろし、
確実に固定

POINT

- キャスターは必ず、ストッパーで固定されていることを確認する。
- ベッド周囲には電気コードなどの危険物をはわせない。

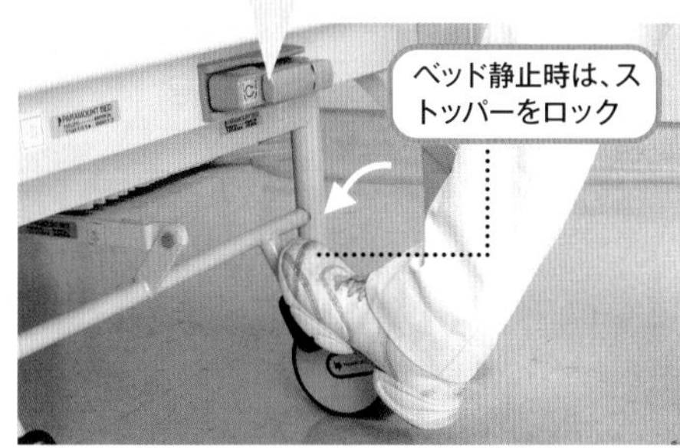
ベッド静止時は、ストッパーをロック

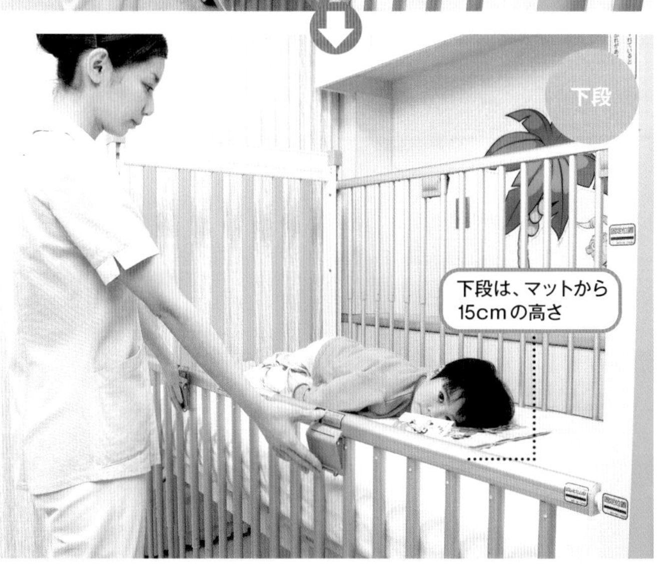
下段
下段は、マットから
15cmの高さ

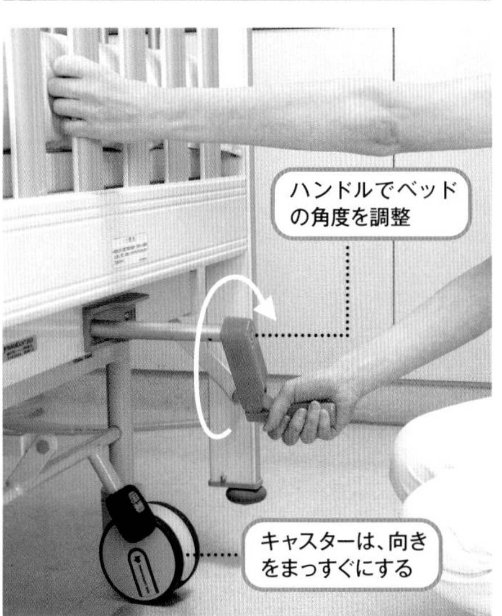
ハンドルでベッド
の角度を調整
キャスターは、向き
をまっすぐにする

ベッドからの転落…ヒヤリ・ハット!

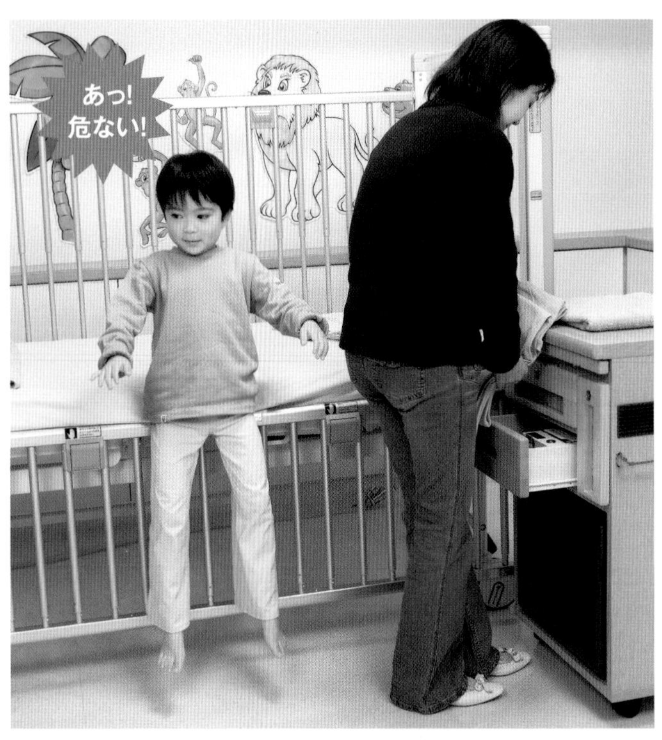

CASE1 母親が気をとられた隙に!

母親が、ベッド柵を最下段に下げたまま、床頭台の整理に気をとられている。母親を追ってベッドの端まできた患児は…、そのままベッドから飛び降り、転倒!
家族の面会中、ベッドから転倒・転落する事故が多く報告されている。家族がそばにいても、患児のベッド柵は必ず上げておくよう指導する。

うっかり!

- ベッド柵を下げたまま、患児から目を離した!

→ ベッドサイドのそばにいるときも、ベッド柵は最上段まで上げて、患児の転落を防止する。

CASE2 ベッド柵が斜めに!

ベッド柵が斜めになり、片方のレバーがしっかり固定されていない…。この状態に気づかず、家族は室外に出てしまった。
やがて、患児が立ち上がり、ベッド柵につかまったところ、ベッド柵が外れ、患児はそのまま転落!

ベッド柵が斜めになり、しっかり固定されていない

うっかり!

- ベッド柵が斜めになり、片方のレバーが固定されていない!
- ベッド柵は水平だが、レバーが固定されていない!

→ ベッド柵の上げ下げの際は、所定の高さにしっかりととめ、きちんと固定されていることを確認する。

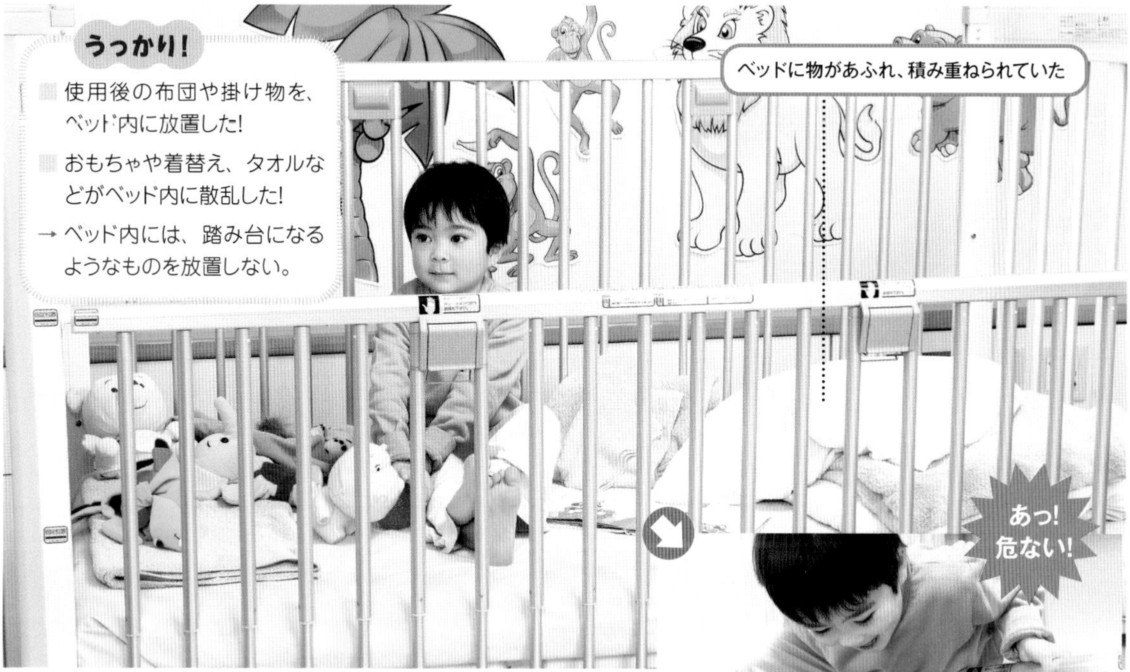

うっかり!

- 使用後の布団や掛け物を、ベッド内に放置した!
- おもちゃや着替え、タオルなどがベッド内に散乱した!

→ ベッド内には、踏み台になるようなものを放置しない。

ベッドに物があふれ、積み重ねられていた

あっ! 危ない!

CASE3 物があふれ、散らかったベッド

枕や布団、タオル、おもちゃがあふれ、散らかったベッドで患児が遊んでいた。おもちゃに飽きた患児は、積み重なった枕や布団を踏み台に、ベッド柵によじ登った。そのまま、前のめりに転落!

CASE4 いつのまにか元気に!

入院した当初はぐったりとベッドに横たわり、動く気配のなかったA君。しだいに元気になり、ある日、ベッド柵を鉄棒代わりにして遊び始めた。ジャンプ! 勢い余って、ベッド柵を乗り越えて転落!
患児は回復するにつれ、思いもかけない行動に出る場合がある。回復期だからこそ、注意深く目を離さないことが必要である。

うっかり!

- 患児は臥床していて、起き上がらないと思い込んでいた!

→ 回復時の行動の変化を見逃さず、患児から目を離さない。

ベッドを離れるとき、ベッド柵を下げるとき

ベッド柵は必ず上げておく

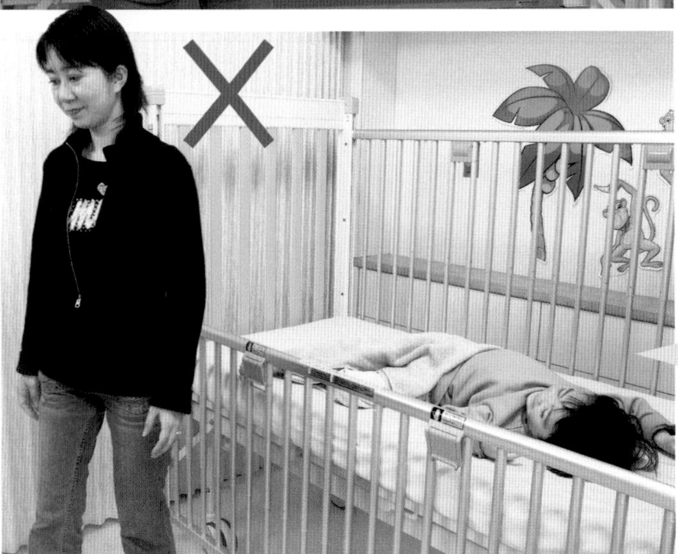

ベッドから目を離す際は

患児のいるベッドを離れたり、荷物を整理するために腰をかがめたりする際は、必ず、ベッド柵を最上段まで上げる必要がある。
ベッド柵を上げなかったり、ベッド柵が低い場合、患児がのぞき込んだり、つかまり立ちをして転落する原因になる。病院のベッドは患児にとって大人が思う以上の高さであり、転落は骨折などの原因になる。
また、ベッドから離れるときカーテンを閉めると、患児の様子が観察できず、危険である。

POINT

家族への指導ポイント

- ベッドを離れるときはカーテンを開け、患児の様子を観察しやすい環境にするよう指導する。
- 面会終了時やベッドから家族が離れるときは、必ずベッド柵を上段まで上げるよう、入院時や面会時に指導する。

ベッド柵を下げる際は

遊びや処置などでベッド柵を下げる際は、必ず、患児の正面に立ち、目を離さないようにすることが必要である。
また、すぐに患児を保護できるよう、手をかざすなどの配慮も大切である。

POINT

- ベッド柵を下げたら、患児の正面に立ち、目を離さない。

患児から目を離さない

椅子やベビーカー、服薬後の留意点

ベッドからの転落以外に、椅子やベビーカー使用時、服薬後などにも転倒･転落の危険があるため、注意が必要である。

ベビーカーの放置

患児をベビーカーに乗せたり、椅子に座らせたまま、その場を離れるのは禁物。看護師や家族は少しの間なら大丈夫だと思うが、患児は離れていく家族や看護師を追いかけ、そのまま転倒・転落するケースがみられる。

服薬後の注意

小児では検査のための睡眠薬や抗痙攣薬、鎮静薬などを服用する場合がある。ふらついたり、興奮することがあるため、患児をベッド上に立ち上がらせたり、歩行させることは禁物。必ず家族や看護師の見守り、観察が必要である。

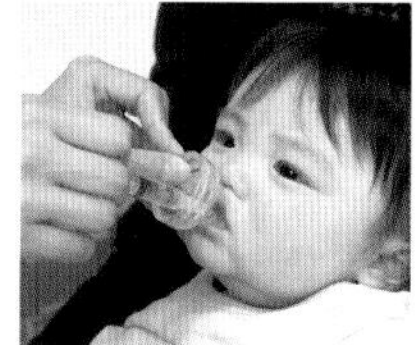

院内での転倒・転落防止

6つの確認ポイント

1 前後のベッド柵は、必ず最上段まで上げる。

2 ベッドから離れる際、患児から目を離す際は、声をかけて必ずベッド柵を上げる。

3 ベッド柵を下ろす際は、患児の手足が離れていることを確認。
下ろしてからは患児の正面に立ち、目を離さない。

4 患児の様子を観察するため、カーテンを開けておく。

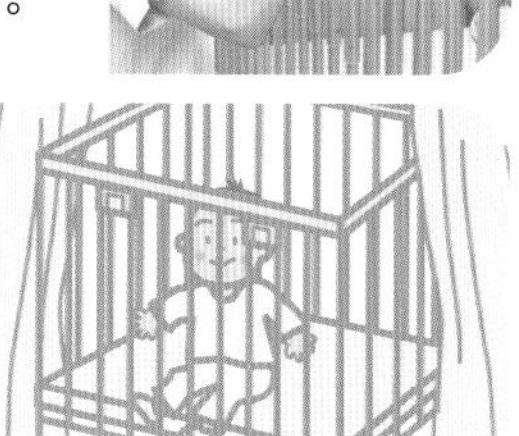

5 患児を椅子やベビーカーに座らせたまま、その場を離れない。

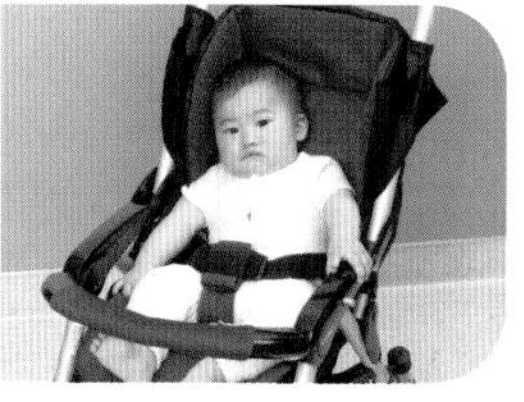

6 鎮静薬などの服薬後は、ベッド上に立ち上がらせたり、歩行させたりしない。

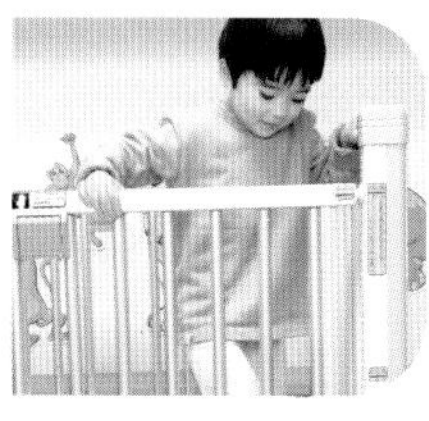

CHAPTER 9

与薬

小児への与薬の特徴

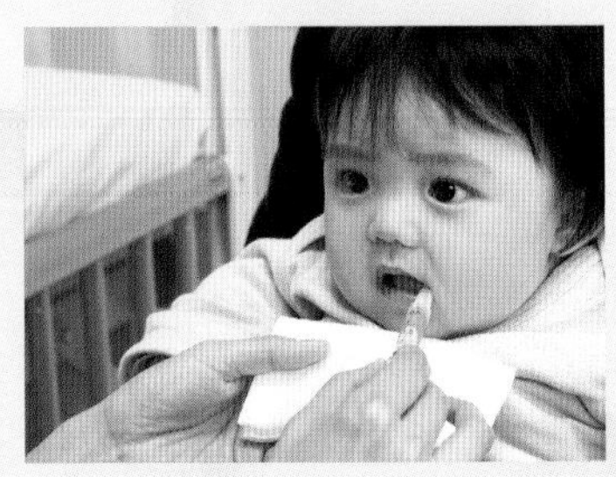

- 小児は体が小さいため、微量な薬剤量の変化にも大きな影響を受けるので注意する。
- 小児の飲みやすい剤形（散剤・シロップ・水溶剤・カプセル）を理解し、指示量は全量を確実に服用できるよう援助する。
- 小児や家族が理解できる、わかりやすい言葉で薬剤の効果や副作用について説明する。
- 与薬による治療の目的を理解し、与薬直前に手順に沿った確認を行い、実施する。
- 医師の指示に基づき、確実な投与方法を選択する。与薬後は継続的に、注意深く観察する。
- 小児の「泣く」ことによる不安・恐怖心の表現を敏感に受け止め、苦痛や疼痛が最小限となるよう援助する。

与薬の種類

与薬

- 経口 ▶ p.106
- 経腸／坐剤 ▶ p.111
- 注入（浣腸） ▶ p.114
- 点眼・点耳・点鼻
- 注射／皮下・皮内、筋肉内、静脈内、点滴静脈内 ▶ p.116
- 貼付

与薬の基本

発達段階に応じた方法の選択や工夫が必要

1. 医師の指示を受けて行う。
2. 医師の指示を確認し、与薬の準備を行う。
3. 与薬（配薬）の6R（患者名・薬剤名・薬剤量・与薬方法・与薬時間・与薬目的）を確認。
4. 対象患者のアセスメント…なぜ、この薬を使うのかを理解する。
5. 乳児・幼児・年長幼児・学童といった発達段階に応じた与薬方法を選択し、指示された薬剤が確実に体内に吸収されるよう工夫する。
6. 発達段階に応じた説明を行い、同意を得る。
7. 直前に6Rを確認。
8. 与薬後は、がんばったことをほめる。
9. 与薬後の観察・記録を行う。

薬理作用

小児は、薬理作用の影響を強く受ける

薬剤は、口・血液などから体内の組織や作用部位に分布する。その後、肝臓あるいは血漿中で代謝され、腎臓を介して排泄される。
小児では腎臓の排泄機能が成人の30～40%であるため、薬剤が体外に排泄されるまで、成人より長い時間を要する。このため、薬理作用の影響を強く受けることになる。
薬用量は小児の体重や体表面積によって決定する。小児は体重当たりの体表面積が広いため、相対的に薬用量が多い。

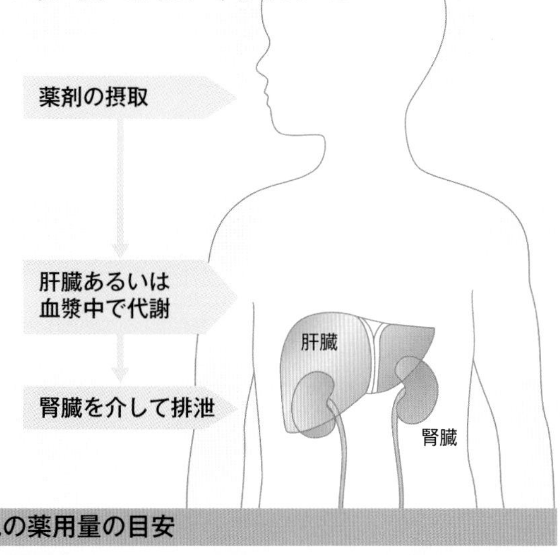

EVIDENCE

- 乳幼児は腎臓の排泄機能に加え、胃・膵臓・腸の機能も年齢によっては未完成であり、薬理作用の影響を強く受けやすい。
- 胃酸分泌：3か月までにpH安定
  胃内停滞時間：6～8か月で成人と同等
  膵臓機能：1歳まで分解酵素未完成
  腸内細菌叢：4歳までに完成

小児の薬用量の目安

年月齢	3か月	6か月	1歳	3歳	7.5歳	12歳	成人
成人を1とした小児の薬用量	1/6	1/5	1/4	1/3	1/2	2/3	1
およその体重（kg）	6	7.5	9	15	25	45	60
体表面積／体重（m^2/kg）	1.9	1.7	1.7	1.6	1.5	1.2	1

＊ 末廣豊：処方せんを出す際の注意点.チャイルドヘルス 9 (6), 2006, p.14より

経口与薬

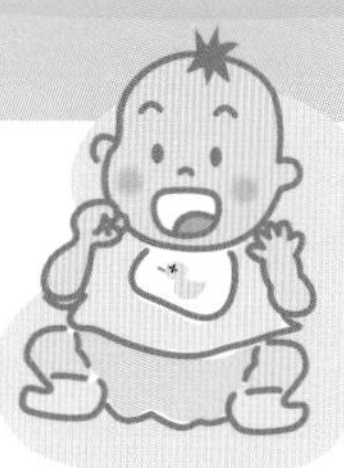

小児の経口与薬をスムーズに実施するには、発達に応じた説明を行うこと、服用しやすい形状に準備をすること、服用後に不快感を残さない工夫を行うことが必要である。

経口与薬の工夫

服用前

1 発達に応じた説明を行う。

2 薬袋や現物を見せ、触れさせて、不安感をやわらげる。

服用時

3 患児の好みに応じた薬の形状で準備する。オブラートやカプセルなどに入れる。

4 1回の服用量が最小限になるよう、形状を工夫する。

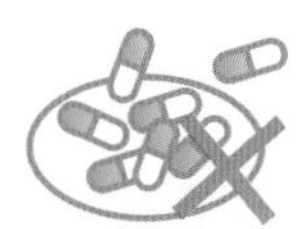

5 少量の水に溶かしてスプーンやスポイト、注入器で流し込む。

6 少量の水で練ってペースト状にし、口の中に塗る。

7 少量のプリン、ゼリーなどに混ぜる。

8 少量の飲み物に溶かして凍らせ、口に含ませる。

9 スプーンの上で、散剤をチョコレートクリームやジャムでサンドイッチ状にはさむ。

10 市販の服用ゼリー（いちご味など）を活用する。

11 少量の飲み物に溶かしてシャーベット状にする。

12 授乳や食事の前に服用させ、吸啜力・食欲を期待する。

服用後

13 服用後はうがいをしたり、好きな飲み物をとり、不快感が残らないようにする。

14 服用後はガムをかんだり、歯磨きをして口腔の清浄感を保つ。

15 服用後は十分にほめ、シールを貼るなどがんばりの継続を動機付ける。

16 服用後は遊んだり、あやしたりして、気分転換を図る。

目的　指示された薬剤を確実に、安全に体内に吸収させ、期待される薬剤の効果を得る。

種類　散剤・液剤・錠剤・カプセル

PROCESS 1 必要物品の準備

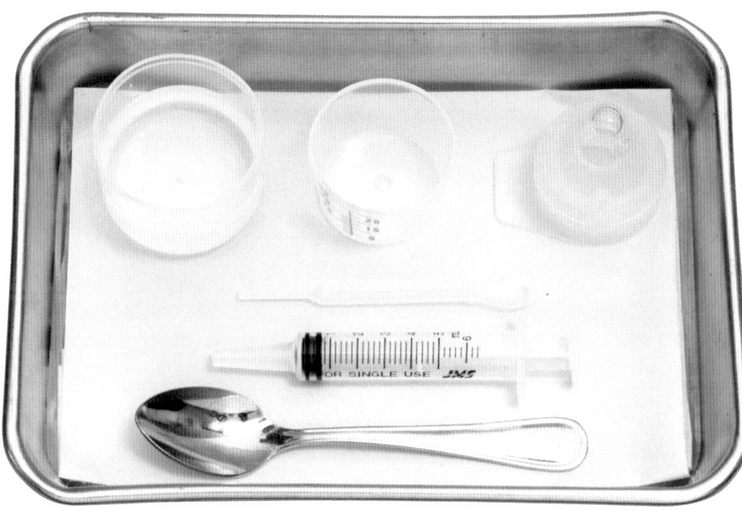

❶ 指示箋
❷ 薬杯
❸ 微温湯
❹ スプーン
❺ 注入器
❻ スポイト
❼ 乳首

POINT

- 服用方法は、ベッドサイドで患児の好むものを選択する。
- 患児のお気に入りのスプーンや、こだわりの物を用意しておくとよい。

PROCESS 2 指示箋と薬剤の照合

指示箋と薬袋を指差し確認を行って照合。患者氏名・薬剤名・薬剤量・与薬方法・与薬時間・与薬目的に誤りのないことを確認する。

POINT

- 自分で名前を言えない患児の場合は、家族に確認したり、ネームバンドと照合する。
- 与薬時には、6Rを確認する。
  Right patient:正しい患者氏名
  Right drug:正しい薬剤名
  Right dose:正しい薬剤量
  Right route:正しい与薬方法
  Right time:正しい時間
  Right purpose:正しい目的

PROCESS 3 経口与薬の実施（散剤の場合）

9-1

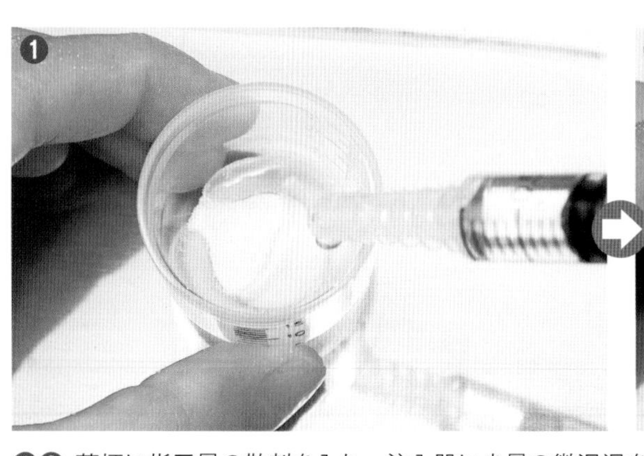

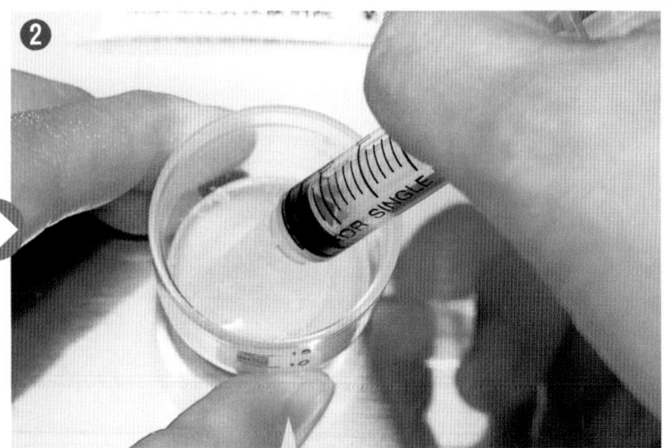

❶❷ 薬杯に指示量の散剤を入れ、注入器に少量の微温湯を吸引する。微温湯を散剤に注入し、静かにかき混ぜて均一に溶かす。

POINT

- 微温湯は、患児が飲める量を用いる。
- 塊が残らないよう、均一に溶かす。

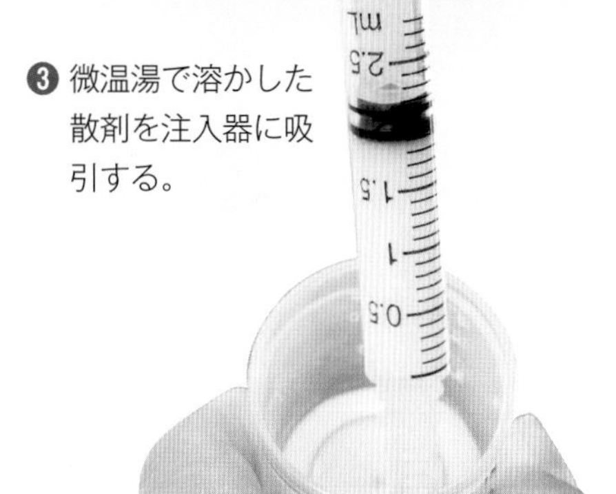

❸ 微温湯で溶かした散剤を注入器に吸引する。

CHECK!

水剤は、目線を平行にして計測

- 水剤は、薬杯に指示量を計測して用いる。この際、水面と目線を平行にして、正確に計測する。
- 薬理作用の影響を大きく受けやすい小児では、薬剤量を正確に計測することが大切である。

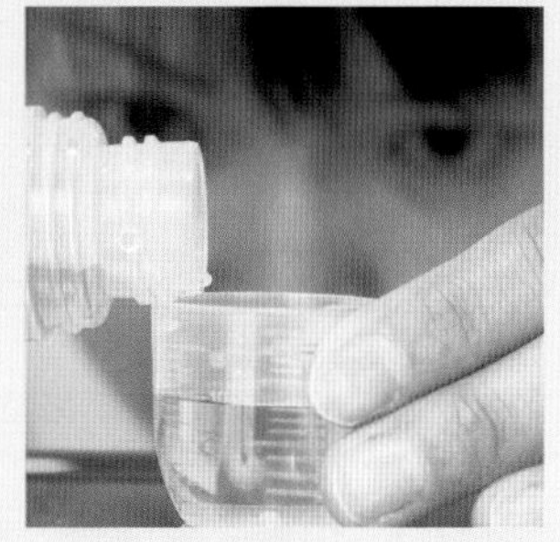

経口与薬 Q&A

Q 薬剤をミルクに混ぜて与えてよい？

A 薬剤をミルクに混ぜて与えると、ミルク嫌いになる場合がある。授乳時、薬剤を少量の水で溶いて飲ませてから、ミルクを飲ませるとよい。

Q 苦い薬にシロップやはちみつを混ぜ与えてよい？

A 香料を加えてもよいが、薬によっては苦味を増すため注意する。
はちみつについては「小児ボツリヌス症」を発症する場合があるため、1歳未満の小児への使用は避ける。

Q グレープフルーツジュースと一緒に飲ませてもよい？

A グレープフルーツジュースは、薬剤によっては吸収を妨げ、血中濃度を増大させる働きがある。薬理効果が期待できなくなる場合があるため、薬剤とともに飲むことは避ける。

患児を坐位にする。乳幼児の場合は、看護師または母親が抱っこをする。患児の体動が激しい場合は、バスタオルでくるむ。注入器に指示量の薬を入れ、患児の口角から、誤嚥しないようゆっくりと注入。患児と視線を合わせ、あやしたり、声をかけながら、実施する。

POINT

- 注入器・スポイトは、口角から挿入する。
- 発達に応じて、患児に服用方法の確認を行う。

スポイトに薬を入れ、患児の口角から注入する。

POINT

- スポイトを強く押しすぎて、一度に薬液を流し込まないよう注意。
- 誤嚥しないよう、静かに、ゆっくりと流し込む。

スプーンが使える患児の場合は、スプーンで与えることもできる。

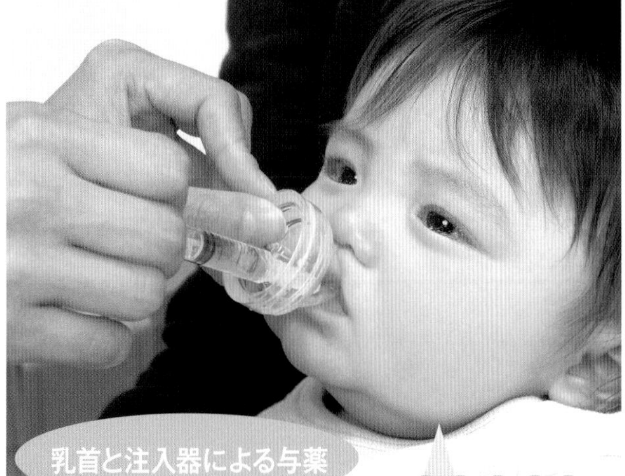

乳首をくわえさせ、注入器で薬液を注入して、吸啜させる。患児と視線を合わせ、あやしたり、声をかけながら、実施する。

POINT

- 泣いている時には、飲ませない。
- 哺乳前・離乳食前に与えると飲ませやすい。

薬剤と食品の関係

注意する必要がある食品と薬剤

飲食物	一般名（商品例）	作　用
グレープフルーツジュース 	ニフェジピン（アダラート、セパミット） ベラパミル塩酸塩（ワソラン）	グレープフルーツジュースの成分が、カルシウム拮抗薬（Ca拮抗薬）の代謝酵素を阻害することにより、薬剤の血中濃度が上昇し、作用が増強する。
納豆・クロレラ・青汁（ビタミンK含有食品）	ワルファリンカリウム（ワーファリン）	抗凝固薬のワルファリンカリウムは、ビタミンKと競合して凝固因子と結合し、血液凝固機能を低下させるため、抗凝固効果が阻害される。

酸性飲料、食品との混合に注意を要する薬剤（酸性でコーティングが剥がれ、苦味が出たり、含量が低下するなど）

一般名		主な商品	注意内容
マクロライド系抗生物質	クラリスロマイシン	クラリスドライシロップ小児用 クラリシッドドライシロップ小児用	酸性飲料などと混ぜると、苦味が出現する。
	アジスロマイシン水和物	ジスロマック細粒小児用	酸性飲料などと混ぜると、苦味が出現する。
	エリスロマイシンエチルコハク酸エステル	エリスロシンドライシロップ	酸性下で不安定なため、力価低下。

酸性飲料：オレンジなどの柑橘系ジュース、スポーツドリンク、乳酸菌飲料、ヨーグルトなど（ジュースなどの清涼飲料水はpHの低いものが多い）。

粉ミルク、牛乳、乳製品との混合に注意する薬剤（牛乳に含まれるCaとキレートを形成して吸収が悪くなるなど）

一般名		主な商品	注意内容
テトラサイクリン系抗生物質	ミノサイクリン塩酸塩	ミノマイシン顆粒	Caイオンとキレート形成し、吸収率低下。
	ニューキノロン系抗菌薬	小児用バクシダール錠 オゼックス細粒小児用	Caイオンとキレート形成し、吸収率低下。
セフェム系抗生物質	セフジニル	セフゾン細粒小児用	粉ミルク、鉄配合牛乳などと混合すると、懸濁する場合がある。また、併用で便が赤色調を呈することがあるが、臨床上問題ないと考えられている。
	セファクロル	ケフラール細粒小児用	牛乳、ジュースなどに懸濁したまま放置しないようにする。
	セファレキシン	L-ケフレックス小児用顆粒	牛乳、ジュースなどに懸濁したまま放置しないようにする。

ジスロマック®細粒と飲みやすくする食品

種　別	食　品	特　徴
アイスクリーム	バニラアイスクリーム	濃いめの味でコクがあると、薬が入っていることがわからない。
	チョコレートアイスクリーム	ナッツやチョコチップが入っていると小児は大喜び。
乳製品	イチゴオーレ	イチゴ味で薬の苦味を抑える。
ペーストなど	チョコレートクリーム	甘くて、トロっとしていて、おいしい。
	ピーナッツクリーム	ピーナッツ味が薬のザラザラ感を隠す。
その他	ココア	甘みが強いので、薬の苦味を分からなくする。
	単シロップ（5mL／日）	薬を溶かすことができる。
	お薬服用ゼリー	さまざまな味があり、混ぜて飲むことでおいしく飲める。

抗生物質「ジスロマック®」は、1日1回3日間、確実に服用させる必要がある。味の相性がよい食品と組み合わせると、スムーズに服用できる。

経腸与薬

経腸与薬は、経口与薬ができない場合や、
血管確保が困難な場合に用いられる与薬法である。
薬剤は直腸粘膜から静脈叢に達し、全身に作用する。

坐剤の挿入

適応

1 悪心・嘔吐などがあり、経口与薬ができない。

2 血管確保が困難な場合、痙攣時の緊急避難的な対応として、肛門から抗痙攣薬（静脈注射用）を注入し、全身作用を期待する場合がある。

確認ポイント

1 肛門・直腸に奇形がないことを確認する。

2 肛門周囲に炎症がないことを確認する。

3 下痢をしていないことを確認する。

4 直腸部に便塊がないことを確認する。

坐剤の作用

薬剤を直腸粘膜から吸収する

坐剤は肛門から挿入し、直腸粘膜を通して静脈叢に達し、血行にのる。このため、消化管や経皮的静脈路を使用せずに、全身に薬理作用を及ぼすことができる。

POINT

- 挿入時、便塊がある場合は摘便を実施し、坐剤が吸収されやすい状態にする。
- 挿入時の刺激により便意を生じる場合があるため、挿入後はしばらく肛門部を押さえて吸収を待つ。

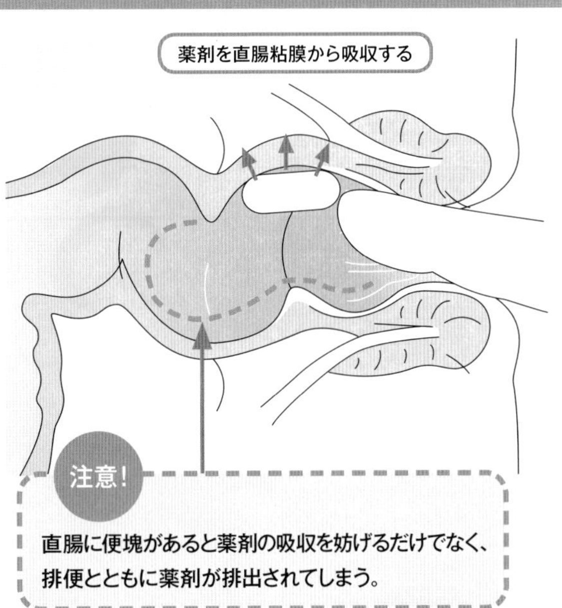

注意！
直腸に便塊があると薬剤の吸収を妨げるだけでなく、排便とともに薬剤が排出されてしまう。

目 的

指示された薬剤を肛門から挿入し、直腸粘膜から吸収させる。

種 類

1 解熱薬坐剤・制吐薬坐剤・下剤・抗痙攣薬坐剤
2 抗痙攣薬の注射液注入

PROCESS 1 必要物品の準備と患児の確認

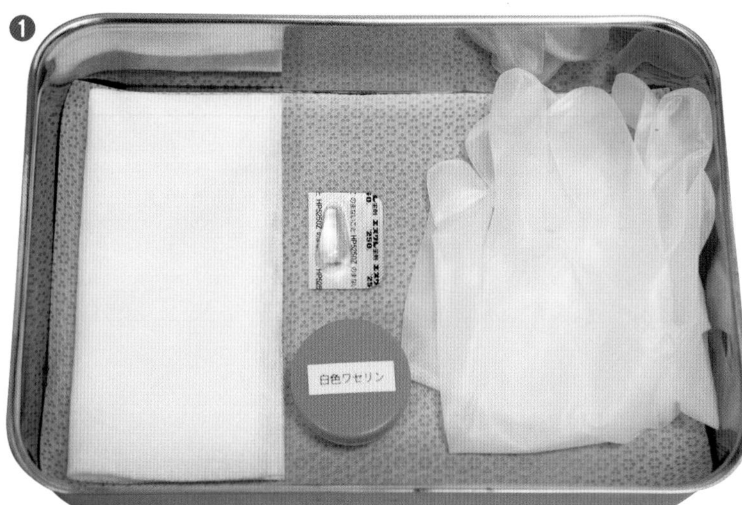

❶ 指示箋
❷ 坐剤
❸ 潤滑油(ワセリン・オリーブ油など)
❹ 手袋
❺ ガーゼ(ディスポーザブル・クロス)
❻ 膿盆(ビニール袋をかぶせる)
❼ おむつ
❽ お尻拭き

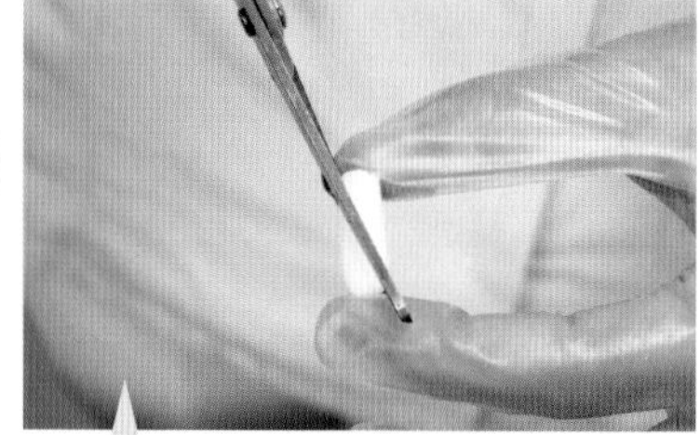

POINT

■ 指示が1/2個の場合は、坐剤の先端をくずさないようカット。

❶ 手洗いをし、必要物品を準備。医師の指示と薬袋を指差しで照合する。坐剤は指示量に合わせる。

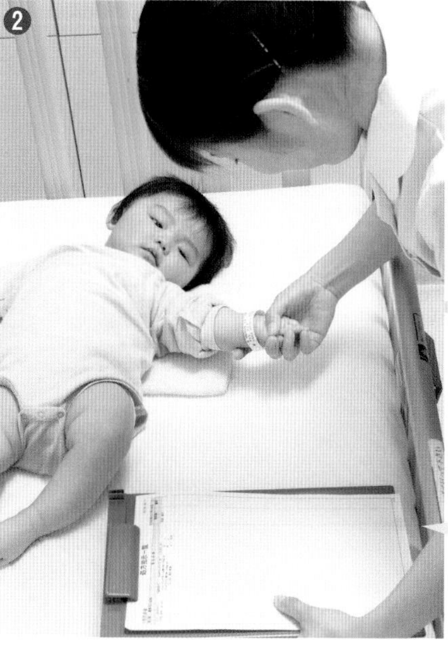

❷ ベッドサイドで指示箋とネームバンドを照合し、患児であることを確認する。
患児に理解可能な言葉で説明を行い、できるだけ坐剤挿入の状態をイメージできるようにする。排便時間・便性、腹部の状態を確認する。

POINT

■ 最終の排便時間と便の性状を確認。
■ 腹満感など腹部の状態を観察。

EVIDENCE

■ 坐剤の挿入で排便が誘発されると、坐剤も排出されてしまう。
■ 便塊に挿入すると、薬剤の効果が期待できない。

PROCESS 2 坐剤の挿入(乳児の場合)

❶ 坐剤の先端に潤滑油(ワセリンなど)を塗る。
坐剤を切って使用する場合は、切り口を滑らかにしておく。

POINT

- 坐剤に素手で触れると溶解の可能性があるため、必ず、手袋をはめる。
- 坐剤挿入時には、感染予防の観点からも手袋を装着する。

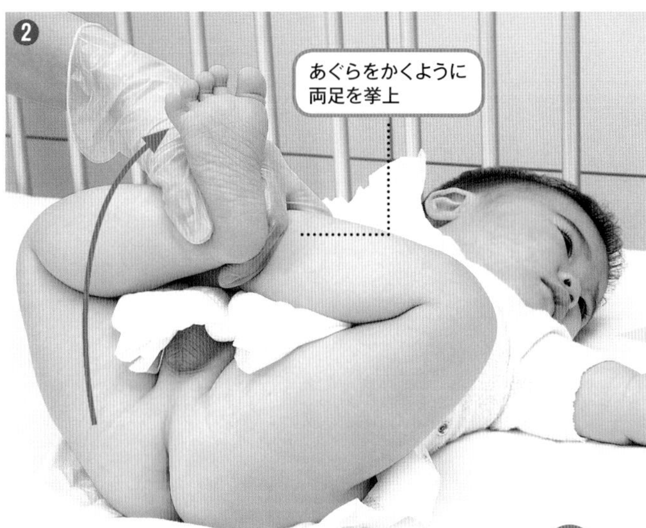

❷❸ 乳児の場合は、仰臥位で足を上げた体位とする。まず、静かに指を第1関節まで挿入し、便塊がないことを確認。坐剤を先端部から、直腸壁に沿って挿入する。挿入後、1～2分間、肛門部を押さえる。
おむつを整え、声かけをしてあやす。

POINT

- 挿入が浅いと、坐剤が排出されてしまうので注意。
- 坐剤は、指の第1～第2関節の深さに挿入する。
- 薬剤が吸収されるまで、20～30分かかる。
- 坐剤が排出されていないことを確認。

EVIDENCE

- 両足をそろえて保持して挙上すると、股関節脱臼を起こしやすいので注意。

うっかり!

- おむつを外したとたん、男児が排尿してしまった!

→ おむつを外したら、新しいおむつを陰部に乗せておくとよい。

POINT

幼児・学童の場合

- 体位は左側臥位で、お尻を突き出すように寝かせる。
- 挿入時、「あー」と発声させ、肛門括約筋の緊張を取り除く。
- 立位での挿入は視野を確保できず、直腸粘膜の損傷を招くため禁忌!

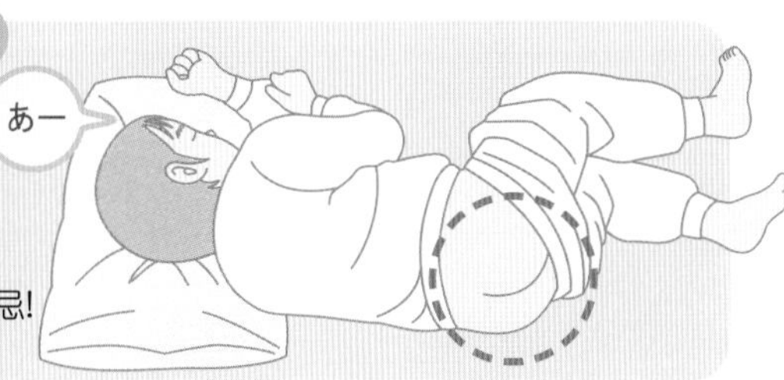

グリセリン浣腸法

直腸にグリセリン液を投与

直腸内与薬と同様に、肛門部から薬液を直腸内に投与する処置にグリセリン浣腸法がある。
浣腸は、腸壁に薬液による刺激を与え、腸の蠕動運動を促進し、便やガスを排出させる方法である。
生後3か月ごろまでは、肛門部を綿棒などで刺激することで、排便が期待できる。

発達段階に応じた配慮

乳児期　排便反射をコントロールできない

排便反射をコントロールすることができず、浣腸液を体内にとどめることができない。グリセリンの濃度や注入量、注入速度、腹圧のかからない体位を工夫する。
排便を我慢することは困難であるため、オマルなどを用意する。

学童期 思春期　インフォームド・コンセント、羞恥心への配慮

浣腸の目的・方法・所要時間・苦痛などを説明し、同意を得る。羞恥心が強いため、環境を整え、プライバシーの保護に努める。

禁忌

- ●腸管内の炎症、穿孔、出血の恐れがある患者
- ●嘔吐、腹痛など、急性腹症が疑われる患者
- ●立位による浣腸(カテーテルによる直腸穿孔の危険がある)

グリセリン浣腸法

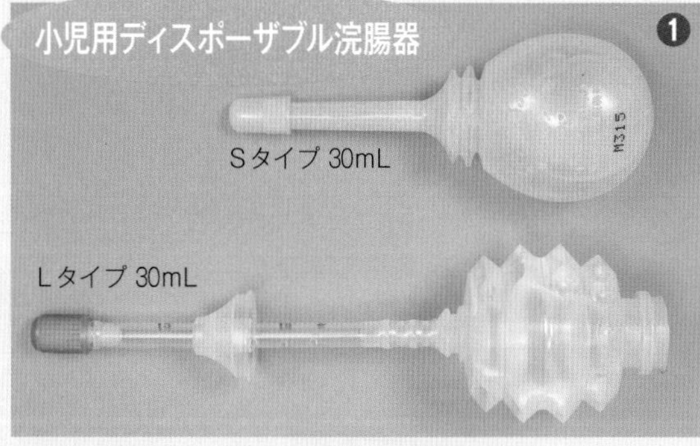

❶ 小児用ディスポーザブル浣腸器には、Sタイプ30mL、Lタイプ30・40mL（成人用60・90・120・150mL）がある。医師の指示量に合わせて、適切な器具を選択する。

❷ 浣腸器は、50℃の湯（1L）に5分間つけ、38～40℃に温めておく。

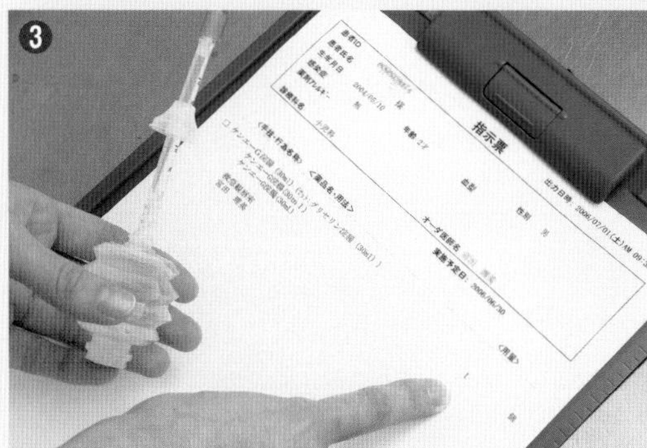

❸ 指示を確認し、浣腸液の量を指示量に合わせる。

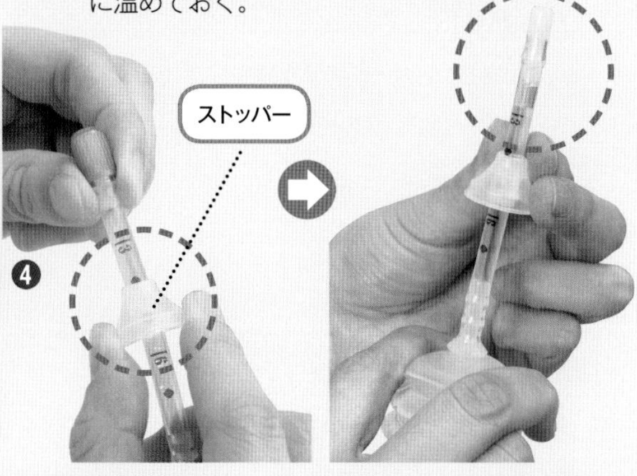

❹ 浣腸器のストッパーを挿入の長さに合わせる。浣腸器を押して、先端部までグリセリン液を満たす。

❺ 浣腸器の先端に潤滑油（ワセリンやオリーブ油など）をつける。

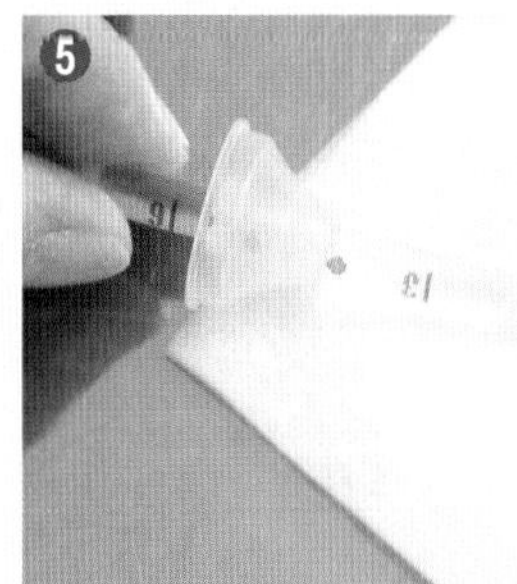

POINT

■ 乳児は、両足をまとめて挙上すると股関節脱臼の危険があるため、あぐらをかくようにして両足を保持する。

❻ 患児と家族に説明を行い、本人であることをネームバンドで確認する。
乳児は仰臥位、幼児・学童は左側臥位でお尻を突き出した体位をとる。看護師は手袋を装着し、浣腸器先端部を直腸壁に沿って挿入。浣腸液はゆっくりと注入する。1～2分間、肛門部を押さえてから、排便を促す。

POINT

■ 幼児・学童には挿入時、深呼吸を促し、「あー」と声を出させる。

	乳児	幼児	学童
グリセリン浣腸液の注入量（2mL/kg）	10～20mL	20～30mL	30～50mL
カテーテルサイズ	8～12号	10～13号	12～15号
挿入の長さ（直腸の長さの1/2）	3～4cm	3～6cm	5～7cm
注入速度の目安	10秒前後	10秒以上	15秒以上

指示量が少ない場合 小児では、浣腸液の容量や濃度が異なる。注入器を活用し、指示量を測定するとよい。

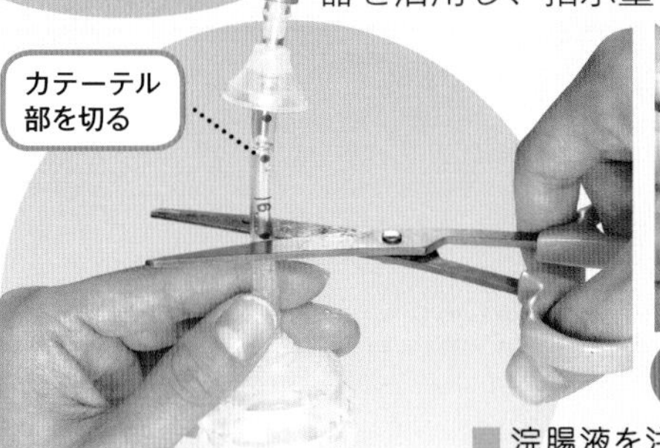

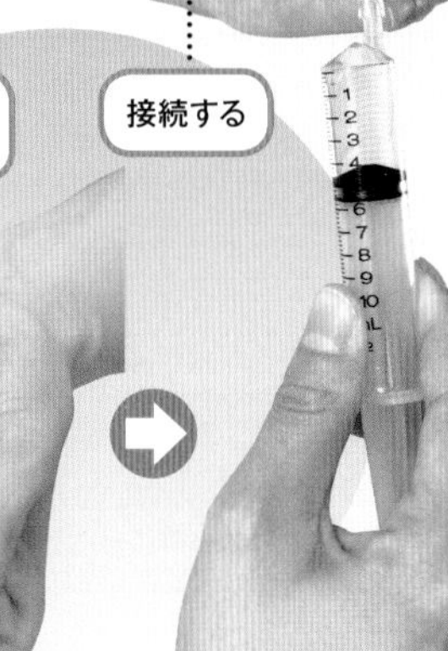

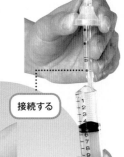

■ 浣腸液を注入器に移し、指示量を測定する。

■ 切離したカテーテル部を注入器に接続し、浣腸を行う。

点滴静脈内注射

点滴静脈内注射を小児に安全・確実に施行するには、患児と家族にわかりやすく説明し、同意を得ることが必要である。その上で、本人確認・注射内容の確認を確実に行い、点滴開始後も訪室して観察を行うことが大切である。

苦痛を和らげるケア

実施前

1 注射は苦痛を伴う処置である。患児と家族にその必要性と効果をわかりやすく説明し、同意を得ることが必要。患児には心理的準備（プレパレーション）が行えるよう、処置の具体的イメージを発達に応じて伝える。

2 説明時は患児に希望を問いかけ、反応をみる。患児にどうしてほしいか、医療者の望みを伝える。
例えば、「泣いてもいいから、手を動かさないでね」

実施時

3 処置が迅速に行えるよう準備し、家族に点滴時の固定や抑制をさせないほうがよい。患児に、「母や家族がそばにいたのに助けてもらえなかった」という思いをさせないようにする。

4 必要に応じて家族が席を外すように取り計らうなど、実施者の緊張を和らげ、スムーズに実施できるよう処置環境に配慮する。

5 患児との楽しい会話を心がけ、緊張を和らげる。処置から気をそらすことも必要である。

6 穿刺時は、患児とタイミングが合うよう声をかける。
例えば、「今、ちくっとするけど、手を動かさないでね」

実施後

7 患児のがんばりをほめる。

8 家族との再会時にも、患児ががんばったことを伝えて、ほめる。

目的

1 水分・電解質・栄養の補給。
2 薬剤効果の即効性の期待。
3 静脈経由での薬剤注入。
4 緊急時の静脈ルート確保。

種類

● 静脈内留置・中心静脈内高カロリー輸液・輸血

PROCESS 1 必要物品の準備

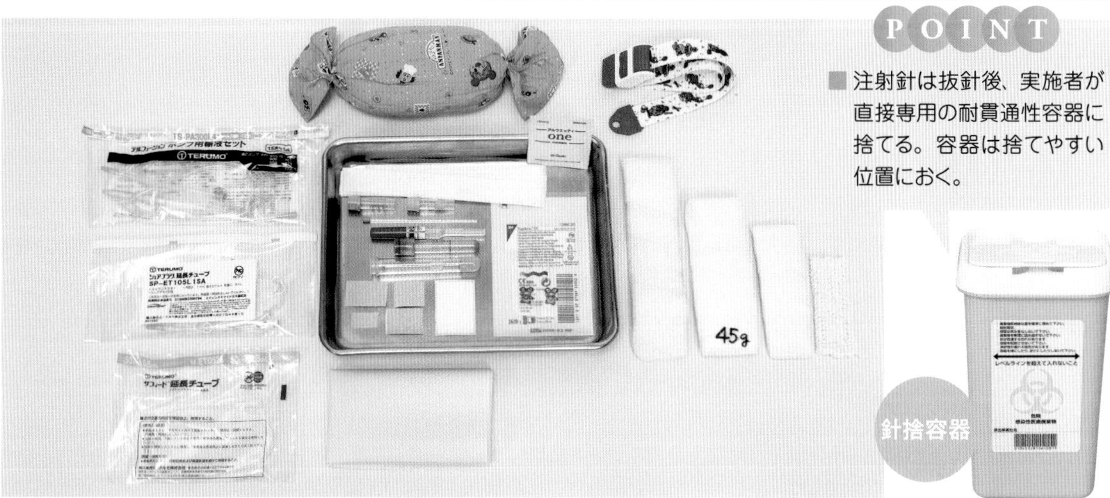

POINT

■ 注射針は抜針後、実施者が直接専用の耐貫通性容器に捨てる。容器は捨てやすい位置におく。

❶ 指示箋
❷ 輸液ボトル
❸ 輸液セット
❹ 接続チューブ
❺ 延長チューブ（体動が激しい場合）
❻ 留置針
❼ 絆創膏（用途別にカット）
❽ シーネ（重さを測定）
❾ 肘枕
❿ 駆血帯
⓫ アルコール綿
⓬ 処置用シーツ
⓭ ビニール袋
⓮ 針捨容器
＊必要時、検体容器（小児は穿刺時に血液検査を実施することが多い）

CHECK!

指示内容を「目で、指差しで、声出しで」確認！

注射の実施前に、医師の指示内容に変更がないことを指示箋で確認。取り出した注射薬は、患者氏名（Right patient）、薬剤名（Right drug）、注射量（Right dose）、注射方法（Right route）、時間（Right time）、注射目的（Right purpose）を確認する。この6Rについて、次の3回のタイミングで「目で、指差しで、声を出して」確認することが基本である。

① 保管場所から薬品を取り出すとき
② 注射器に薬液を吸い上げるとき
③ 注射薬のアンプルなどを片付けるとき

さらに未経験事項や輸血、特殊薬剤、薬効が急激な薬剤については、上位経験者の看護師と2名で6Rの確認を行う。

6Rを確認！

- ●患者氏名（Right patient）
- ●薬剤名（Right drug）
- ●注射量（Right dose）
- ●注射方法（Right route）
- ●時間（Right time）
- ●注射目的（Right purpose）

CHECK!

輸液ボトル・輸液セットの準備

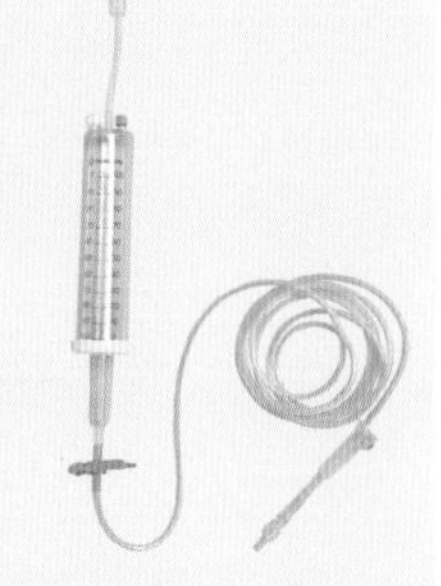

直前の手洗いを行い、点滴ボトルに専用に輸液ラインをセットする。この際、空気が輸液ラインに混入しないよう注意が必要である。輸液ラインの長さは、患児の状態や動きをみて決める。
準備作業（プライミング）は、途中で中断しないことが重要。中断が事故の原因となる場合がある。
定量筒付き輸液セットを使用する場合や、精密な輸液を行うために輸液ポンプを使用する場合もある。輸液ポンプを使用する場合は、取り扱い手順を守る。

PROCESS 2 患児・家族への説明と同意

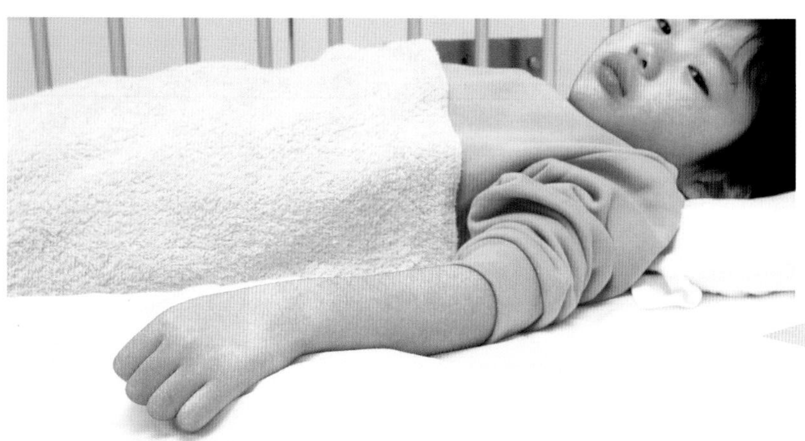

患児・家族に点滴の必要性を説明し、同意を得る。実施者・介助者の2名以上で、処置室で行う。

POINT

- 必ず、実施者・介助者の2名以上で行う。
- 日常生活を過ごす病室ではなく、処置室で実施。
- 排泄をすませておく。

PROCESS 3 静脈留置針の穿刺と固定

❶

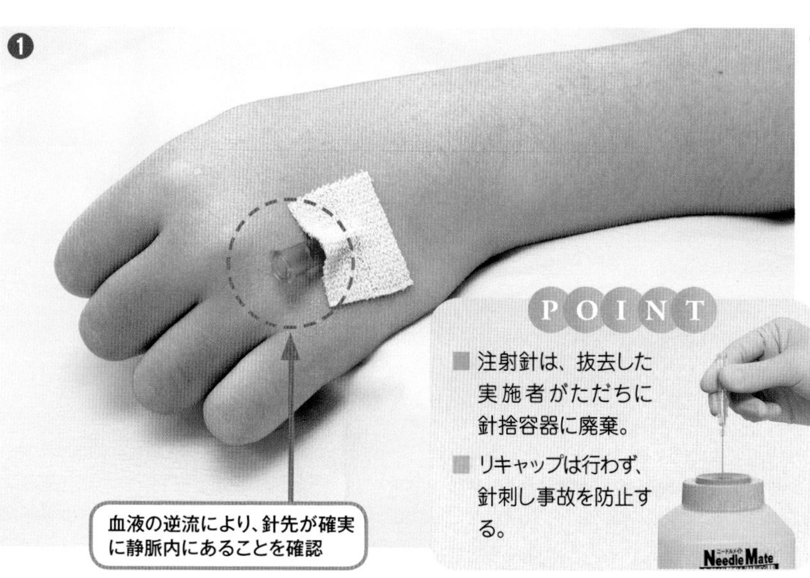

血液の逆流により、針先が確実に静脈内にあることを確認

POINT

- 注射針は、抜去した実施者がただちに針捨容器に廃棄。
- リキャップは行わず、針刺し事故を防止する。

❶ 注射針を静脈に穿刺し、血液の逆流を確認する。内筒針を固定し、外筒針を血管内に進める。
次に外筒針先端の血管を圧迫止血しながら、内筒針を抜去。内筒針は、実施者がただちに針捨容器に廃棄する。
駆血帯を外し、刺入部のみを絆創膏で固定する。
検体採取がある場合は、駆血帯は外さず、血液の逆流を待つ。採血時はシリンジ、スピッツを用意する。

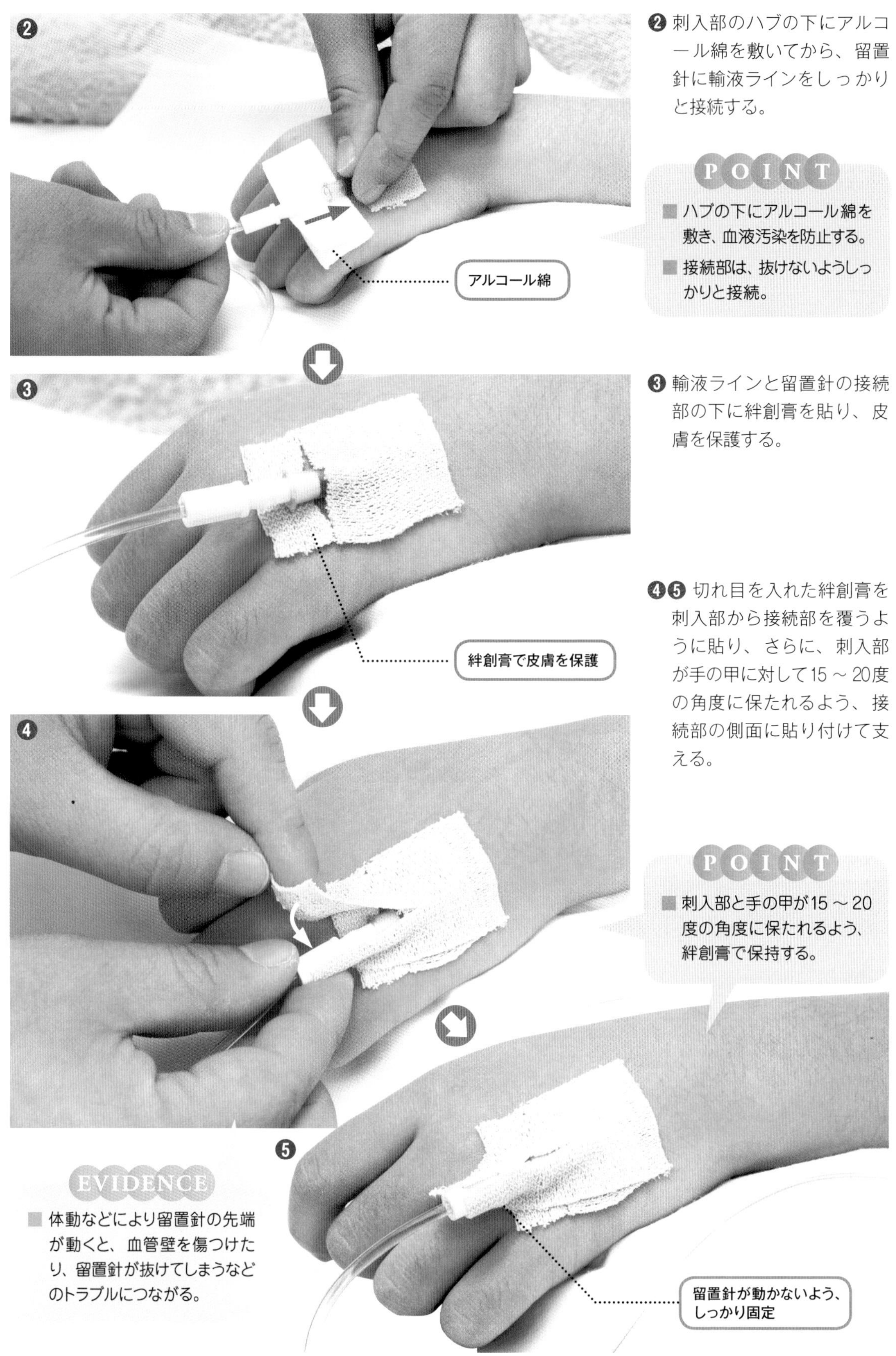
❷
アルコール綿
❸
絆創膏で皮膚を保護
❹
❺
留置針が動かないよう、
しっかり固定

❷ 刺入部のハブの下にアルコール綿を敷いてから、留置針に輸液ラインをしっかりと接続する。

POINT

- ハブの下にアルコール綿を敷き、血液汚染を防止する。
- 接続部は、抜けないようしっかりと接続。

❸ 輸液ラインと留置針の接続部の下に絆創膏を貼り、皮膚を保護する。

❹❺ 切れ目を入れた絆創膏を刺入部から接続部を覆うように貼り、さらに、刺入部が手の甲に対して15～20度の角度に保たれるよう、接続部の側面に貼り付けて支える。

POINT

- 刺入部と手の甲が15～20度の角度に保たれるよう、絆創膏で保持する。

EVIDENCE

- 体動などにより留置針の先端が動くと、血管壁を傷つけたり、留置針が抜けてしまうなどのトラブルにつながる。

シーネ

45g

❻ 留置針が体動で抜けないよう、必要時、シーネを当てて良肢位をとり、テープで固定する。この際、シーネの幅、長さは患児に適したサイズを選択する。シーネは重さを測定しておき、患児の体重測定の際、差し引く。

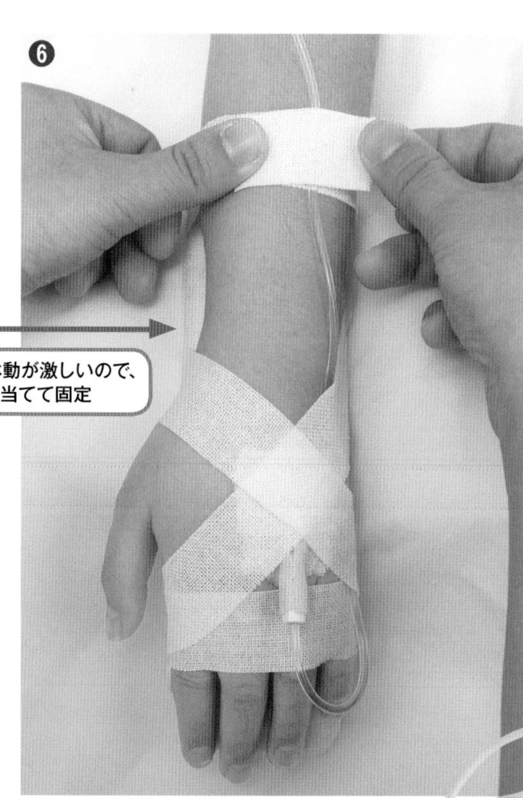
❻
小児は体動が激しいので、シーネを当てて固定

保護カバー

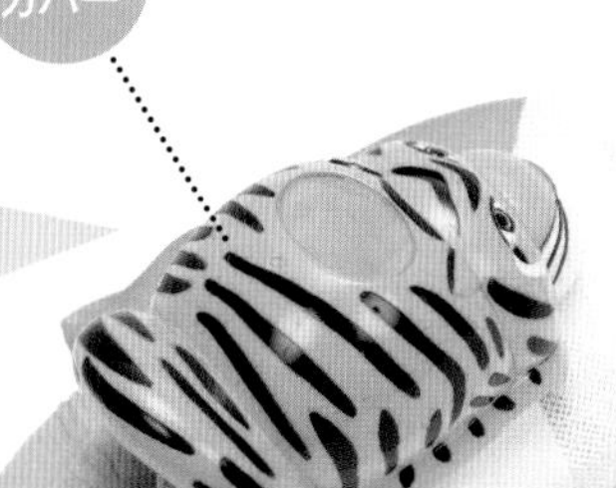

POINT

- テープはきつく締めすぎないよう注意。
- シーネを当てて、良肢位で固定。
- 接続部を保護する小児用カバーも市販されている。

EVIDENCE

- テープをきつく締めすぎると、循環障害の危険がある。
- シーネを当てて固定することで、より確実に刺入部の安静を保つことができる。

CHECK!

テープ固定のポイント

血管走行に沿って静脈留置針をテープで固定する。小児は体動が激しく、刺入部の安静を保つことがむずかしい場合があるため、必要に応じて、さらにシーネを当てて良肢位で固定。シーネは患児に適したサイズを選択する。テープによる固定はきつく締めすぎないようにし、循環障害を予防する。指先がみえるように固定し、観察を行うことが大切である。

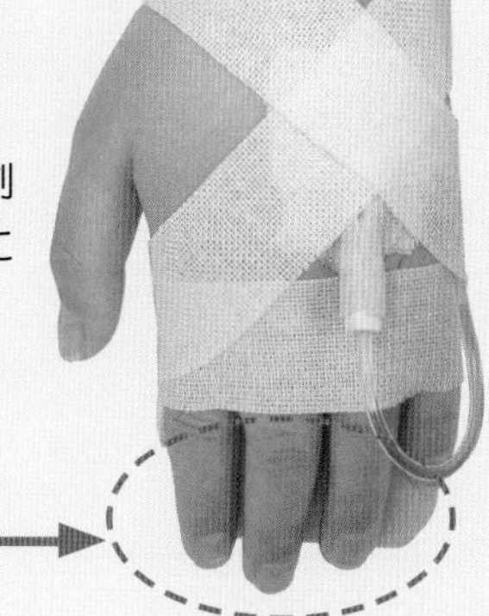
指先がみえるようにして、観察

PROCESS  点滴開始後の観察

点滴開始後は、患児→刺入部→固定部→接続部→輸液ライン→輸液ポンプ→輸液ボトル→点滴スタンドと、患児から順序よくたどって観察する。静脈内注射は、直接血管内に薬液が注入されるため、患児の状態の変化に十分、注意が必要である。

開始後5分･15分･1時間ごとに訪室して観察する。訪室の際は、患児の状態だけでなく、刺入部から点滴スタンドまで、上記の順序でたどって異常がないかを確認する。

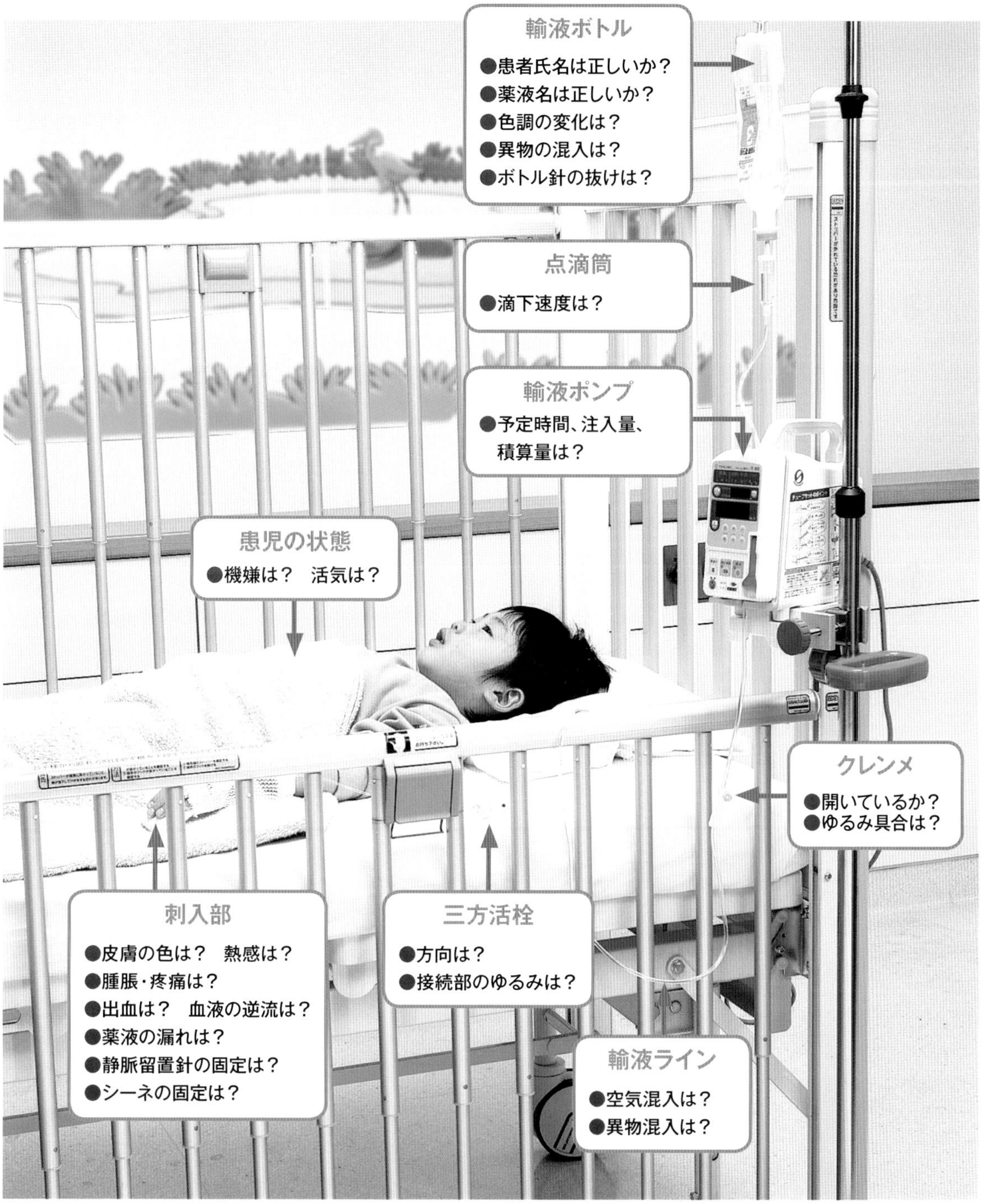

輸液ボトル
- 患者氏名は正しいか？
- 薬液名は正しいか？
- 色調の変化は？
- 異物の混入は？
- ボトル針の抜けは？

点滴筒
- 滴下速度は？

輸液ポンプ
- 予定時間、注入量、積算量は？

患児の状態
- 機嫌は？　活気は？

クレンメ
- 開いているか？
- ゆるみ具合は？

刺入部
- 皮膚の色は？　熱感は？
- 腫脹･疼痛は？
- 出血は？　血液の逆流は？
- 薬液の漏れは？
- 静脈留置針の固定は？
- シーネの固定は？

三方活栓
- 方向は？
- 接続部のゆるみは？

輸液ライン
- 空気混入は？
- 異物混入は？

CHAPTER 10

検体採取

検体検査の留意点

- 検体の必要量を事前に把握し、過不足のないよう正確な量を採取する。
- 小児は自分の症状を言葉で十分に表現できないため、検査データが診断・治療の指標となる。
- 検査や処置などの苦痛・恐怖・不安を最小限にするため、患児や家族を支援する。
- 検体には、常在菌叢を持っているものと、無菌のものがあるため、無菌の検体を採取するときは無菌的操作で行う。
- 検体採取時は、医療従事者は手袋を着用し、感染を防止する。
- 検体採取後は、検査データを確認し、正常・異常をアセスメントする。

検体採取の種類

検体採取

採血／
- 静脈血 ▶ p.125
- 毛細血管血 ▶ p.129
- 臍帯血
- 動脈血
- 血液培養

検便

分泌液／
- 鼻腔培養 ▶ p.131
- 咽頭培養 ▶ p.131

採尿／
- カップ
- バッグ貼付 ▶ p.135
- 尿器
- 導尿

採血

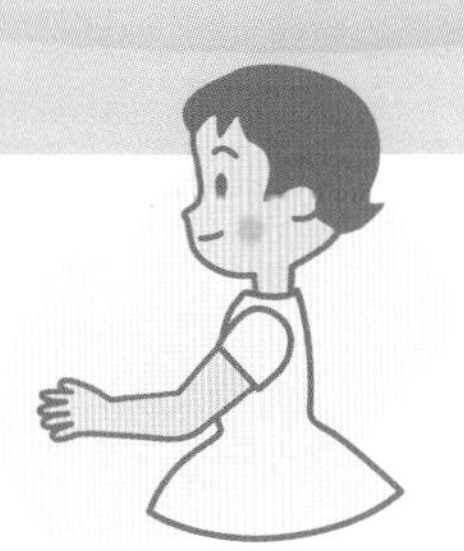

検査に応じて静脈血、動脈血、毛細血管血を採取し、診断・治療に生かす目的で採血を行う。
患児と家族に必要性をよく説明し、理解・協力を得るとともに、苦痛を和らげるケアが大切である。

小児からの採血時の注意点

採血前

1 患児と家族に説明を行う。
患児には成長・発達段階に合わせた説明を行う。

2 苦痛を伴う検査であるため、患児と家族の納得を得て実施することが大切である。

3 「痛くない」とうそをつかないようにし、例えば翼状針なら「ちょうちょに似ている」などと話し、不安を和らげる。

4 幼児以上の患児は、採血前に排尿をすませる。

採血時

5 解剖学的に正しい方法で、安全に配慮し、正確に行う。

6 原則として病室ではなく処置室で行い、プライバシーに配慮する。

7 必要であれば、抑制を行う。

8 採血中は「もうすぐ終わるからね」など声をかけ、患児の状態を観察する。

採血後

9 採血終了後は、止血を十分に行う。静脈血採血は3～5分、動脈血採血は5分以上圧迫し、確実に止血されたことを確認する。

10 がんばったことをほめ、乳幼児なら落ち着くまで抱っこする。

採血部位

静脈・動脈・毛細血管から採取する

- 静脈血採血には肘の静脈のほか、内踝部・外踝部の静脈、手首・手背の静脈、外頸静脈、大腿静脈が用いられる。
- 動脈血採血には橈骨動脈、上腕動脈、大腿動脈が用いられる。
- 毛細血管血の採血は、乳児では足底、年長児では指や耳朶が用いられる。

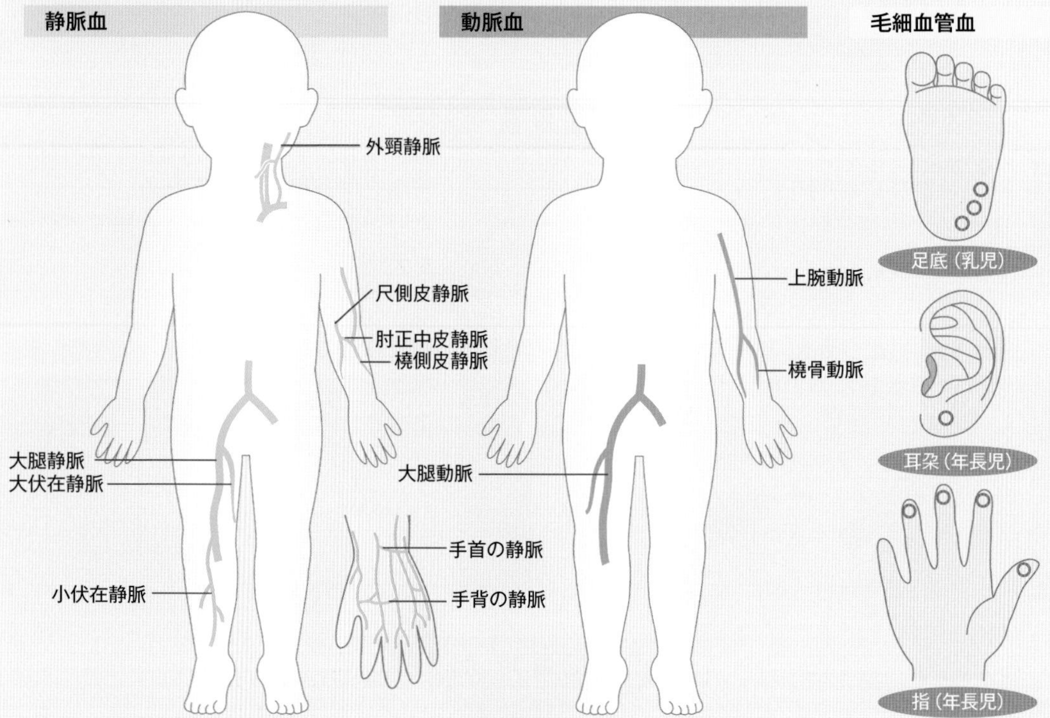

POINT

静脈採血時の注意点

- 点滴をしている腕または足からの採血はやめる。
- 消毒剤で濡れている皮膚に穿刺をしない。
  →溶血や凝固になりやすい。
- 手を握ったり開いたり(クレンチング)をさせない。
  →カリウムが血中に出てきて、異常高値を示す場合がある。
- 長時間のうっ血をしない。
  →血管内の水分が組織に移動して、血球、蛋白、蛋白に結合した物質が濃縮される。循環障害のため、乳酸が上昇する、または凝固系が活性化されるなど、多くの検査に影響がある。

※凝固系の検査は2分以内での採取が望ましい。

溶血させないポイント

- 皮膚の消毒剤が乾いてから穿刺する。
- 無理に圧をかけて吸引しないで、泡が立たないようにする。
- 特に細い針を使用するときは、ゆっくり採血する。
- 分注するときは、針をはずして注射筒の先を容器の壁につけ、ゆっくり流し込む。
- 注射器に残った泡の部分を容器に入れない。

目的

1. 疾患の診断・症状の程度を知る。
2. 静脈血採血：一般血液検査、生化学検査、血清学的検査などに用いる。
3. 動脈血採血：血液ガス分析、血液培養などに用いる。
4. 毛細血管血採血：血糖、ビリルビン、血液ガス分析、新生児マススクリーニング、ガスリー検査などの微量測定に用いる。

静脈血の採血

静脈血を採血するには注射針、翼状針、留置針を用いる方法がある。
適切な血管を穿刺し、検体容器は乾燥したものを使用する。

PROCESS 1 必要物品の準備と説明

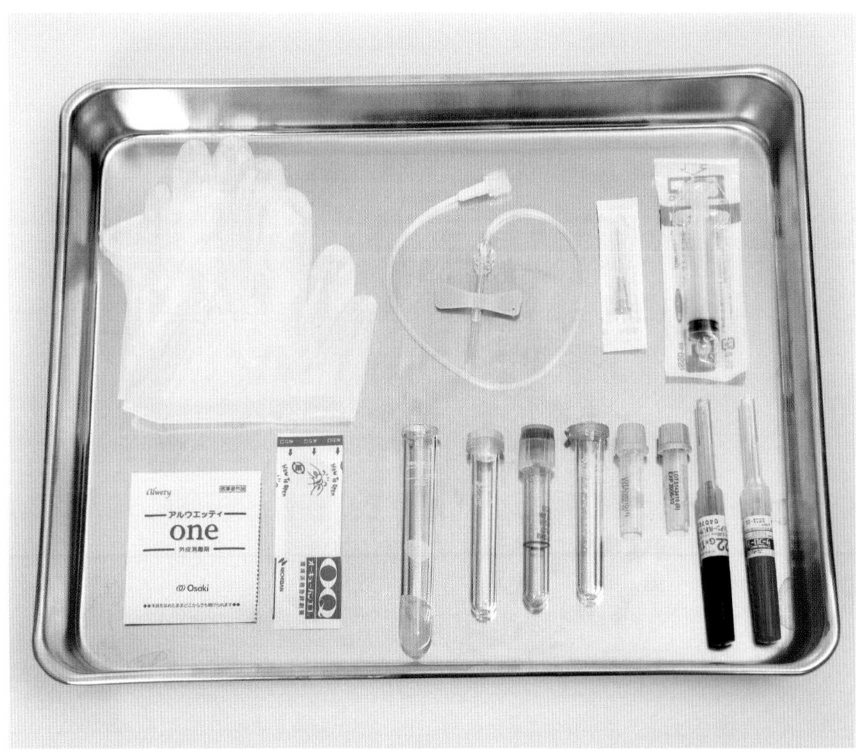

❶ 注射針+シリンジ
翼状針+シリンジ
留置針
❷ 検体容器（微量採血管）
❸ 駆血帯
❹ 肘枕
❺ 70%アルコール綿
❻ 手袋
❼ 絆創膏
❽ 針捨て容器
❾ 処置用シーツ
❿ 検体ラベル
⓫ 検査伝票

※採血後に輸液を開始する場合は、留置針を用いる。

※採血のみの場合は、注射針（23G）を用いる。

※乳児・小児では、少量の血液で検体検査ができる微量採血管を用いる。

看護師は手洗いを行い、必要物品を準備する。翼状針とシリンジは、あらかじめ接続しておく。
指示の採血量を確認。患児と家族に検査の目的を説明する。患児には発達段階に応じた説明を行い、採血時は動かないように話す。

PROCESS 2 静脈穿刺(手背の場合)

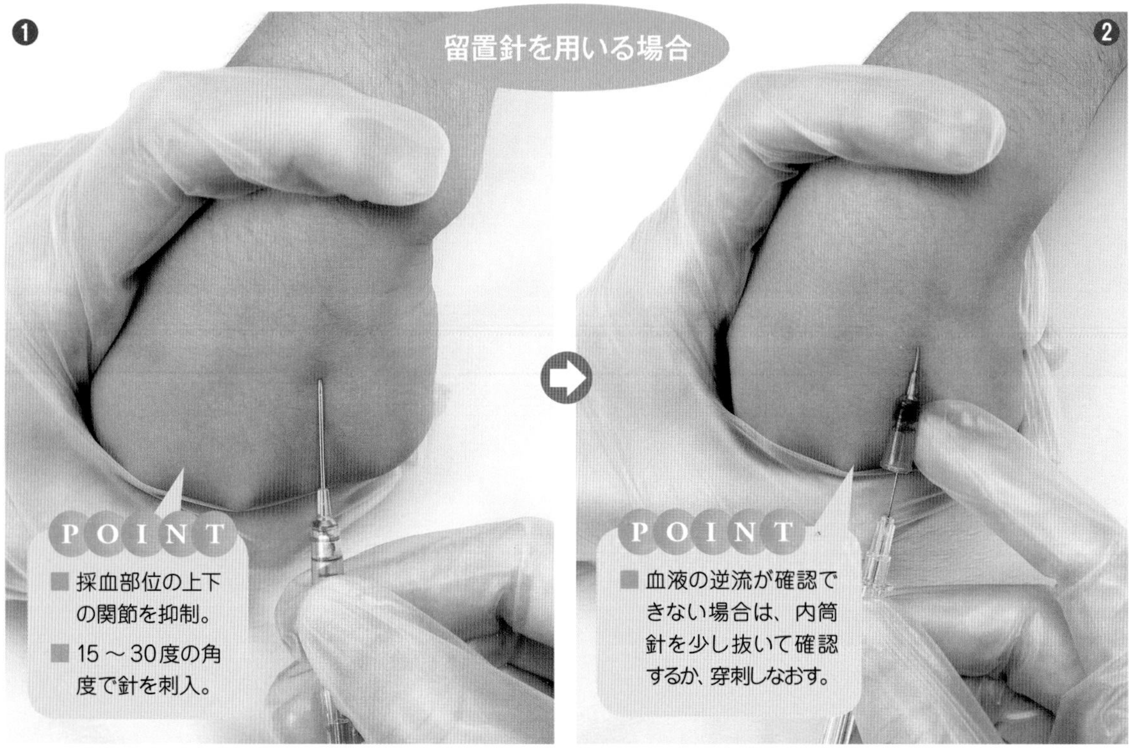

❶
留置針を用いる場合
❷
POINT
■ 採血部位の上下の関節を抑制。
■ 15～30度の角度で針を刺入。
POINT
■ 血液の逆流が確認できない場合は、内筒針を少し抜いて確認するか、穿刺しなおす。

❶ 採血部位を決定し、露出する。
駆血帯を巻き、静脈を触知。採血部位の上下の関節部を抑制し、穿刺部が動かないよう固定する。介助者が、穿刺部と反対側の腕を押さえる。
採血部位を70%アルコール綿で消毒し、乾燥を待つ。
皮膚を伸展させ、15～30度の角度で針を刺入する。

❷ 穿刺針に血液の逆流を確認したら、血管の走行に合わせてゆっくりと針を進める。針の2/3ほど挿入したところで、内筒を少し引き抜いて再度、血液の逆流を確認する。内筒を抜去する。

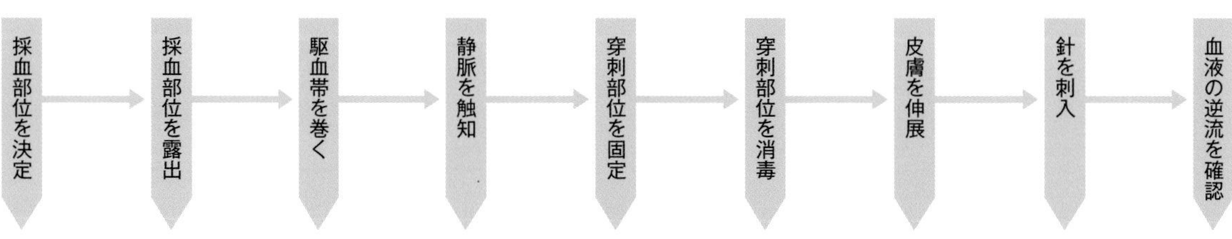

CHECK!

スムーズに採血を実施するには

● 検体を取り違えないよう注意
検査目的を理解し、採血前に検体容器にラベルを貼って患者氏名を確認。検体を取り違えないよう注意する。

● おもちゃ、音楽を活用
採血時は、患児の好きなおもちゃや音楽を活用して、できるだけ不安や緊張を和らげる。

● 静脈がわかりにくい場合は
静脈が触知しにくい場合は、蒸しタオルなどで温めるとよい。

PROCESS 3 静脈血の採取

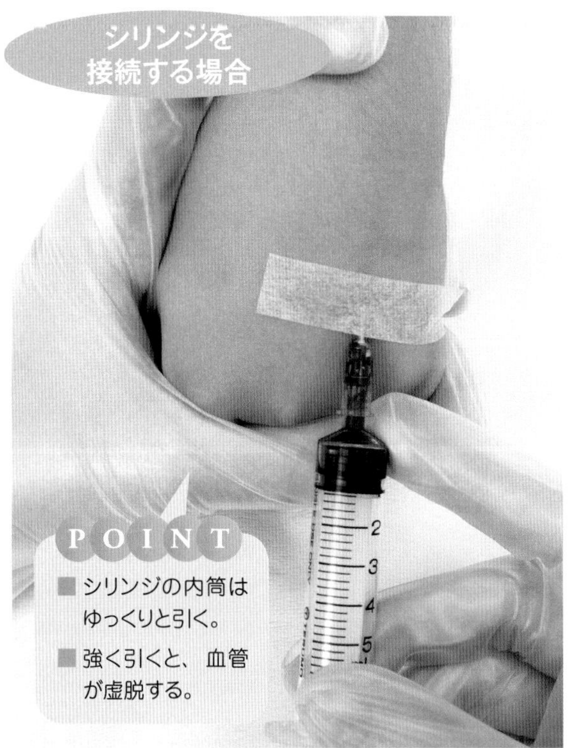

シリンジを
接続する場合
POINT
シリンジの内筒はゆっくりと引く。
強く引くと、血管が虚脱する。

留置針の刺入部を絆創膏で固定する。シリンジを接続し、内筒をゆっくりと引いて、指示量の血液を採取する。強く引くと陰圧がかかり、血管が虚脱して血液が採取しにくくなる。

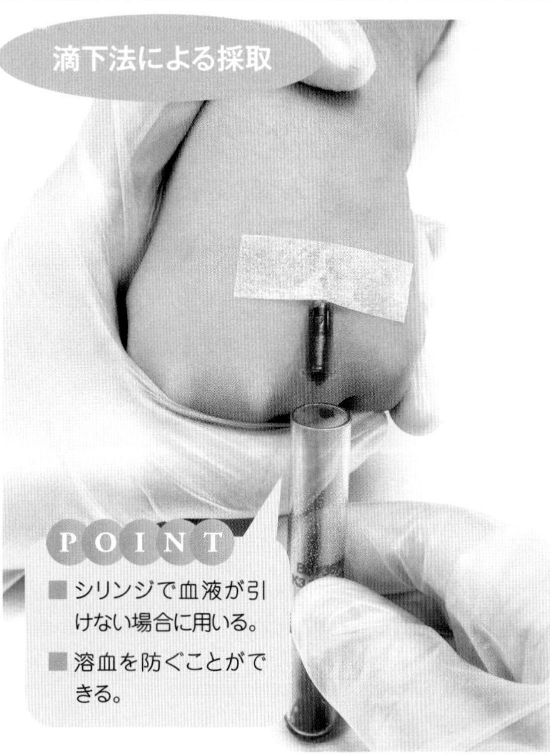

滴下法による採取
POINT
シリンジで血液が引けない場合に用いる。
溶血を防ぐことができる。

小児は血管が細いため、シリンジで採取すると陰圧がかかって血液が引けない場合には、滴下法を用いる。留置針から滴下する血液を検体容器で受ける。凝固剤が入っている場合は、時々回して凝固を防ぐ。

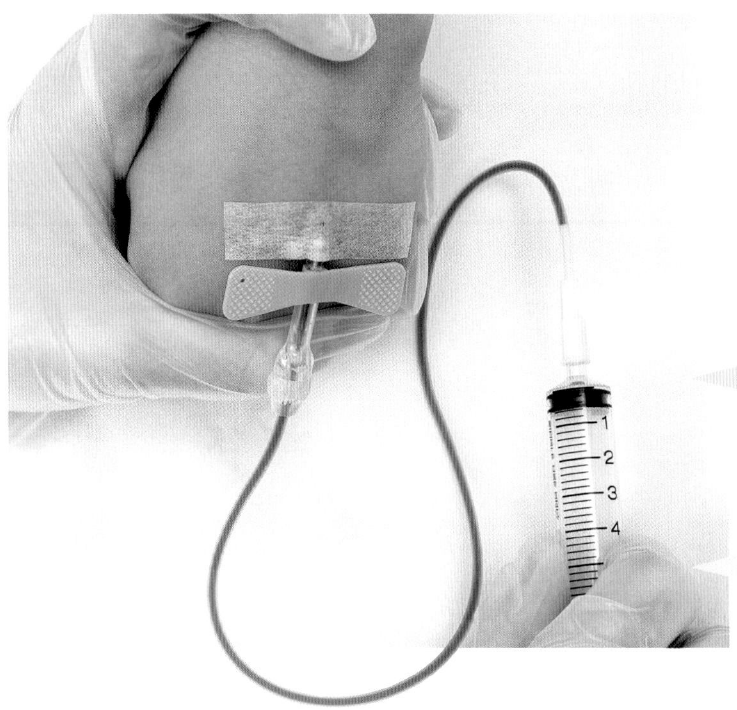

翼状針を用いる場合

翼状針を穿刺し、シリンジを接続して血液を採取する方法もある。
シリンジの内筒をゆっくりと引き、血液を採取する。

POINT

- 内筒は、ゆっくりと引くのがポイント。
- 虚血した場合は引くのをやめ、ゆっくりと引きなおすか、駆血帯を解く。

EVIDENCE

- 急激にシリンジを引くと、血管が虚脱し、血液の流出が悪くなる。

採血後のポイント

十分な量の血液が採取できたら、70%アルコール綿を刺入部に当て、針を抜く。
そのままアルコール綿で刺入部位を圧迫する。

↓

止血は3～5分行う。出血傾向が強い場合は、圧迫時間を延長する。

↓

止血後、絆創膏を貼る。

↓

検体容器に血液を必要量入れ、検査に提出する。

↓

患児ががんばったことをほめ、家族にも伝える。

穿刺時の抑制方法

肘窩部

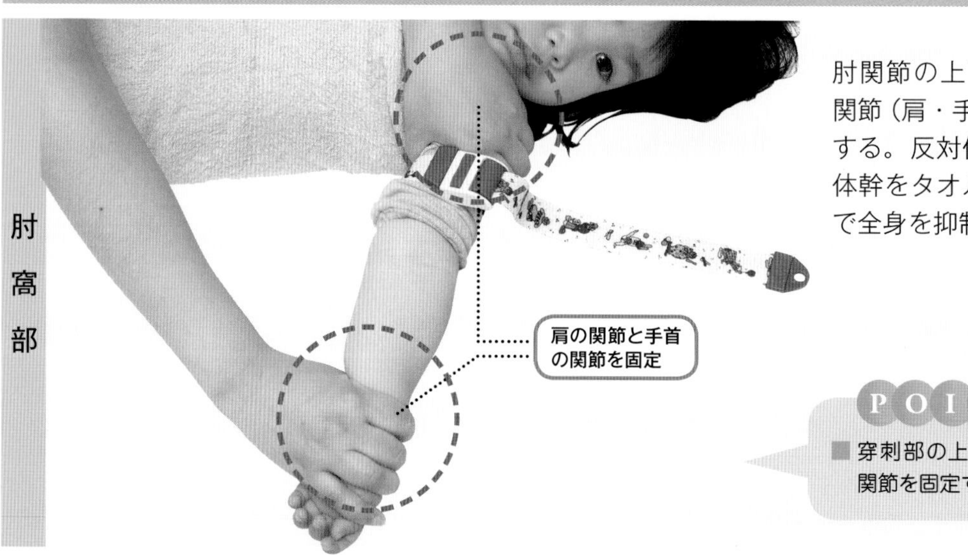

肘関節の上下2箇所の関節（肩・手首）を固定する。反対側の腕ごと体幹をタオルでくるんで全身を抑制する。

POINT

■ 穿刺部の上下2箇所の関節を固定する。

手背

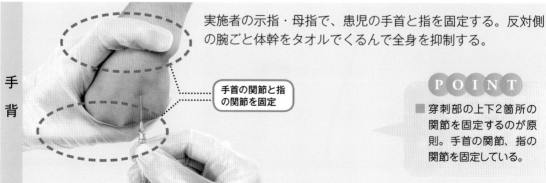

実施者の示指・母指で、患児の手首と指を固定する。反対側の腕ごと体幹をタオルでくるんで全身を抑制する。

手首の関節と指の関節を固定

POINT

■ 穿刺部の上下2箇所の関節を固定するのが原則。手首の関節、指の関節を固定している。

毛細血管血の採血

毛細血管からの採血は、乳児では足底、年長児では指や耳朶から行われる。

PROCESS 1 必要物品の準備

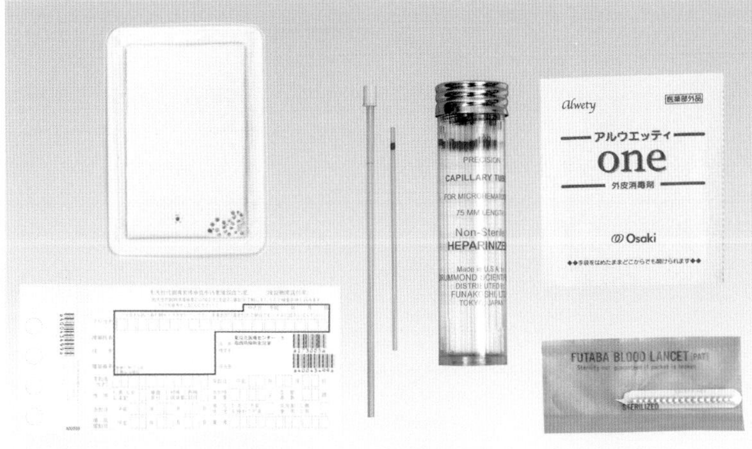

看護師は手洗いを行い、必要物品を準備する。患児と家族に、検査の目的と方法を説明。患児には、発達に応じた説明を行う。

1. ランセット、または注射針(23G)
2. 採血濾紙
3. 70%アルコール綿
4. キャピラリーチューブ/パテ
5. 滅菌ガーゼ
6. 処置用シーツ
7. 手袋

PROCESS 2 足底部穿刺と採血

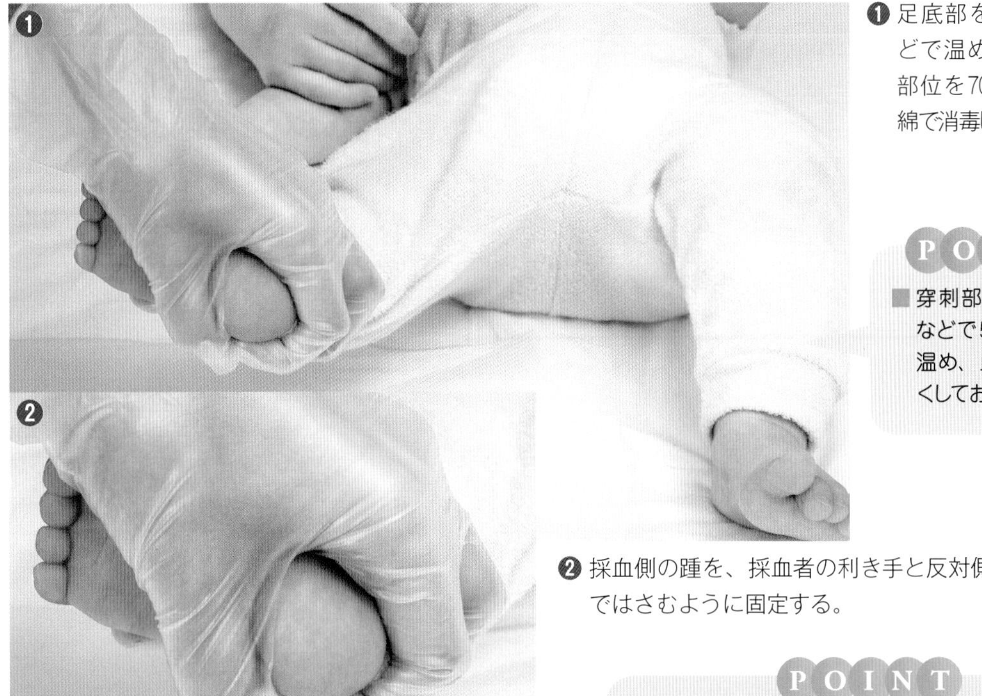

❶ 足底部を蒸しタオルなどで温めておく。採血部位を70%アルコール綿で消毒し、乾燥させる。

POINT

■ 穿刺部を蒸しタオルなどで5～10分程度温め、血液循環をよくしておく。

❷ 採血側の踵を、採血者の利き手と反対側の母指・示指ではさむように固定する。

POINT

■ 母指・示指ではさむように固定し、踵を充血させる。

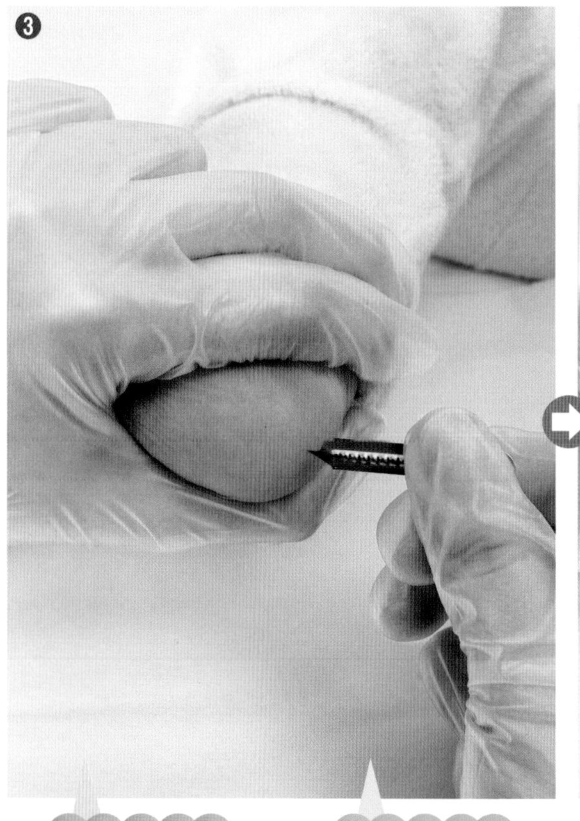

POINT

- 新生児では2.4mm以下の深さで穿刺する。

EVIDENCE

- 穿刺が踵骨まで達すると骨髄炎を起こす可能性がある。

POINT

- 最初の1滴は、滅菌ガーゼで拭き取る。
- 血液は無理に絞らず、自然な流出を待つ。

EVIDENCE

- 無理に絞ると組織間液や組織片を含む可能性があり、正確なデータが得られない。

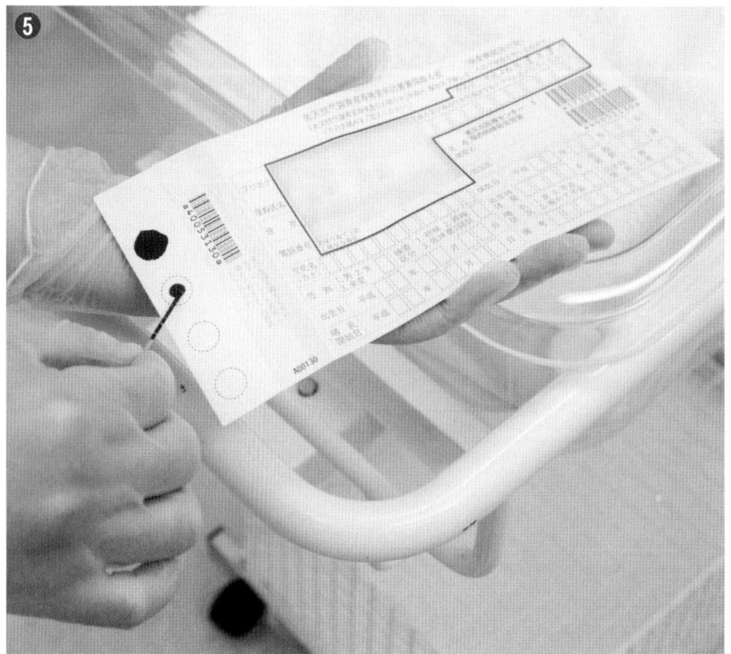

❸ ランセット、または23G注射針で穿刺する。

❹ 最初の1滴は滅菌ガーゼで拭き取り、その後、自然に出てきた血液にキャピラリーチューブを当てて採取する。

❺ 濾紙にキャピラリーチューブを当てて染み込ませ、検査に提出する。

うっかり!

- 濾紙に染み込ませてすぐに、封をしてしまった!

→ 染み込ませた後は、必ず乾燥させてから、所定の袋に入れる。

鼻腔・咽頭培養

鼻腔・咽頭より粘膜を採取して培養し、
呼吸器感染症の病原菌の有無を検出する。

目的

呼吸器感染症（上気道感染症・下気道感染症）の病原菌の有無を検出する。

＊上気道感染症：咽頭炎・喉頭炎・扁桃炎など
＊下気道感染症：気管支炎・肺炎など
＊急性喉頭炎（クループ）が疑われる場合は、窒息を誘発する危険があるため禁忌

PROCESS 1 必要物品の準備

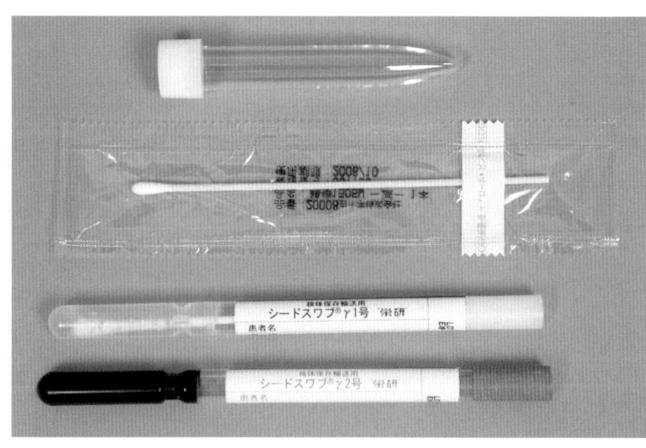

看護師は手洗いを行い、必要物品を準備する。患児と家族に検査の目的・方法を説明する。その際、検査前に飲食をしていないことを確認し、患児に声をかけてから実施する。

❶ 検体容器
❷ 滅菌綿棒
❸ シードスワブ®（鼻腔用/咽頭用）
❹ 手袋

PROCESS 2 粘膜表皮採取

咽頭培養

介助者は患児を膝に乗せ、利き手で前頭部を固定する。反対側の手を患児の胸腹部に回し、両腕を固定する。実施者は患児の顔を固定し、利き手で滅菌綿棒を挿入。咽頭粘膜をこすって、専用の容器に入れ、検査に提出する。
滅菌綿棒は清潔操作で取り扱い、先端が周囲に触れないようにする。

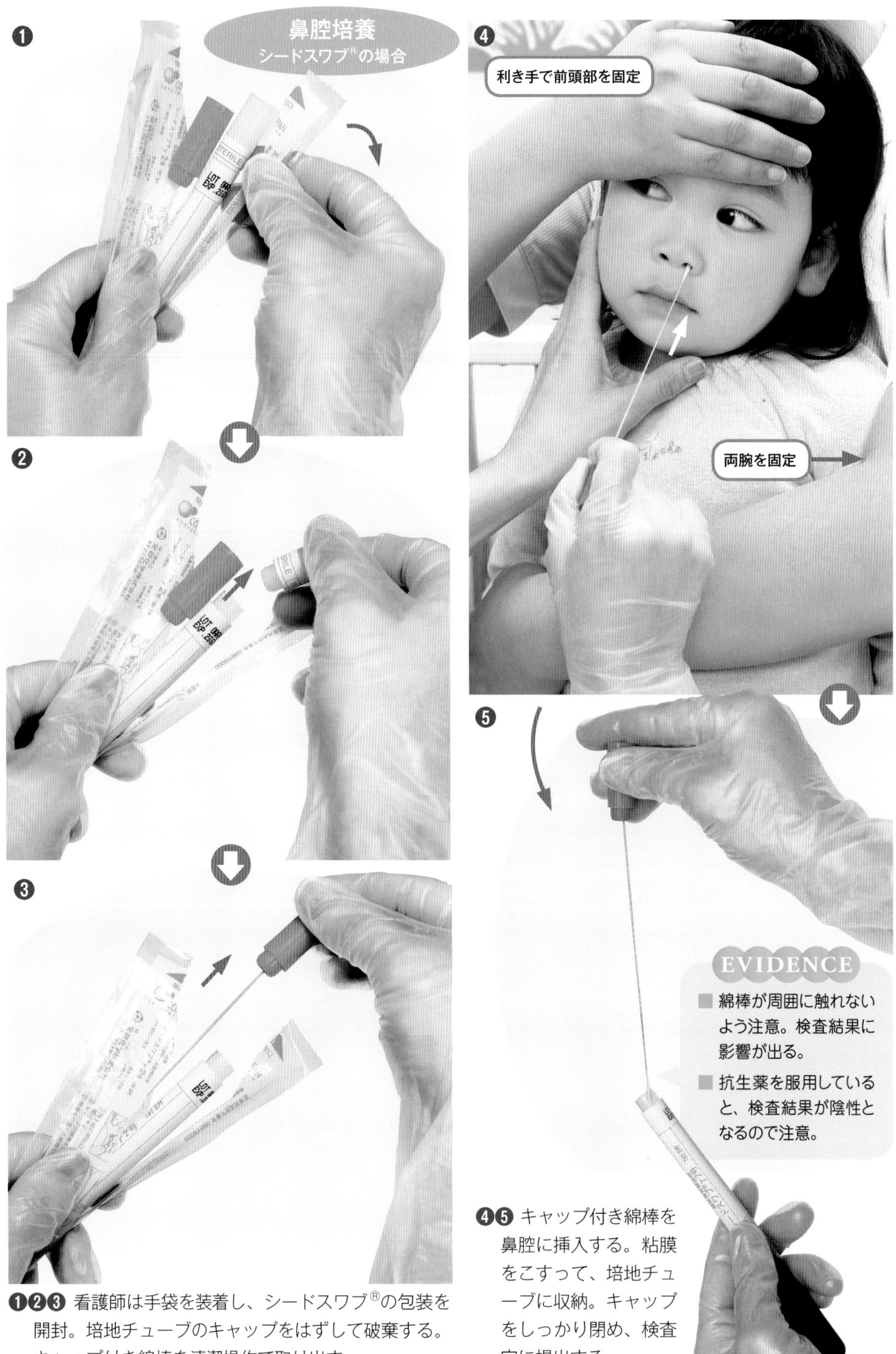

鼻腔培養
シードスワブ®の場合
❶
❷
❸
❹
利き手で前頭部を固定
両腕を固定
❺
EVIDENCE
■ 綿棒が周囲に触れないよう注意。検査結果に影響が出る。
■ 抗生薬を服用していると、検査結果が陰性となるので注意。

❶❷❸ 看護師は手袋を装着し、シードスワブ®の包装を開封。培地チューブのキャップをはずして破棄する。キャップ付き綿棒を清潔操作で取り出す。

❹❺ キャップ付き綿棒を鼻腔に挿入する。粘膜をこすって、培地チューブに収納。キャップをしっかり閉め、検査室に提出する。

鼻腔・咽頭培養		
	検体の種類	主な病原体
上気道	咽頭分泌物 鼻腔分泌物	A群連鎖球菌・肺炎球菌・黄色ブドウ球菌・ ジフテリア菌・百日咳菌・髄膜炎菌・カンジダ・ ウイルス （インフルエンザウイルス・RSウイルス・アデノウイルス・エンテロウイルスなど）
下気道	喀痰 気管内吸引物	上記の上気道の病原菌 結核菌・非定型抗酸菌・マイコプラズマ・大腸菌・緑膿菌・嫌気性菌・真菌・ ウイルス （インフルエンザウイルス・サイトメガロウイルスなど）

検体採取

採血に留置針、翼状針、キャピラリーチューブを用いる理由は？

留置針・翼状針・キャピラリーチューブは、それぞれ以下のような場合に選択する。

留置針：点滴での補液が必要なときに、小児が最小限の痛みですむよう、採血後に点滴ルートに接続するために用いる。

翼状針：体動が予想される乳幼児に用いる。

キャピラリーチューブ：乳児の足底、耳朶、指から穿刺し、少量の血液ですむため、貧血の予防になる。

Q

病原菌ごとの検体の採取方法は？

インフルエンザウイルスやRSウイルスは、鼻汁もしくは鼻粘膜を吸引や綿棒で採取。

溶連菌、アデノウイルスは、咽頭などから綿棒で採取する。

アデノウイルス、ロタウイルスは、便を採取する。

マイコプラズマは採血を行い、血液より検出する。

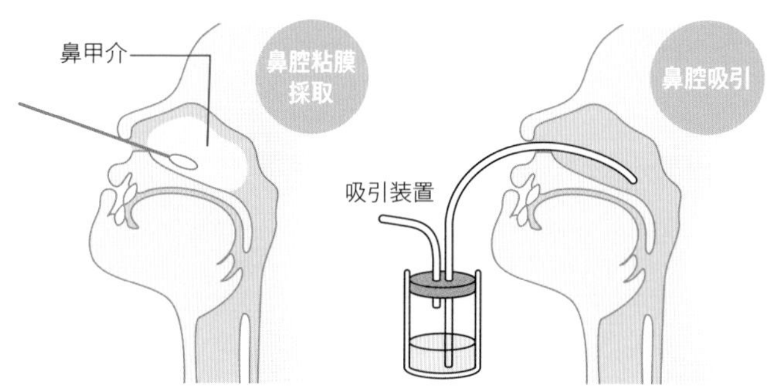

検体の保存方法は？

A

検体採取後は、決められた方法で速やかに検査室に提出する。

夜間など提出が困難な場合は、4℃で保存する。

低温では生育が阻害される病原菌（カンピロバクター、腸炎ビブリオなど）は、室温で保存する。

病原菌と検体採取

病原菌	検体採取
インフルエンザウイルス RSウイルス	鼻汁・鼻粘膜表皮を鼻甲介から綿棒や吸引で採取
溶連菌 アデノウイルス	咽頭後壁、口蓋扁桃の発赤部から綿棒や吸引で採取
アデノウイルス ロタウイルス	便をおむつ、またはポータブルトイレから採取
マイコプラズマ	採血を行い、血液を採取

採尿

患児の健康状態を評価したり、
診断・治療を評価する目的で、採尿が行われる。
採尿には一般的採尿法、無菌的採尿法があり、
一般的採尿法はさらに1回尿と24時間尿に分けられる。

目的

1. 健康状態の評価。
2. 診断・治療の評価。

種類

1. 一般的採尿法（1回尿/24時間尿）
   ＊一般的採尿法は、自然排尿もしくは中間尿採取で行われる。
2. 無菌的採尿法（1回尿）
   ＊無菌的採尿法は、導尿もしくは膀胱穿刺で行われる。

検査項目

1. 肉眼的所見・多目的試験紙：
   比重・pH・蛋白・潜血・ブドウ糖・白血球・ケトン体・ウロビリノーゲン・ビリルビン・亜硝酸塩などに対するスクリーニング検査
2. 顕微鏡検査：
   赤血球・白血球・上皮細胞・円柱・結晶・細菌・酵母などの検査

尿の観察ポイント

混濁・肉眼的血尿の有無、尿臭を観察

淡黄色／琥珀色	白濁／無色透明	ピンク色／赤色	尿臭
尿の色調は淡黄色・琥珀色が正常。	白濁尿は尿路感染症に伴う白血球尿、蛋白尿が考えられる。一方、無色透明な尿は低比重尿であることが多い。	尿酸・赤血球・遊離ヘモグロビン／ミオグロビンが含まれるとピンク色、赤色を呈する。肉眼的血尿では、尿中赤血球形態が重要である。	尿臭は、尿路感染症や代謝異常の検出基準となる。
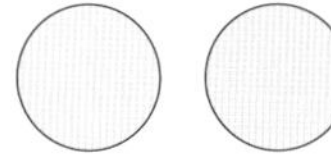	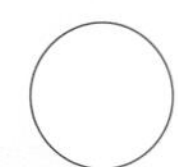	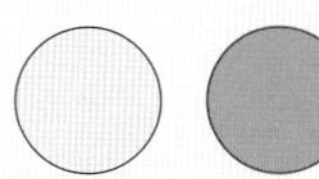	

PROCESS  必要物品の準備(採尿バッグを用いる場合)

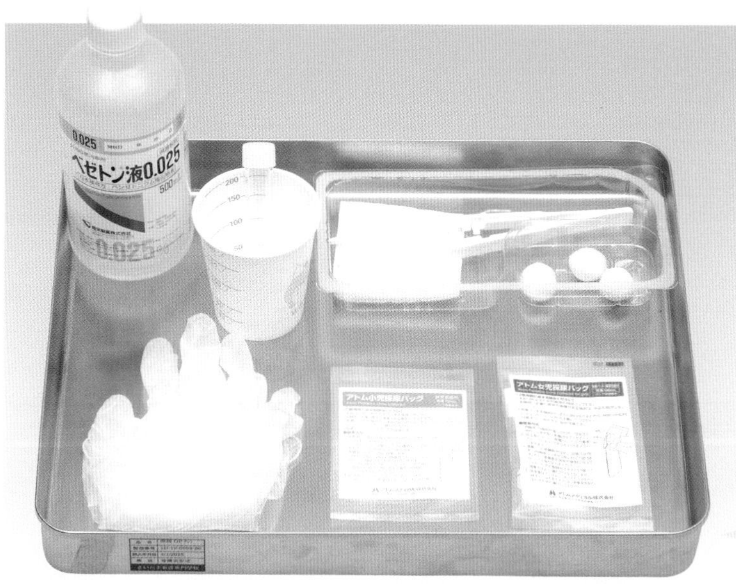

❶ 採尿バッグ(女児用/小児用)
❷ 検体容器
❸ 手袋

[一般的採取法]
❹ ガーゼ・タオル

[無菌的採尿法]
❺ 綿球・消毒液
❻ 滅菌鑷子
❼ 滅菌ガーゼ

POINT

■ 採尿バッグには、女児用(ピンク)と小児用(ブルー)、未熟児用(グリーン)がある。

PROCESS  一般的採尿法

実施者は手洗いをし、手袋を装着。陰部周囲を清拭し、十分に汚れを拭き取る。タオルやガーゼで押さえ、よく乾燥させる。

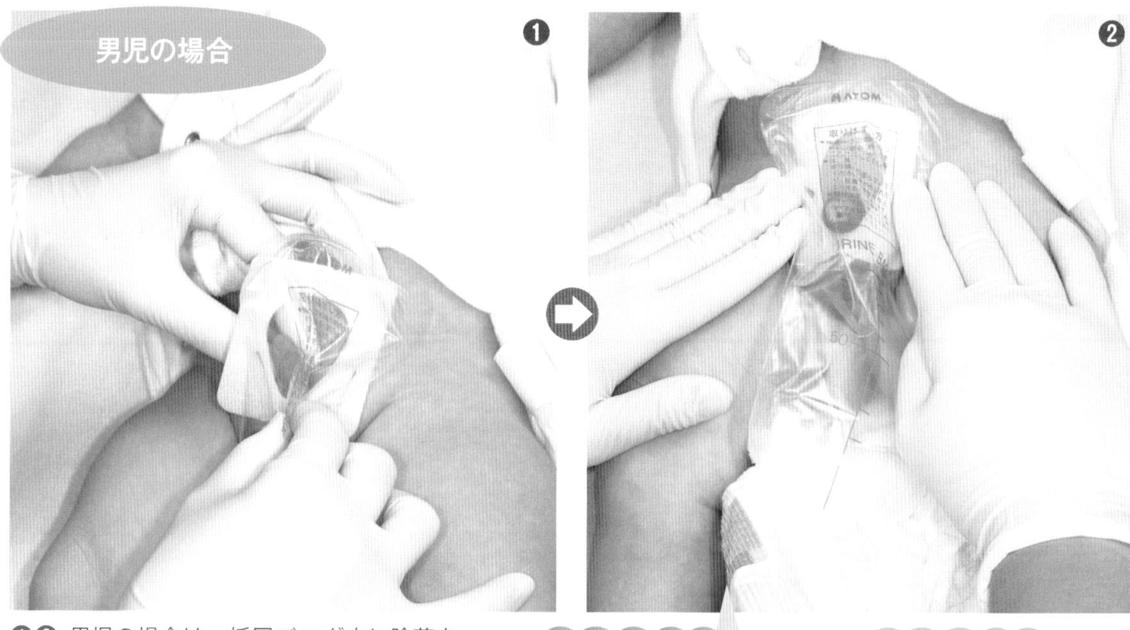

❶❷ 男児の場合は、採尿バッグ内に陰茎を収め、採尿バッグの下部に隙間をつくらないよう貼り付ける。補強が必要な場合は、絆創膏で固定する。

POINT

■ 尿が漏れないよう、隙間なく貼ることが大切。

EVIDENCE

■ 尿が漏れると検体が採取できないだけでなく、皮膚のかぶれにつながる。

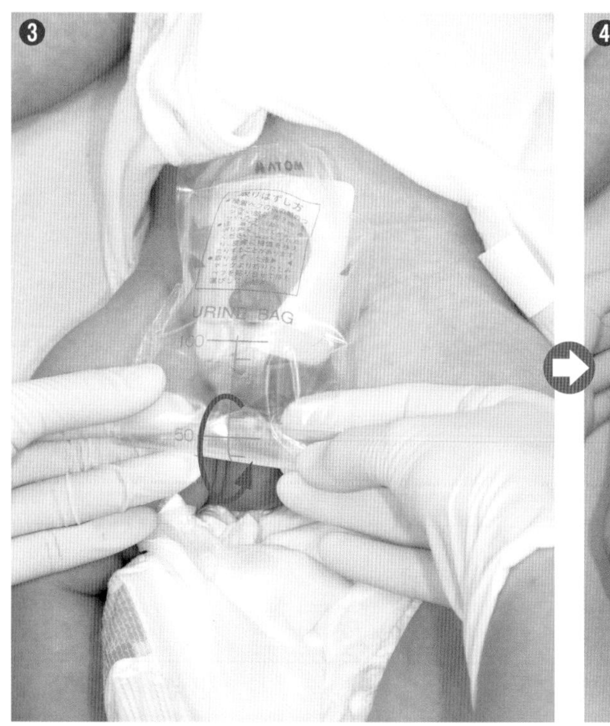

❸ 採尿バッグの下部を肛門側に折り返し、尿がたまる空間をつくる。

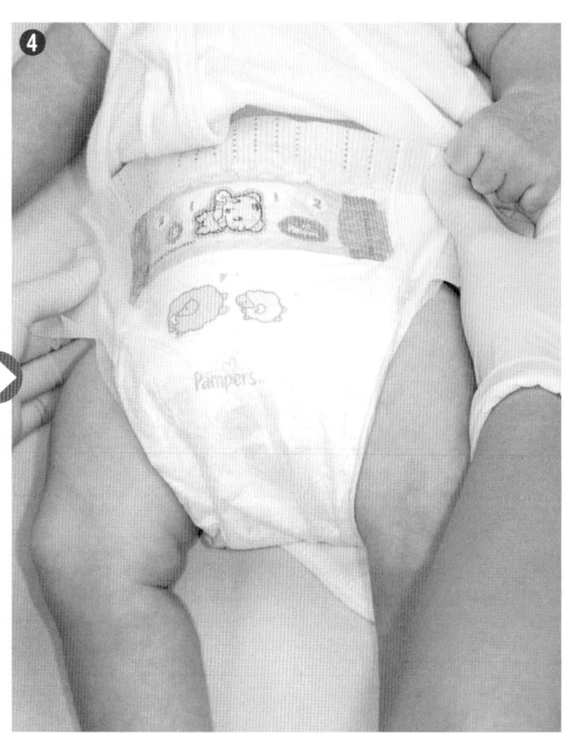

❹ 採尿がすむまで、おむつを軽く当てておく。上体を軽く挙上した体位が望ましい。

女児の場合

女児の場合は、外陰部のしわを伸ばして採尿バッグの会陰パッドを会陰部のくぼみに押し当てて貼る。

会陰パッド

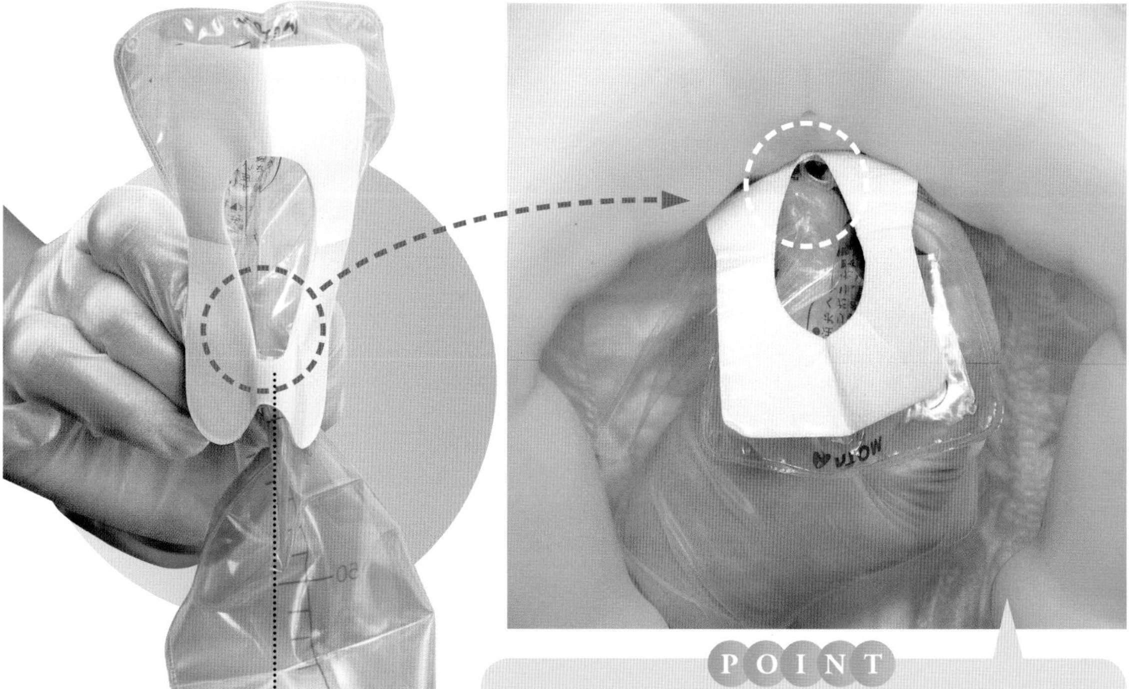

POINT

- 採尿バッグ内の会陰パッドを会陰部のくぼみに押し当てて貼る。
- 採尿バッグは、膨らませておくと尿がたまりやすい。

PROCESS 2 無菌的採尿法

10-2

無菌的採尿法には、滅菌鑷子、消毒薬、綿球を用いる。
手袋を装着し、採尿バッグの採尿口を不潔にしないようにバッグを広げる。

女児の場合

❶ 女児の場合、小陰唇を開き、上から下へ、中央から左右へと消毒する。

POINT

■ 中央→左右の順で上から下へ消毒。

2 1 3

❶

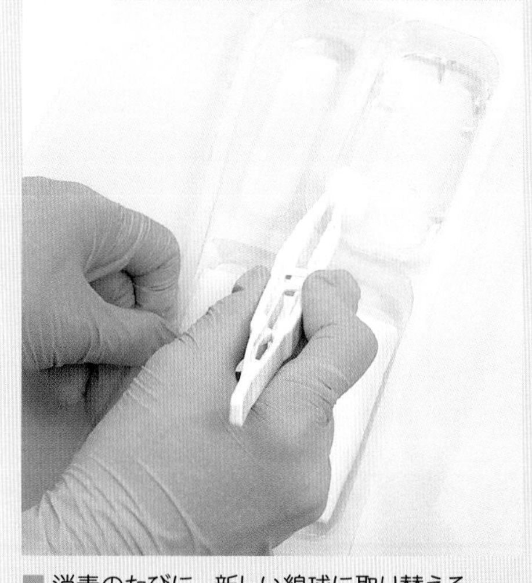

■ 消毒のたびに、新しい綿球に取り替える。

❷❸

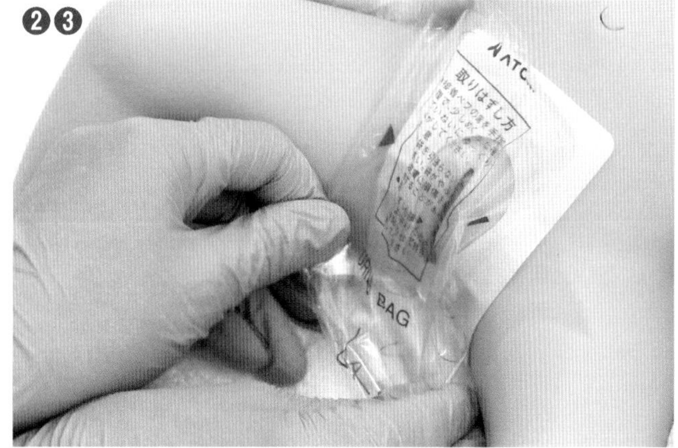

❷ 消毒が終わったら乾燥させ、バッグ内の会陰パッドを会陰部のくぼみに押し当てて、尿が漏れないよう、皮膚に密着させて貼る。

❸ バッグの下部を折り返し、尿がたまる空間をつくる。

❹ 採尿が済むまで、オムツを軽く当てておく。

CHECK!

無菌操作での採尿の留意点

- 消毒部に触れないように、手袋をつけて採尿バッグを貼付する。
- 採尿できた尿は、清潔操作で容器に移し替える。この際、注入器を使用するとよい。

CHAPTER 11

腰椎・骨髄穿刺

小児の穿刺の特徴

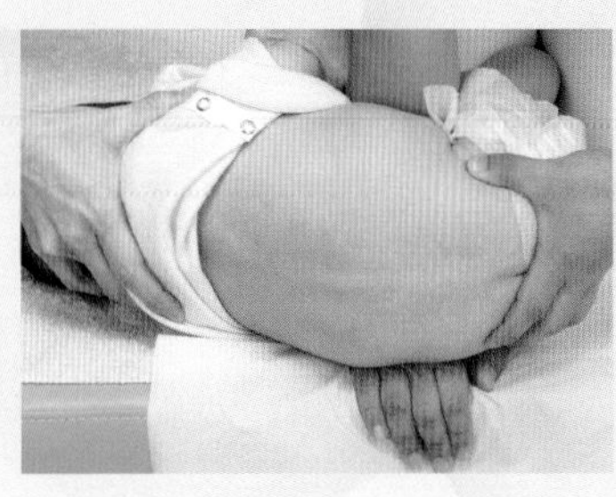

- 穿刺は、疼痛を伴う侵襲の大きい検査であるため、不安や恐怖心を最小限にする必要がある。
- 穿刺をスムーズに実施するためには、患児の固定が最も重要である。
- 局所麻酔や鎮静薬を使用する場合があるため、アレルギーの有無など、既往歴も確認しておく必要がある。
- 実施前に酸素、心拍・呼吸モニター、パルスオキシメーター、吸引の準備をしておく必要がある。
- 穿刺後は一定の時間、安静を保持して注意深く観察する。

穿刺の種類

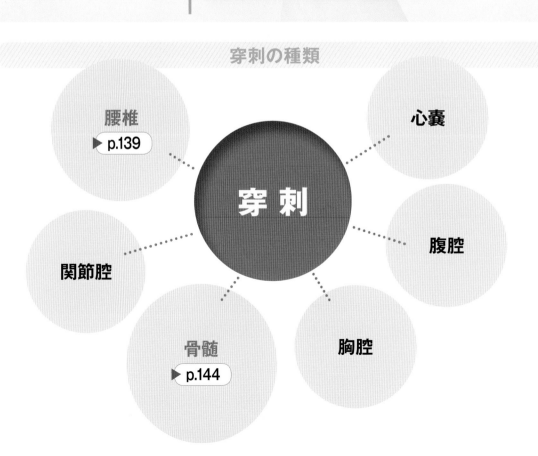

穿刺

- 腰椎 ▶ p.139
- 心嚢
- 腹腔
- 胸腔
- 骨髄 ▶ p.144
- 関節腔

腰椎穿刺

患児を左側臥位にし、背面が常に垂直になるよう固定。穿刺および検体採取は、無菌操作で行う。頭部を屈曲しているため、呼吸状態（チアノーゼなど）に注意する。髄液採取後は、頭部を水平にして1～2時間、仰臥位で安静を保つことが大切である。

腰椎穿刺とは

第4腰椎以下の脊椎間を穿刺して、髄液採取

髄液は脳室の脈絡叢から産出され、クモ膜下腔を循環して静脈内に吸収される。髄液の性状や成分、髄圧を検査することは、神経疾患の診断・治療に不可欠である。小児では中枢神経系の感染症が多いため、重要な検査である。
小児は脊髄下端が低いため、穿刺は第４腰椎以下の脊椎間で行う。安全に髄液を採取するには、穿刺部の椎間が開くよう、また脊椎が処置台に水平で、ヤコビー線に対して垂直になるよう体位を固定する。

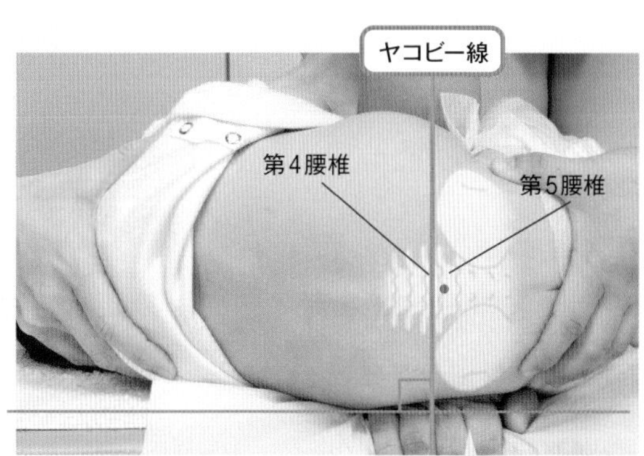

POINT

- 穿刺は第４腰椎以下の脊椎間で行う。
- 穿刺部の椎間が開くように、背中を丸める。
- 脊椎は処置台に水平、ヤコビー線に垂直。

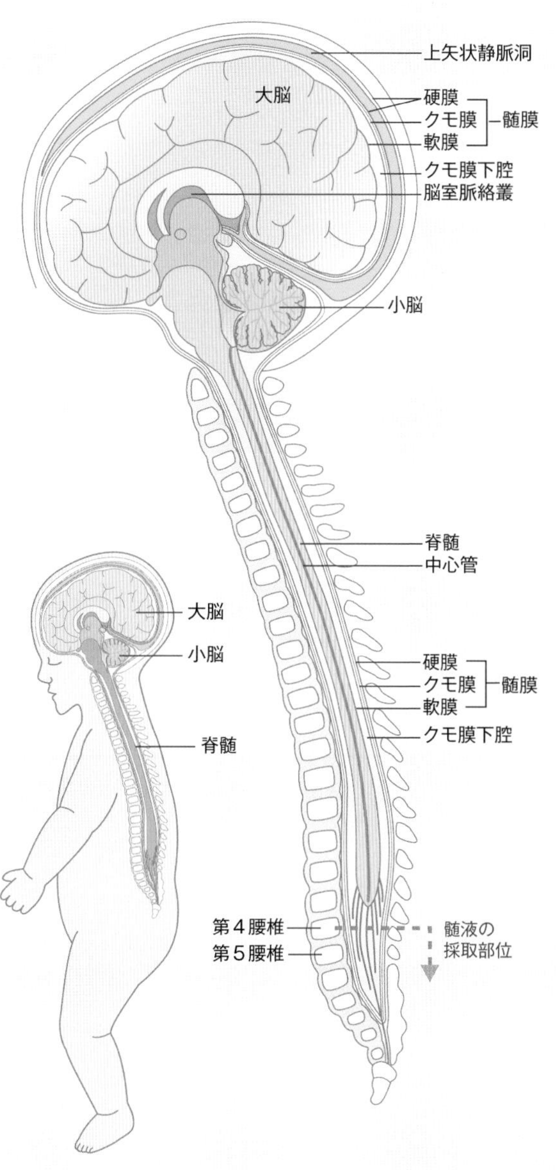

腰椎穿刺の基本

穿刺の成功は、患児の体位固定で決まる

1. 患児の年齢に合わせた説明を行い、協力を得る。
2. 患児を左側臥位にする。
3. 患児が臍をのぞき込むように頸部と両膝を曲げ、腰椎棘突起の間隔が拡大するよう固定する。
4. 患児の腹部前方に介助者の右腕を入れ、これを支柱にして固定。えびぞりにならないようにする。
5. 処置台の端に患児の背中がくるよう、背面が常に垂直になるよう固定する。
6. 穿刺部位を中心に、広範囲に消毒する。
7. 穿刺中は、患児に声をかけて呼吸状態・皮膚色を観察する。
8. 髄液採取後は、頭部を水平にして１～２時間仰臥位で安静にする。

目的

1. 中枢神経系の感染症の診断：髄膜炎、脳炎
2. 炎症性脱髄疾患の診断：急性播種性脳脊髄炎、多発性硬化症
3. 末梢神経炎の診断：ギランバレー症候群
4. 髄腔内薬物投与などの治療。

PROCESS 1 必要物品の準備

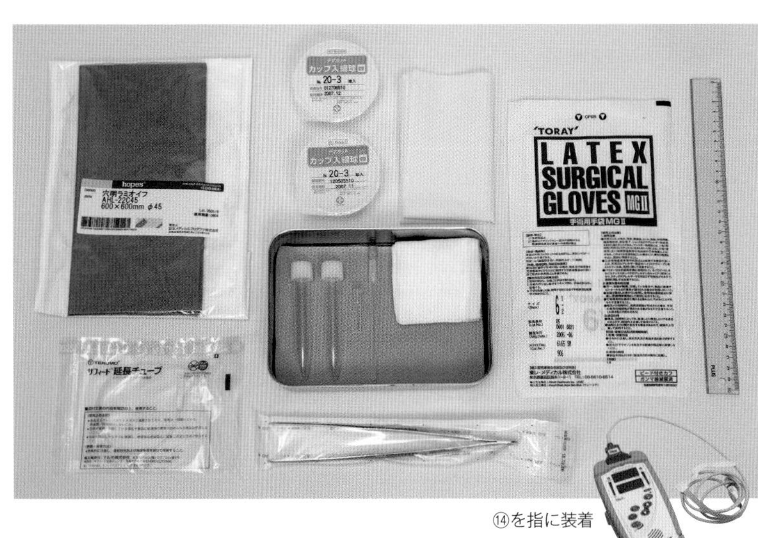

⑭を指に装着

❶ 腰椎穿刺セット（滅菌ガーゼ/圧測定ガラス棒/滅菌スピッツ）
❷ 滅菌鑷子
❸ 穿刺針（ディスポスパイナス針）
❹ 注射針（23G・ディスポーザブル）
❺ 延長チューブ　❻ 三方活栓
❼ 滅菌手袋　❽ 滅菌穴あき布
❾ 滅菌綿球
❿ 消毒液（ポビドンヨード/ハイポアルコール）
⓫ ものさし（30cm）　⓬ 絆創膏
⓭ ディスポーザブル覆い布
⓮ 呼吸・心拍モニター、パルスオキシメーター
⓯ 酸素吸入の必要物品
⓰ 吸引の必要物品

PROCESS 2 体位の固定

11-1

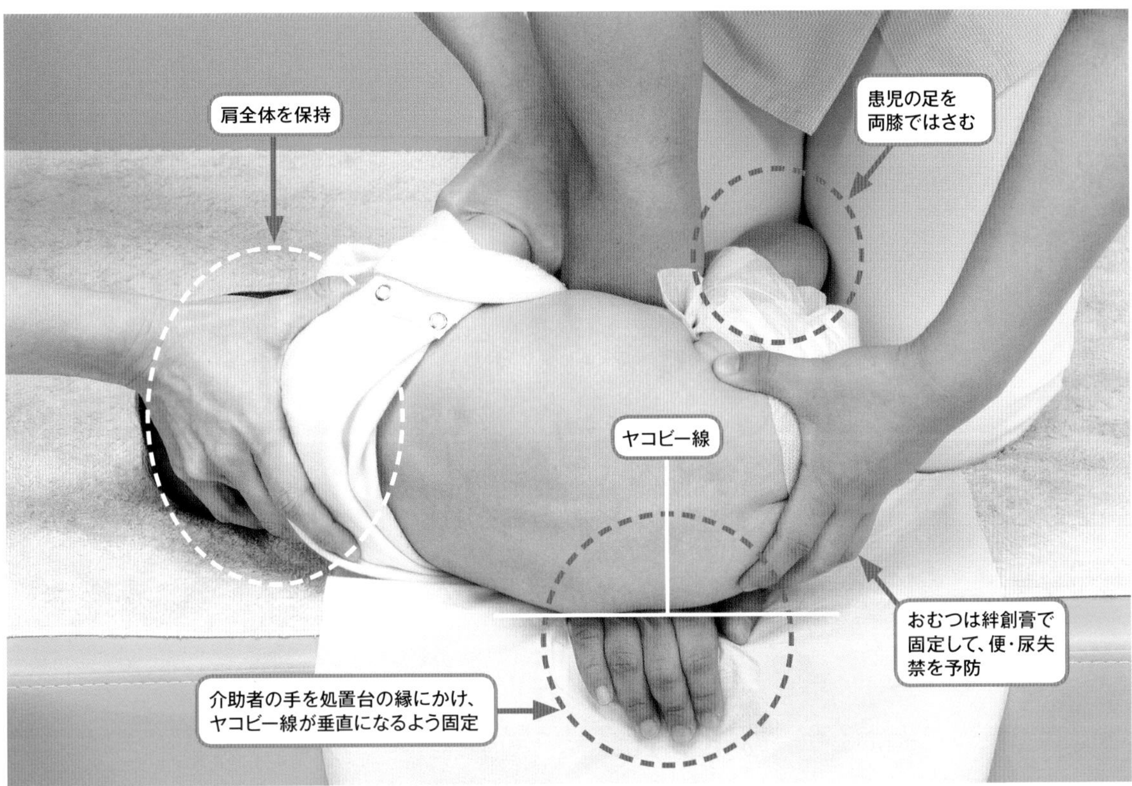
肩全体を保持
患児の足を両膝ではさむ
ヤコビー線
おむつは絆創膏で固定して、便・尿失禁を予防
介助者の手を処置台の縁にかけ、ヤコビー線が垂直になるよう固定

患児と家族に説明を行う。
患児を処置室に連れていき、穿刺部位を露出する。患児を左側臥位にし、臍をのぞき込むように頸部と膝を曲げ、肩全体を保持。膝を介助者の両膝で固定する。
患児の腹部前方に右腕を入れて支柱にし、患児がえびぞりにならないようにする。
患児の背中がベッド端にくるようにし、背面は常に垂直に保つ。
患児が暴れるなど協力が得られない場合は、鎮静薬を使用する場合もある。

PROCESS 3 穿刺部位の消毒

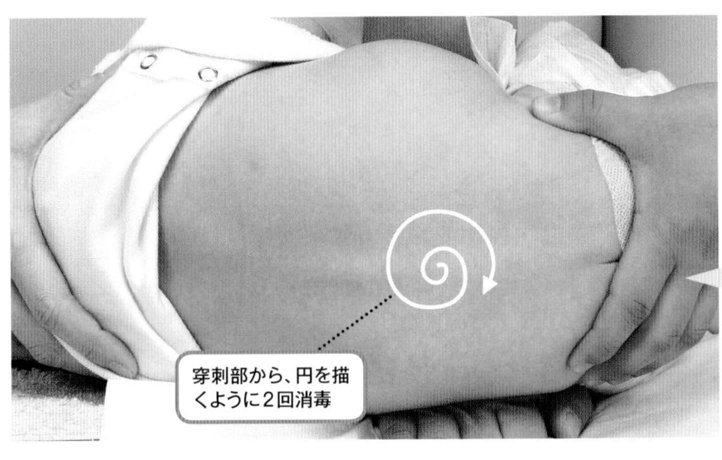
穿刺部から、円を描くように2回消毒

患児が動かないよう軽く固定したら、穿刺部位を消毒する。

POINT

- 消毒前に、位置をよく確認する。
- 消毒は穿刺部位を中心に、外側に向けて円を描くように、広範囲に行う。
- ポビドンヨードで2回消毒し、ハイポアルコールで拭く。

PROCESS 4 腰椎穿刺

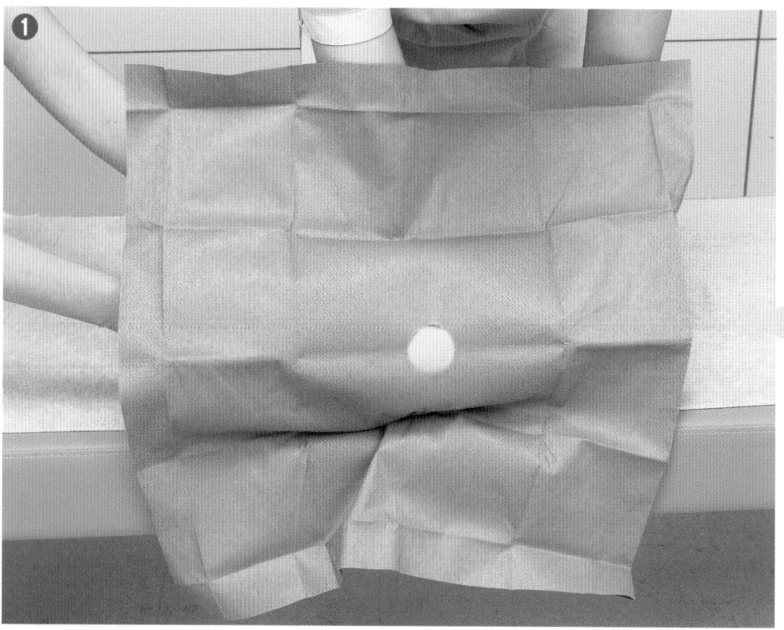

❶ 穿刺部を中心に滅菌穴あき布をかけ、無菌的操作で医師が穿刺を行う。
介助者はこの間、体位の固定をしっかりと行う。

POINT

- 体動が激しい場合は、鎮静薬を使用する場合がある。
- リネンの内側には触れないよう、無菌的操作で行う。
- 乳児はおむつを当て、尿や便で穿刺部位を不潔にしないよう気をつける。

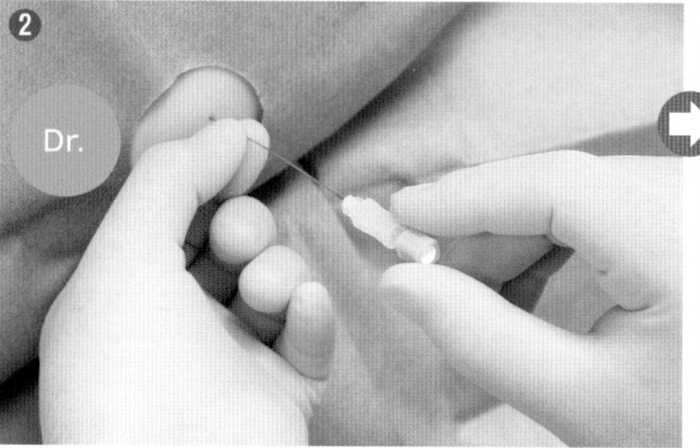

❷ 医師が穿刺針を刺入する。
介助者は患児に声をかけて、不安を和らげる。
同時に、患児の顔色や呼吸状態の観察を行う。

POINT

- 穿刺は第4腰椎以下の脊椎間で行う。

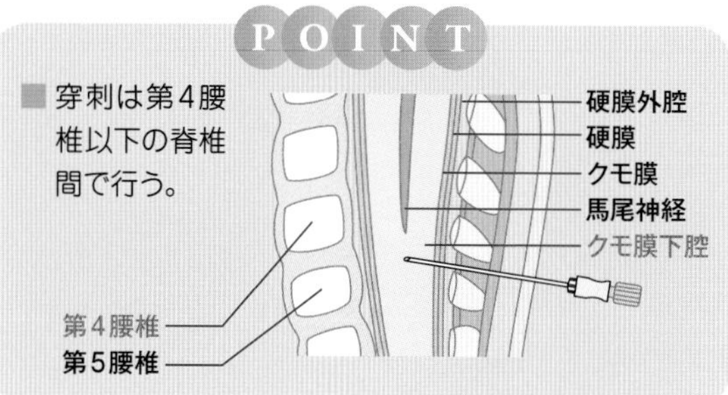

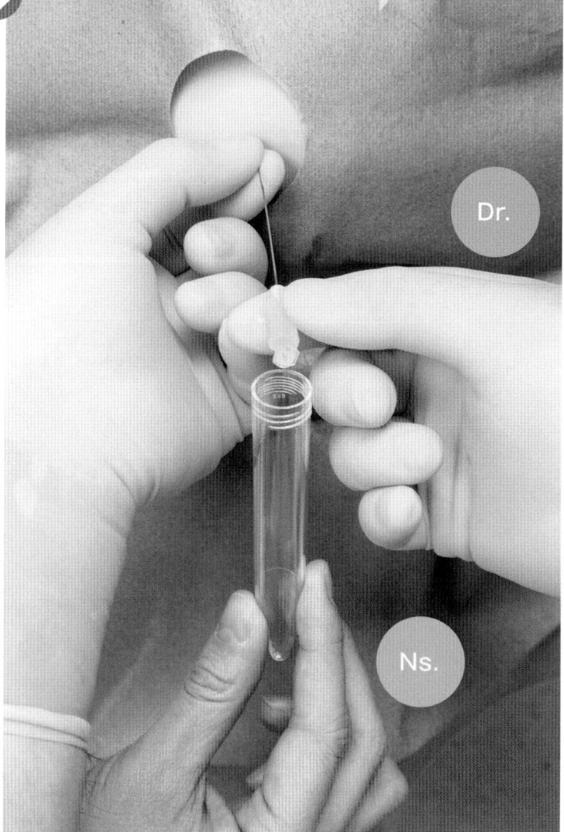

POINT

- 髄液の色調･混濁を観察する。
- 患児の顔色･呼吸状態を観察する。

❸ 内針を抜き、滅菌スピッツに髄液を採取する。
抜針後は、滅菌ガーゼで圧迫止血を行う。ポビドンヨードで消毒し、滅菌ガーゼを当てて絆創膏で固定する。

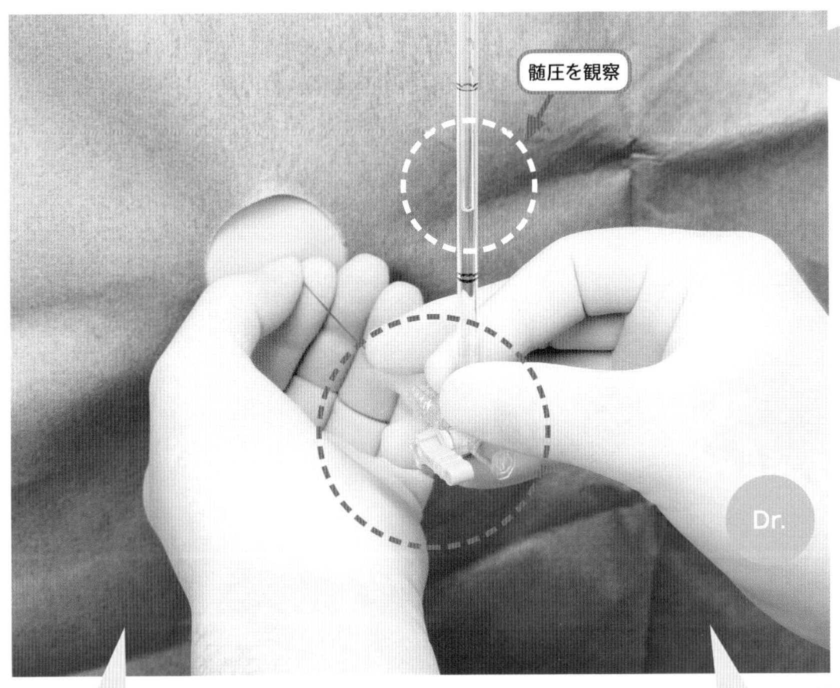
髄圧を観察
Dr.

髄圧測定の場合

二方活栓に接続したガラス管、または延長チューブを接続し、初圧を測定する。

POINT
髄液圧の測定

- Queckenstedt試験（頸静脈を両側で圧迫）で、観察。
- 髄液圧の上昇があれば、陰性で正常。
- 髄液圧の上昇がなければ陽性で、クモ膜下腔内の閉塞である。
- **髄液圧の基準値**：新生児 10～80mmH_2O
乳幼児 40～100mmH_2O
学童　60～180mmH_2O

POINT
髄液採取の禁忌

- **頭蓋内圧亢進**：CT・MRI画像で明らかな脳浮腫、うっ血乳頭や大泉門膨隆を認める場合。
- **出血傾向**：血小板減少症、抗凝固薬・抗血小板薬使用の場合。
- 穿刺部位に皮膚感染症がある場合。

CHECK!
穿刺後は、水平にして安静に！

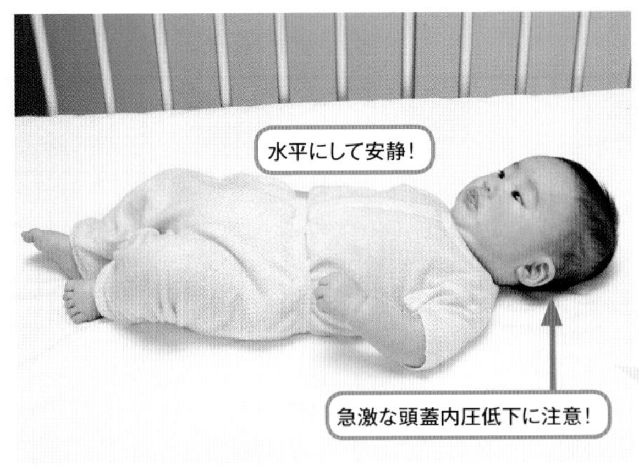
水平にして安静！
急激な頭蓋内圧低下に注意！

穿刺後は、枕を外して仰臥位をとる。急激な頭蓋内圧低下を避けるため、頭部を水平にして1～2時間、仰臥位で安静にする。抱っこして移動する際も、頭を上げずに水平移動。患児や家族に安静の必要性を説明し、協力を得る。必要時、抑制帯を用いる。

POINT

- **観察**:穿刺部位からの出血や髄液の漏れ、悪心・嘔吐の有無、下肢知覚異常の有無。
- **記録**:実施時間、髄液の性状・圧、検査中・後の患児の状態、穿刺部位の状態、患児の反応。

骨髄穿刺

骨髄穿刺は、強い痛みを伴う侵襲の大きな検査である。
血液疾患では繰り返し行うため、恐怖や不安を最小限にするよう配慮する。
患児・家族には年齢に合った説明を行う。
局所麻酔や鎮静薬を使用する場合は、必ず、酸素吸入を準備し、
呼吸・脈拍モニター、パルスオキシメーターの管理下で実施する。

目的

1. 再生不良性貧血、造血不全症、白血病、悪性リンパ腫、骨髄異形成症候群などの造血器腫瘍や、血球貪食症候群などの診断。
2. 先天性代謝異常症の診断。
3. 固形腫瘍の骨髄転移の確認、白血病などの治療効果の判定。

骨髄穿刺とは

骨髄液を採取して、造血機能を検査する

骨髄は骨の組織に囲まれたスポンジ様の軟部組織である。ここで血液細胞が作られ、末梢循環へ供給される。
乳児期には長管骨・扁平骨の両方に骨髄があるが、成長とともに減少し、思春期には胸骨・骨盤骨・頭蓋骨・椎骨などだけに存在する。
骨髄穿刺は骨髄液を採取し、細胞数や細胞形態を検査して、造血機能の情報を得ることで、血液疾患や悪性腫瘍の診断、治療効果の判定に役立てる。
骨髄穿刺は、発達に応じて穿刺部位が選択される。

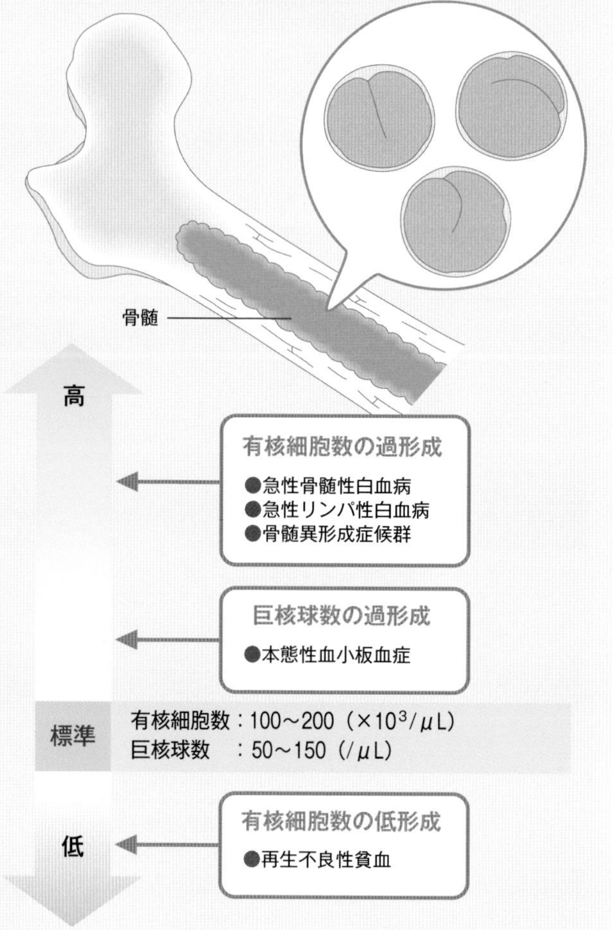

穿刺部位	
上後腸骨棘 上前腸骨棘	何歳でも可能
脛骨上1/3	新生児～2歳
胸骨	学童～成人

PROCESS  必要物品の準備と検査

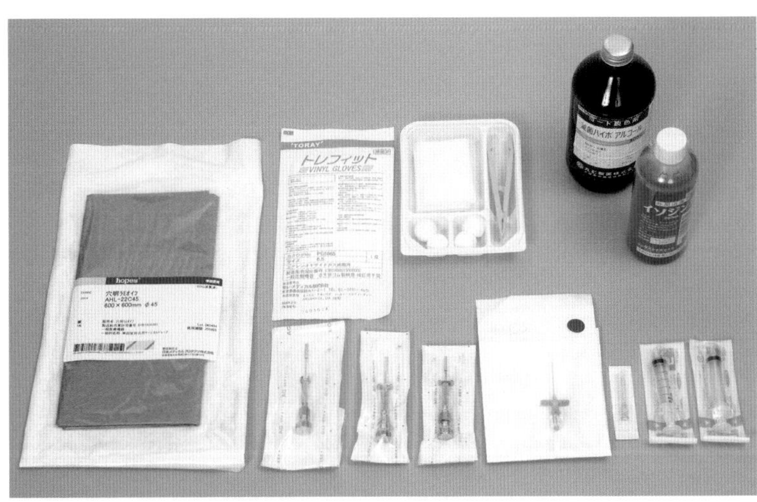

❶ 骨髄針（大・中・小）
❷ 注射器（5mL・2本）
❸ 注射針（23G）
❹ 滅菌穴あき布　❺ 滅菌手袋
❻ 滅菌綿球　❼ 滅菌鑷子
❽ 消毒薬（ポビドンヨード/ハイポアルコール）
❾ 局所麻酔用具一式
❿ 酸素吸入・吸引用具一式
⓫ 呼吸・心拍モニター、パルスオキシメーター
⓬ スライドグラス（10枚以上）、引きガラス
⓭ ドライヤー

PROCESS 2 穿刺部と抑制

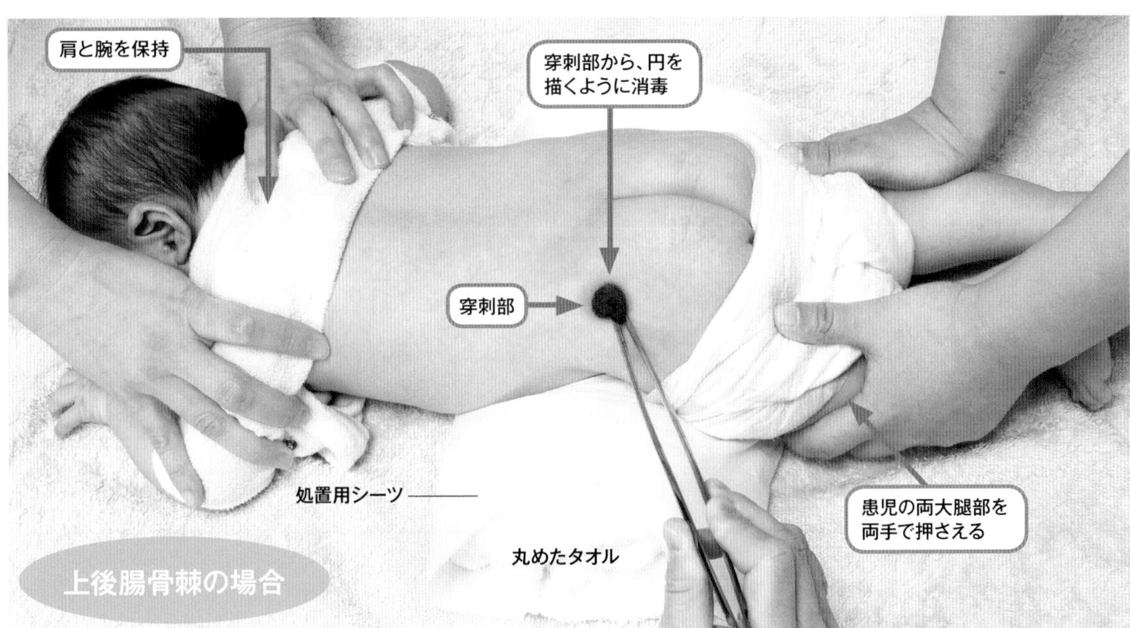

腸骨は重要な臓器や血管を傷つける可能性が少ない部位であり、乳幼児から学童まで広く選択される。穿刺時は、介助者2人で両肩と両大腿部を抑制し、穿刺部が動かないよう固定する。

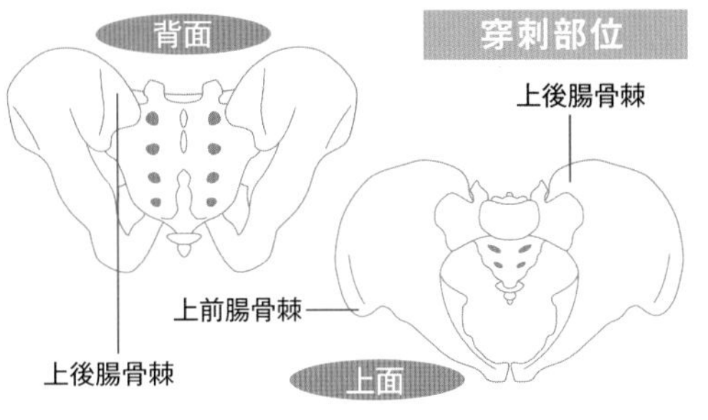

POINT

- 穿刺時に患児が動くと危険。しっかりと抑制する。
- 塗抹標本は、ドライヤーの冷気で乾燥させる。

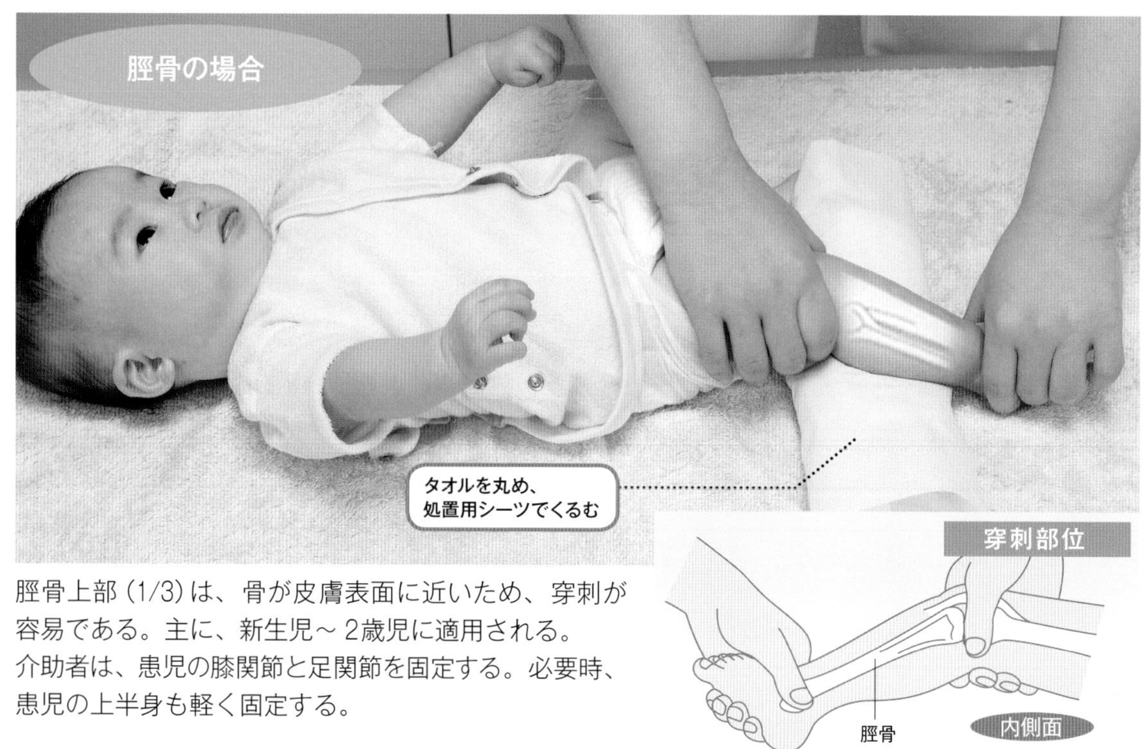

脛骨上部（1/3）は、骨が皮膚表面に近いため、穿刺が容易である。主に、新生児～2歳児に適用される。
介助者は、患児の膝関節と足関節を固定する。必要時、患児の上半身も軽く固定する。

骨髄輸液

血管確保の手段として、骨髄輸液が用いられる

骨髄輸液は、脛骨などの骨髄を穿刺して、骨髄に直接、輸液を行う方法である。
通常の静脈確保ができない、ショック・心肺不全などの小児において、迅速かつ一時的な血管確保の方法として用いられる。
心肺停止状態の小児では、最初に選択される血管確保の手段となる。小児の救急カートには、骨髄輸液の必要物品を備えておくことが望ましい。

穿刺部位	
比較的平坦で、明瞭な骨性指標のある部位	
すべての小児	脛骨骨幹近位、前面内側
2歳以上	脛骨遠位部の内側面
小さな乳幼児	大腿骨下1/3の正中線上

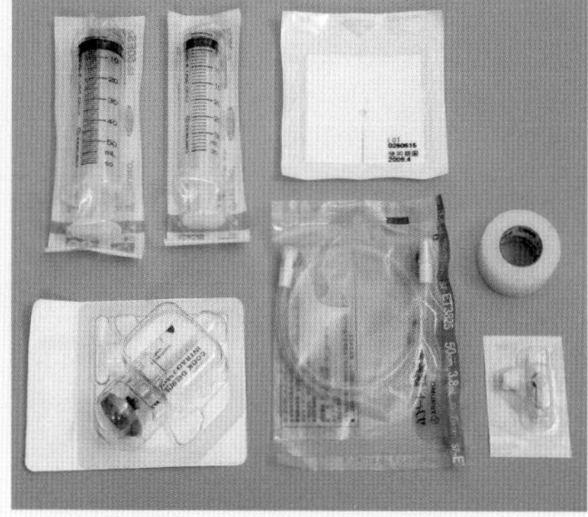

必要物品
❶ 骨髄輸注針
❷ 注射器
❸ 輸液セット
❹ 滅菌布
❺ 滅菌手袋
❻ 滅菌鑷子
❼ 滅菌綿球
❽ 消毒薬
（ポビドンヨード
/ハイポアルコール）
❾ 滅菌ガーゼ
❿ 絆創膏

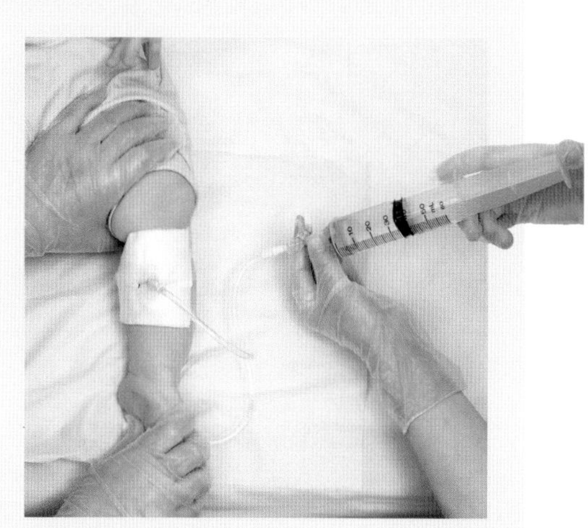

CHAPTER 12 酸素療法

小児の酸素療法の特徴

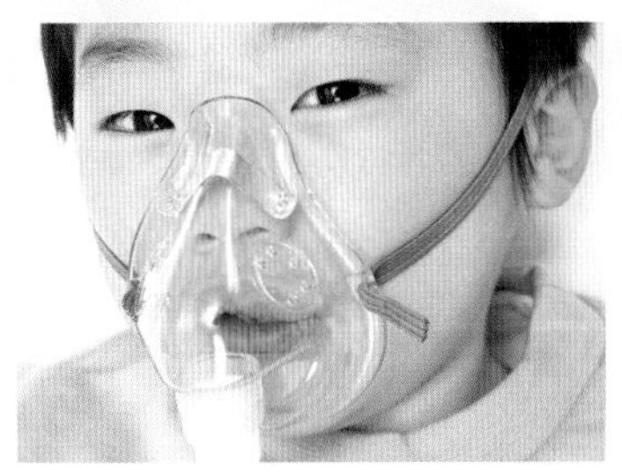

- 小児は気道が狭く、解剖学的特徴から呼吸不全に陥りやすいため、呼吸状態の密な観察が必要である。
- 乳児は鼻呼吸であるため、鼻汁などの分泌物は吸引し、効果的な酸素吸入ができるようにする。
- 鼻カニューレやフェイスマスクなどは、患児の状態や理解に応じて選択する。
- 患児が鼻カニューレやフェイスマスクを嫌がり、協力が得られない場合は、他の方法を考慮する。
- 患児・家族に酸素吸入の必要性を説明し、了承を得る。
- 酸素療法中に気分転換が図れるよう、精神面への援助も併せて行っていく。
- 酸素使用中は火気厳禁とし、静電気や機器類のコンセントからの発火がないよう、十分注意する。

酸素療法の種類

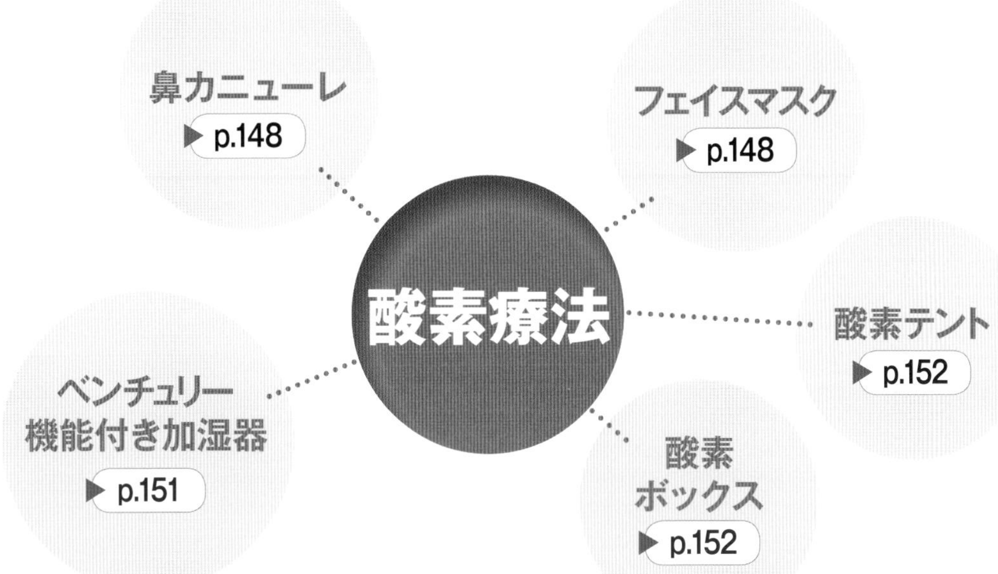

酸素療法

小児は気道が狭く、分泌物が貯留しやすい。
酸素療法を効果的に行うには、吸引などを行って
分泌物を除去しておく必要がある。

目的　低酸素状態を改善・予防し、心肺機能を維持する。

鼻カニューレ、フェイスマスク

鼻カニューレやフェイスマスクは、顔面に装着して用いるため、
患児に合ったサイズを選択すること、固定に注意することが必要である。

PROCESS 1 必要物品の準備、酸素流量計の装着

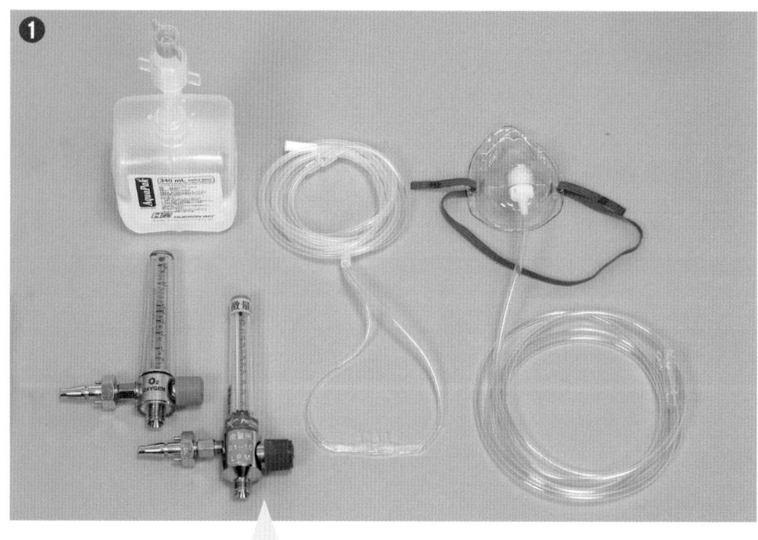

❶ 実施者は手洗いを行い、必要物品を準備。患児と家族に説明を行う。

❶ 鼻カニューレ/フェイスマスク
❷ 中央配管用酸素流量計（必要時、微量用）
❸ ディスポーザブル加湿器
❹ 指示箋
❺ 絆創膏（必要時）

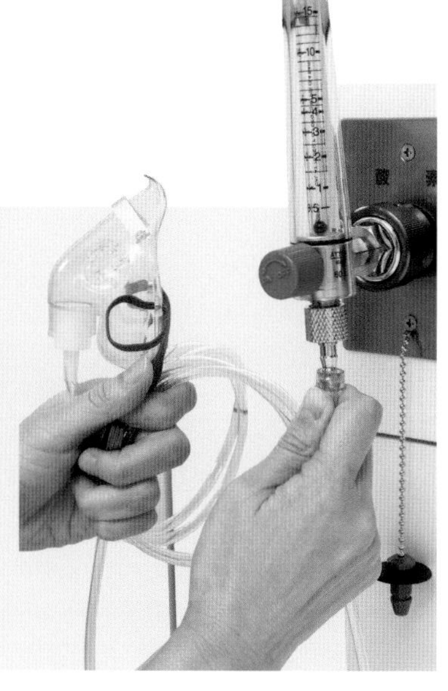

CHECK!
酸素投与時の加湿は、必要？

酸素投与時には、一般に加湿が行われているが、鼻カニューレやフェイスマスクでの投与時、低流量（4L/分以下）・低濃度酸素（ベンチュリーマスク 40%以下）であれば、加湿の必要性はないとの報告がある（文献4）。国際的にも、患者の自覚症状がなければ低流量・低濃度酸素の加湿は必要がなく、医療者の仕事量や時間・コストの削減に有用とされる（文献6）。口鼻腔よりの酸素吸入は、人間が持つ自然な加湿機能も働くため、必要性の見直しが課題である。

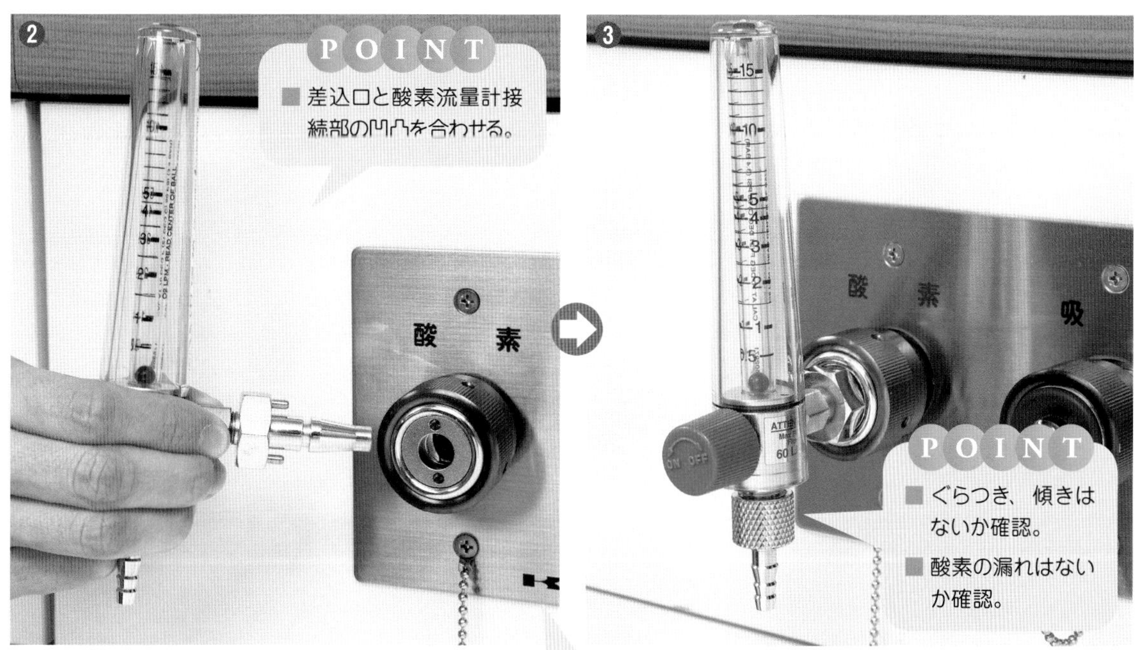

POINT
差込口と酸素流量計接続部の凹凸を合わせる。
酸素
素
POINT
ぐらつき、傾きはないか確認。
酸素の漏れはないか確認。

❷❸ 酸素流量計を中央配管の差込口に装着する。酸素の差込口を確認し、差込口のつまみを回しながら差し込む。

POINT
- 中央配管の差込口は、通常、酸素や吸引、圧縮空気などが並んでいる。
- 差込口は、誤接続を防ぐために、接続面の穴の形状が異なっている。

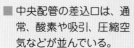

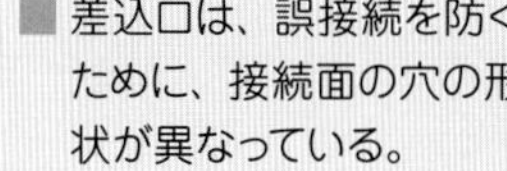

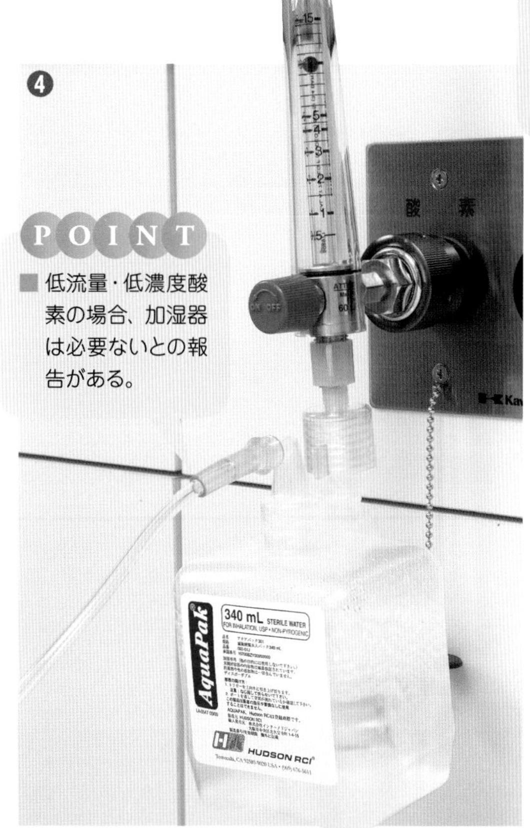

POINT
低流量・低濃度酸素の場合、加湿器は必要ないとの報告がある。
AquaPak
340 mL STERILE WATER
HUDSON RCI

❹ 酸素流量計に加湿器を接続する。
加湿器のチューブの接続口に鼻カニューレもしくはフェイスマスクのチューブを接続する。

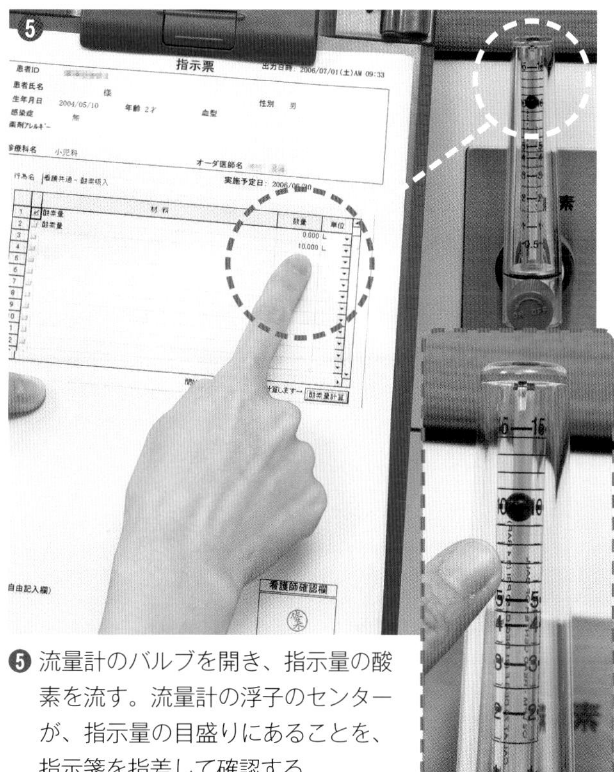

❺ 流量計のバルブを開き、指示量の酸素を流す。流量計の浮子のセンターが、指示量の目盛りにあることを、指示箋を指差して確認する。

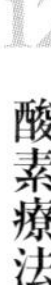

PROCESS 2 鼻カニューレ・フェイスマスクの装着

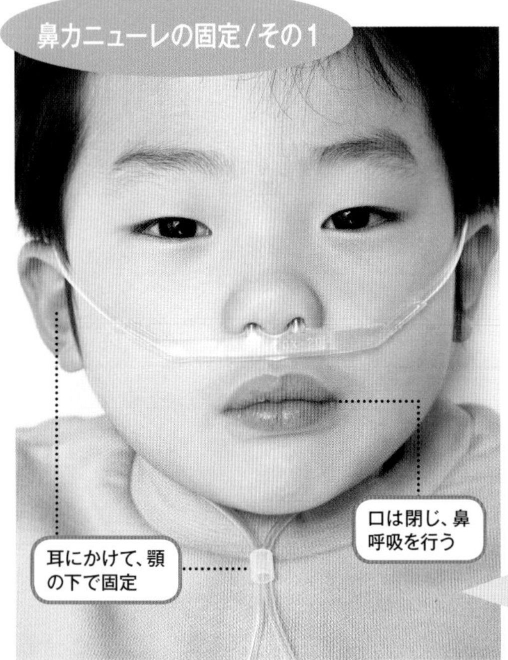
鼻カニューレの固定/その1
口は閉じ、鼻呼吸を行う
耳にかけて、顎の下で固定

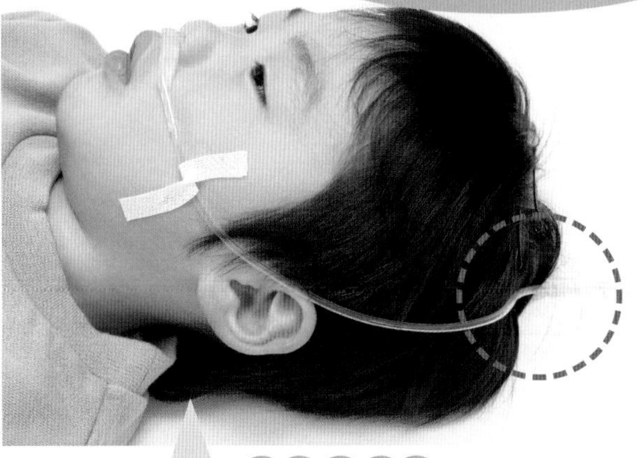
鼻カニューレの固定/その2

POINT

- カニューレを装着してから酸素を流すと不快感がある。装着前に酸素を流しておく。
- 絆創膏の位置は時々変え、皮膚の損傷を予防する。

鼻カニューレを患児に装着する。酸素チューブを鼻孔に入れ、2本のチューブを顎の下、もしくは頭頂部でまとめて輪で固定する。頭頂部で固定する場合は、カニューレがずれないよう頬に絆創膏でとめる。

フェイスマスク

フェイスマスクは、患児に合ったサイズを選んで装着する。ゴムを頭の後ろに回し、両耳にかけて固定する。マスクのとがったほうを鼻、丸いほうを顎に当てる。

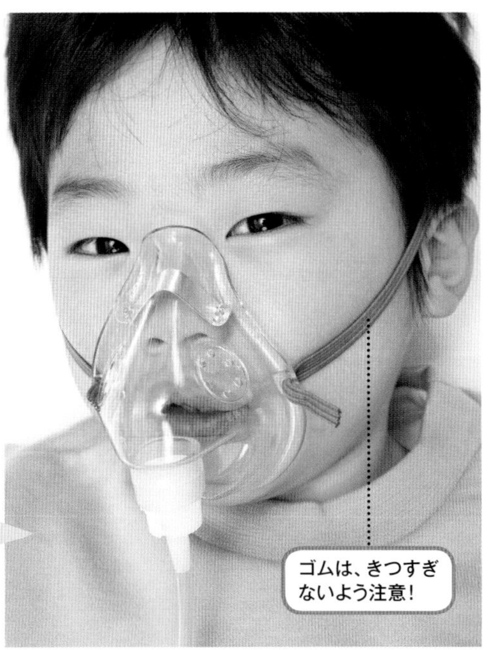
ゴムは、きつすぎないよう注意!

POINT

マスクの不快感を和らげるには

- ゴム接触面の皮膚に損傷がないかを観察する。
- ゴムはきつすぎないよう注意。時々、圧迫をゆるめる。
- 患児がマスクや酸素の臭いを嫌がる場合、マスクの内側にバニラエッセンスなどの香料を塗ると、嫌がらずに装着できる場合がある。

CHECK!

酸素療法を行う際の注意点

口鼻腔に分泌物が貯留していると、効果的な酸素投与ができないため、事前に吸引などを行い、分泌物を除去する。また、上体を挙上している場合は、気道を確保し、安楽な体位を整えることが大切である。

加湿に伴う結露や湿潤から体温の低下をきたすことがあるため、衣類や体温調節に配慮する。

ベンチュリー機能付き加湿器

ベンチュリー機能付き加湿器は、Venturi効果（酸素が細い管から噴出してジェット気流になり、周囲の空気を吸い込む）を利用して酸素濃度を調節するとともに、加湿・加温を行う。

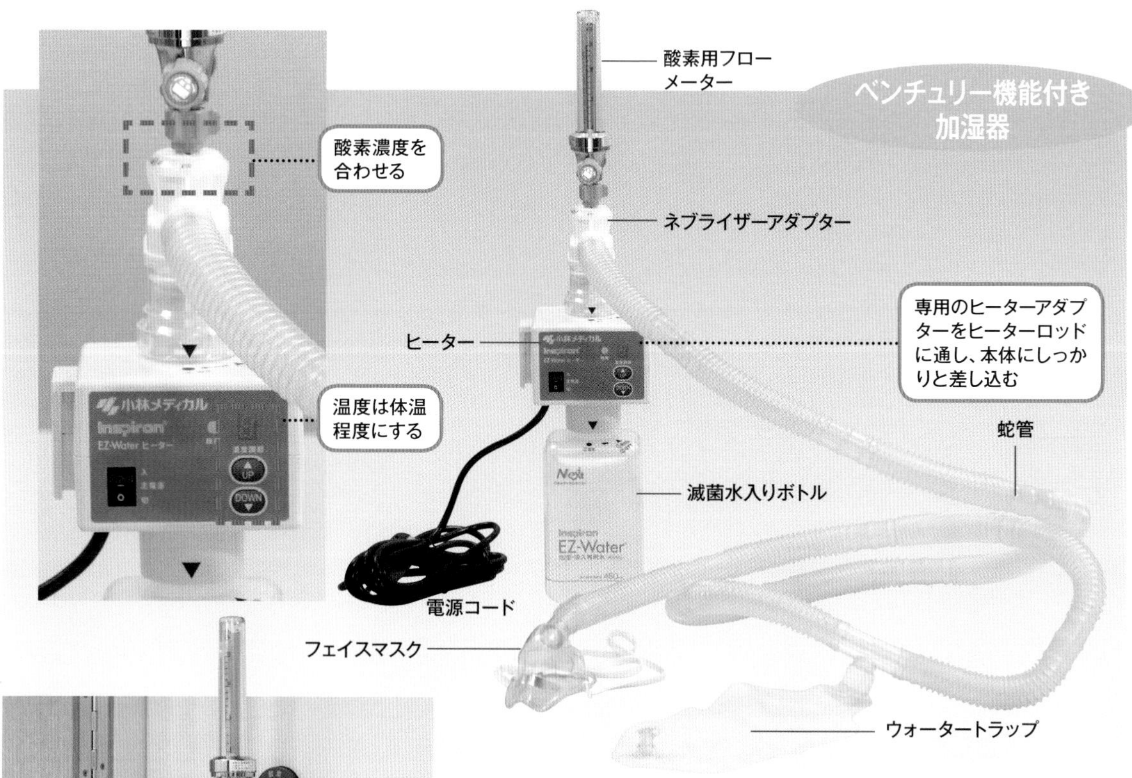

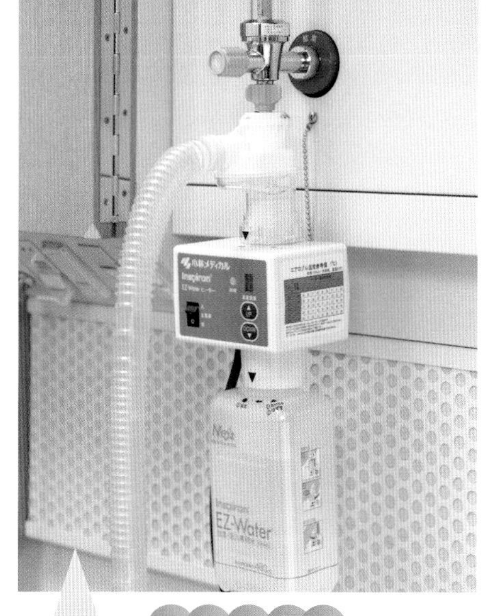

POINT

- 酸素は加湿・加温することで気道内の痰をやわらかくして、喀出をスムーズにする。
- 加湿を高くしすぎると、熱傷や痰を硬くしてしまうため、注意する。

❶ 滅菌水入りボトルに、酸素用フローメーター、ネブライザーアダプター、ヒーターを接続する。
蛇管→ウォータートラップ→蛇管→フェイスマスクの順に接続。
本体の蛇管差込口に接続する。

❷ 酸素用フローメーターを中央配管の差込口に挿入し、酸素を流す。

❸ フェイスマスクを患児に装着し、ウォータートラップの位置、向きに注意して設置する。

POINT

- 水滴が蛇管内にとどまらず、ウォータートラップ内にたまるよう、設置する。
- 蛇管をひもでベッド柵などに固定し、ウォータートラップの下部に水がたまるようにする。

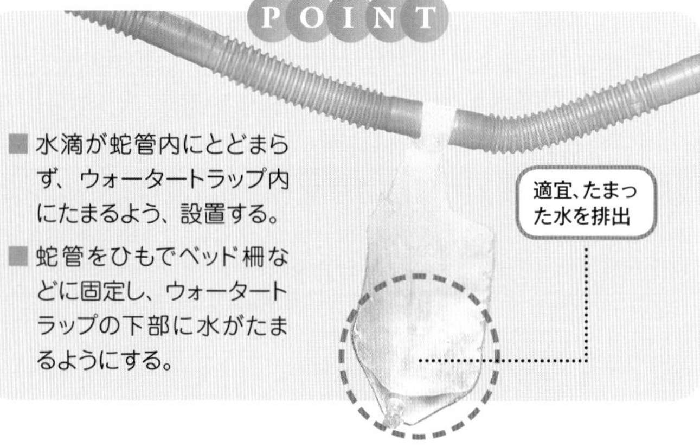

CHAPTER 12 酸素療法

酸素テント・酸素ボックス 12-1

酸素テント、酸素ボックス使用時は、加湿や結露によりシーツや衣類が濡れやすく、また氷も使用するため、低体温を起こさないよう注意する。

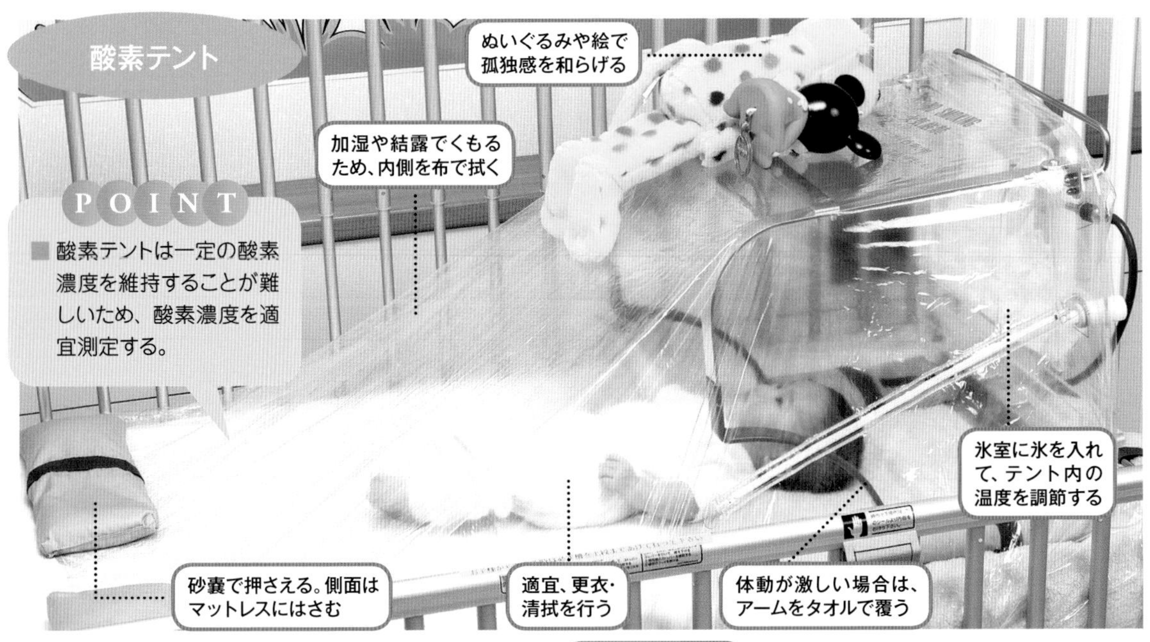

酸素テント
ぬいぐるみや絵で孤独感を和らげる
加湿や結露でくもるため、内側を布で拭く
POINT
酸素テントは一定の酸素濃度を維持することが難しいため、酸素濃度を適宜測定する。
氷室に氷を入れて、テント内の温度を調節する
砂嚢で押さえる。側面はマットレスにはさむ
適宜、更衣・清拭を行う
体動が激しい場合は、アームをタオルで覆う

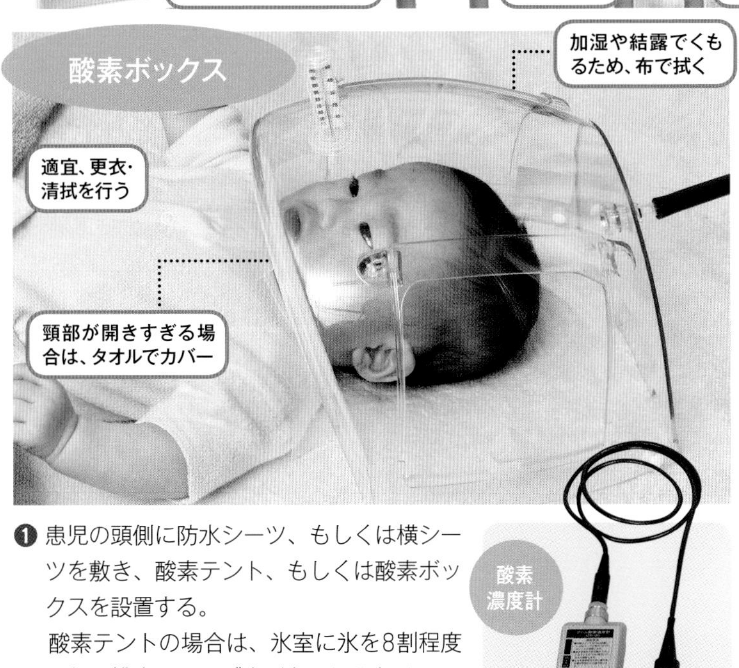

酸素ボックス
加湿や結露でくもるため、布で拭く
適宜、更衣・清拭を行う
頸部が開きすぎる場合は、タオルでカバー

❶ 患児の頭側に防水シーツ、もしくは横シーツを敷き、酸素テント、もしくは酸素ボックスを設置する。
酸素テントの場合は、氷室に氷を8割程度入れ、排水チューブをバケツに入れる。

❷ 酸素流量計･加湿器を中央配管に取り付け、加湿器に酸素接続チューブをつなぐ。

❸ 酸素流量計のバルブを開いて酸素を流し、指示された酸素濃度になってから患児を収容する。

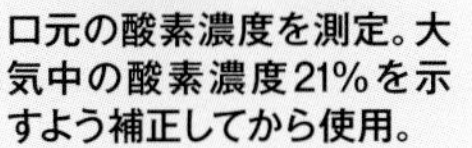

酸素濃度計

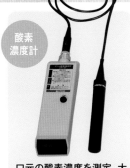

口元の酸素濃度を測定。大気中の酸素濃度21%を示すよう補正してから使用。

POINT

氷と排水用チューブ

- テント・ボックス内の温度が呼気により上昇するのを防ぐため、氷を入れる。多すぎると温度が下がり、低体温をきたすので注意。
- 排水をたまったままにしておくとカビが発生するので、注意。

CHAPTER 13 経管栄養法

小児の栄養に関する特徴

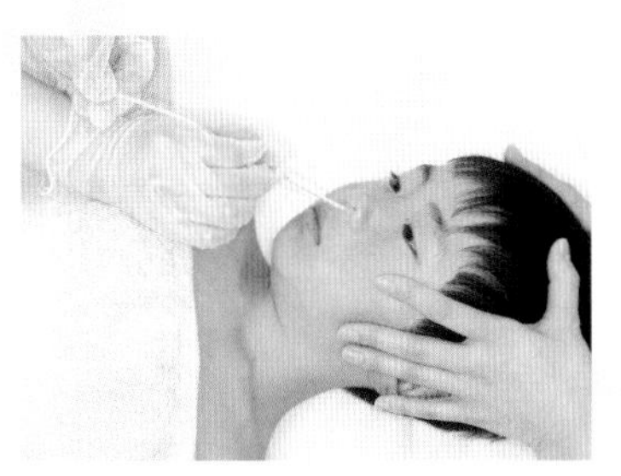

- 小児は代謝と活動のためのエネルギーに加え、成長のためのエネルギーを必要とする。
- 体重当たりの栄養所要量は、成人と比較して月齢が小さいほど大きい。
- 小児は唾液・消化液の分泌や免疫機能が未熟なため、咀嚼機能の発達に合わせたトレーニングが必要である。
- 小児の発達や障害に応じた食事形態を考慮し、必要量のエネルギーを確保する。
- 小児期に、将来にわたる望ましい食習慣を身につける必要がある。
- 家族と食卓を囲み、食事を楽しむ経験が小児の心を豊かにし、安定した発達を促す。

経管栄養の種類

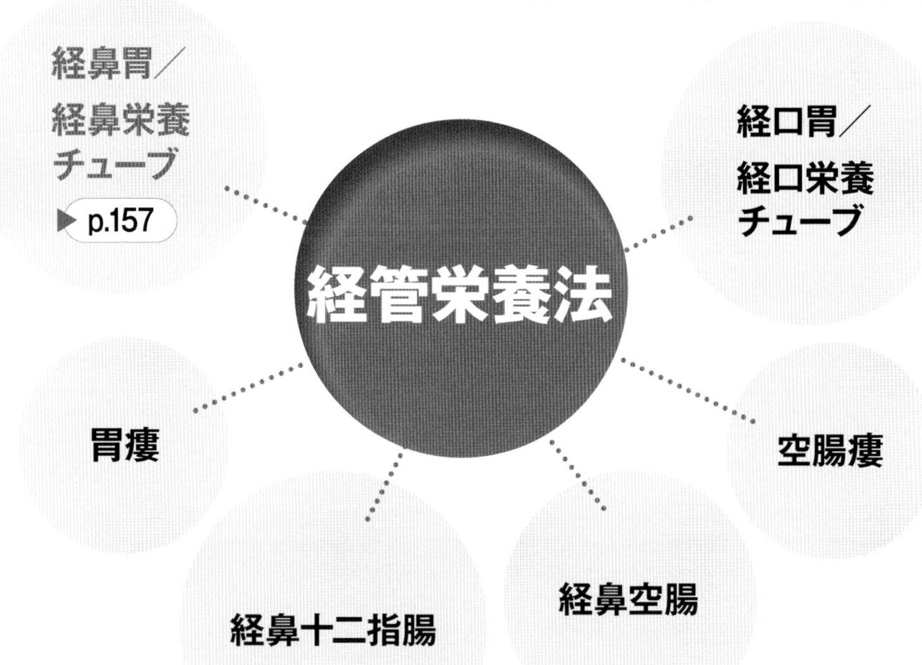

目的

疾患や障害により、経口での栄養摂取が十分にできない小児に対して、流動食をチューブで直接、消化管に注入する。

適応

1. 意識障害や嚥下障害がある場合
2. 上部消化管の手術後
3. 気管挿管中で、鎮静薬や麻酔薬を使用している場合
4. 先天性心疾患などによる衰弱、授乳による疲労が激しい場合
5. 拒食症などにより、食物を拒否している場合
6. 口腔内疾患や口腔の手術後
7. 中枢神経障害(反回神経麻痺)により、誤嚥の危険や逆流障害がある場合
8. 上部消化管の通過障害や奇形のある場合
9. 吸啜、咀嚼、嚥下機能が不十分(口蓋裂・口唇裂・開口障害)である場合
10. 顔面や頸部の外傷、熱傷のある場合

経管栄養のメリット・デメリット

経管栄養法をスムーズに実施するために

経管栄養法をスムーズに、安全に実施するためには、
方法のメリット・デメリットをよく知って、的確に対処する必要がある。

メリット

1. 直接、消化管に届くため、消化吸収がよい。
2. 少量でバランスよく栄養とエネルギーを獲得できる。
3. 流動性に優れ、速度調節がしやすい。
4. 水溶剤などは確実に注入され、治療効果が高く、副作用が少ない。
5. 滅菌管理の必要がないため、在宅で実施しやすい。

デメリット

1. チューブが気道に入ると、誤挿入・誤注入が発生し、重篤な合併症を起こす。
2. チューブや器材、注入液による感染症を起こす場合がある。
3. 小児は絶えず成長しているため、チューブ挿入の位置を常時、確認する必要がある。

栄養法の選択基準

消化管機能の有無が、栄養法選択のポイント

経管栄養（経腸栄養）は、消化管機能が保たれているものの、食物を口から取り入れ、咀嚼・嚥下することができない場合に選択される。
消化管機能が障害されている場合は、静脈栄養を選択することになる。

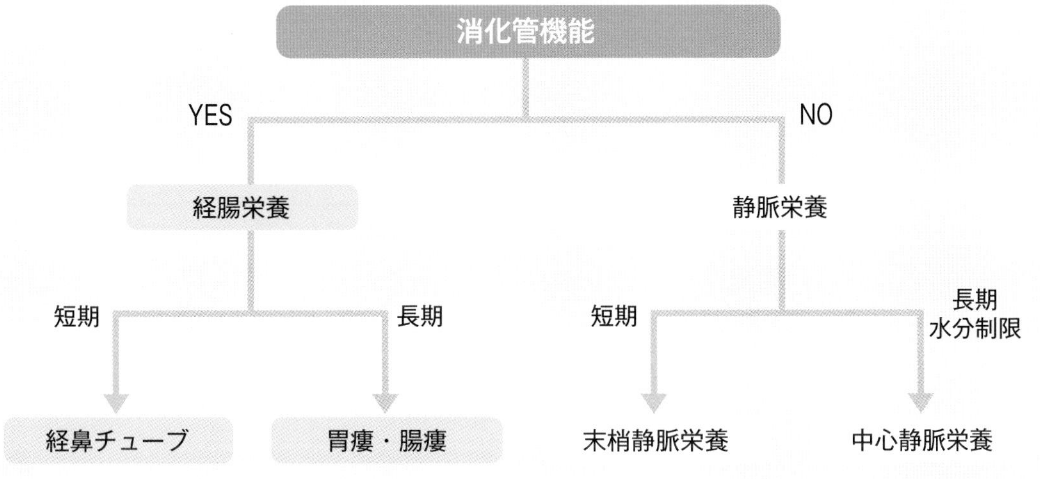

ASPEN（米国静脈経腸栄養学会）抜粋

よく用いられる経管栄養法

経鼻チューブと胃瘻・腸瘻に分けられる

経鼻的にチューブを挿入し、胃・十二指腸・空腸にミルクや栄養剤を注入する方法、または胃瘻や空腸瘻を介して注入する方法が用いられる。

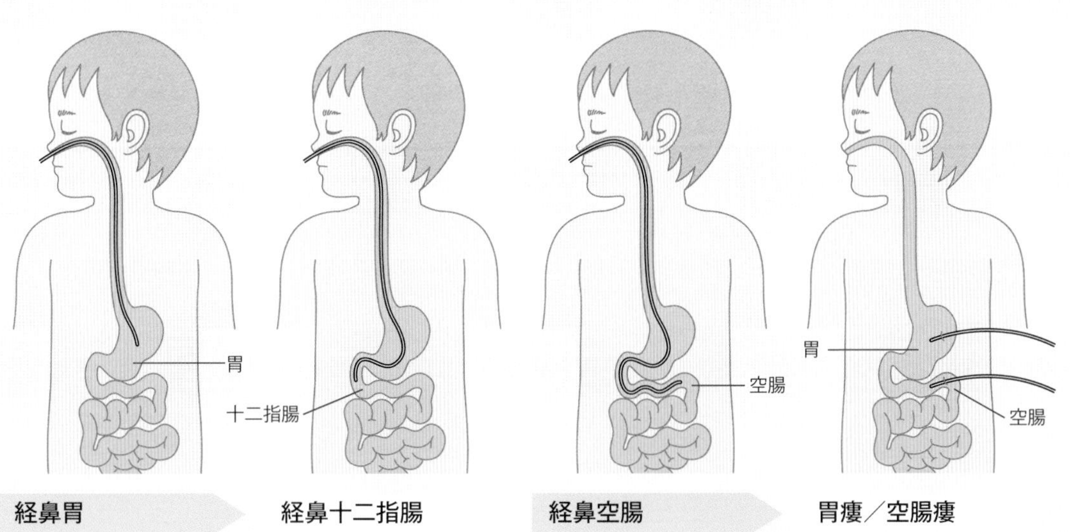

チューブの選択

栄養チューブと排液用チューブの違いに注意！

経鼻的に用いるチューブには、栄養チューブと排液用チューブがある。
栄養剤注入を目的とする場合は、専用の栄養チューブを選択する必要がある。

栄養チューブ・排液用チューブの接続部の形状

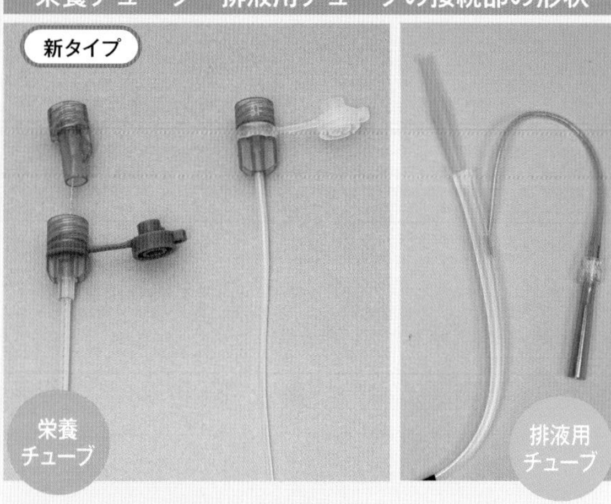

栄養チューブを栄養セットと接続する部分の形状は、さまざまである。輸液ラインとの誤接続の危険性を避けるため、接続部が太口の新タイプを用いるとよい。
また、同様に胃に挿入するチューブであっても、排液用チューブは消化液などの排出を目的とし、材質・構造ともに栄養チューブとは異なる。経管栄養法は栄養剤の注入を目的としており、排液用チューブを代用することなく、専用の栄養チューブを選択する。

経腸栄養製品の変更

経管栄養と点滴ラインの誤接続による事故防止のため、新たなコネクタの国際規格が制定された。旧規格のコネクタから新規格のコネクタへ順次切り替え予定となっている。それに伴い、栄養チューブと栄養セットどちらかが旧規格のものであった場合は、互換用コネクタが使用される。使用に当たっては十分留意が必要である。

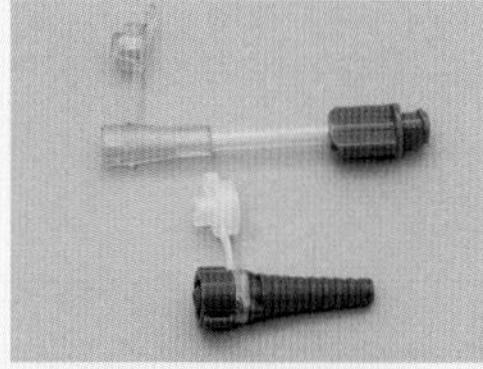
新規格製品と旧規格製品の互換性をもたせる変換コネクタ

コネクタの硬質部分が直接肌に当たることを防ぐコネクタカバー
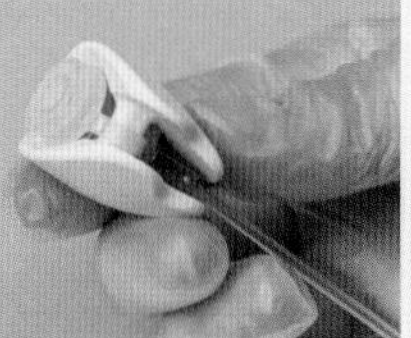

チューブ先端部の形状

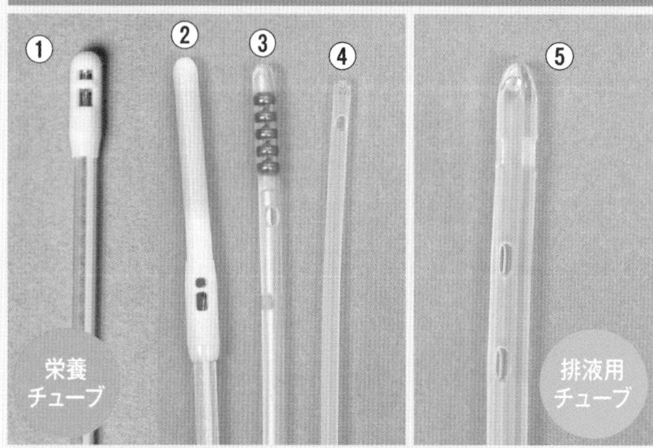

栄養チューブ、排液用チューブの先端部は、それぞれ「注入」「排液」という異なる機能に適した構造を持つ。
① スタイレット付き。注入孔は先端部のみにある。
② X線不透過ラインがある。X線検査で位置を確認し、誤注入を防止できる。
③ 先導子（錘）付き。胃内での収まりがよい。
④ 側孔が単数で、ゆっくり注入できる。
⑤ 側孔が複数あり、排液・排ガスに適している。

経鼻栄養チューブの太さの目安

	経鼻栄養チューブの太さ
未熟児	5Fr
乳児	6～7Fr
幼児	7～10Fr
学童	8～14Fr

POINT

栄養チューブ選択のポイント

- 材質は、ポリウレタン製。
- X線不透過ラインがある。
- 誤接続防止の太口タイプ。

★ 栄養チューブと排液用チューブでは、材質・構造が異なるため、必ず、専用の栄養チューブを用いる。

経鼻栄養チューブの挿入と管理 13-1

経鼻栄養チューブは、正しく胃内に挿入されていることを確認し、
栄養剤の誤注入を防止することが大切である。

PROCESS 1 必要物品の準備（経鼻胃の場合）

POINT
■ 絆創膏はあらかじめ顔の大きさに合わせてカットしておく。

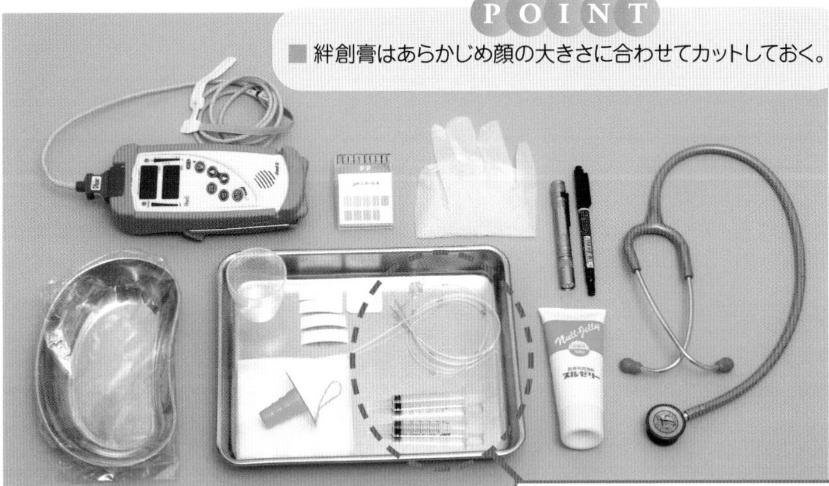

❶ 経鼻栄養チューブ
❷ 潤滑剤
❸ ガーゼ
❹ 絆創膏（仮止め用・固定用）
❺ カテーテルチップシリンジ
❻ 聴診器
❼ ペンライト
❽ 指ガード
❾ 手袋
❿ pH試験紙
⓫ 膿盆
⓬ パルスオキシメーター
⓭ 油性フェルトペン

看護師は手洗いを行い、必要物品を準備。
患児と家族に説明を行う。
患児の体格と状態に合わせたチューブのサイズ、種類を用意する。

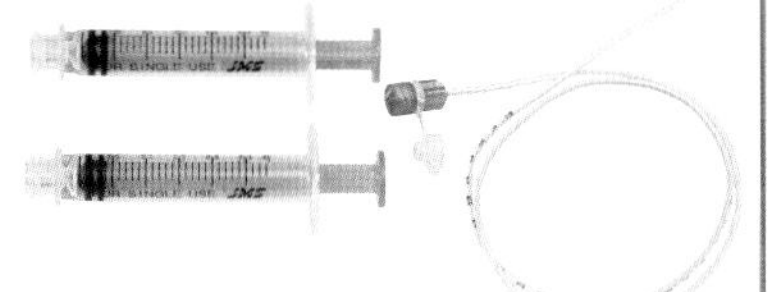

新規格のカテーテルチップシリンジと経鼻栄養チューブ

PROCESS 2 患児の準備

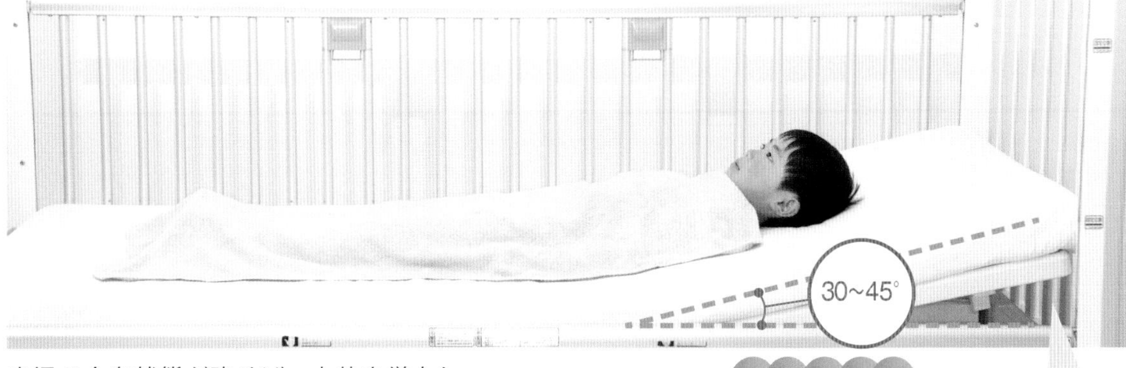

患児の全身状態が許せば、上体を挙上し、30 ～ 45度程度のファウラー位とする。
栄養チューブ挿入時には、挿入する鼻孔と反対側に頸部を回旋するため、実施者は患児が顔を向ける側に立つ。

POINT
左鼻孔からの挿入
■ 食道は、解剖学的に気管に対してわずかに左側に位置しているため、左の鼻孔を選択したほうが挿入しやすい。

PROCESS 3 チューブ挿入の長さを測定

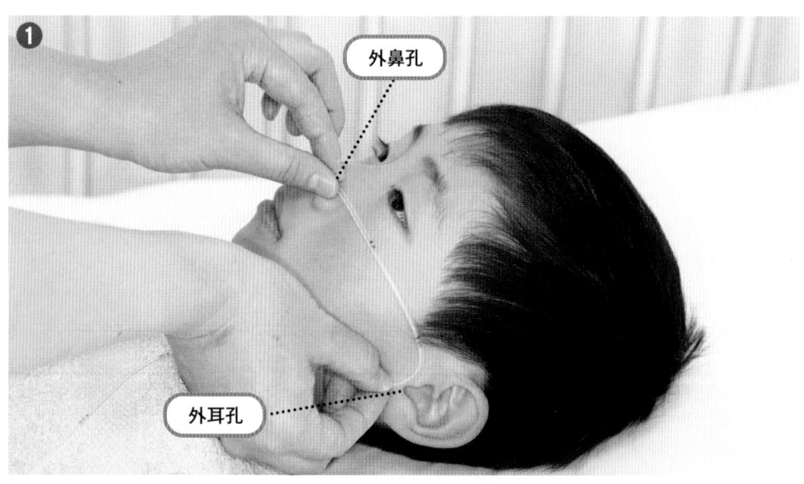

❶ 経鼻栄養チューブ挿入の長さを測定する。
まず、チューブ末端を患児の外鼻孔に置き、頬に沿わせて、外耳孔までたどる。

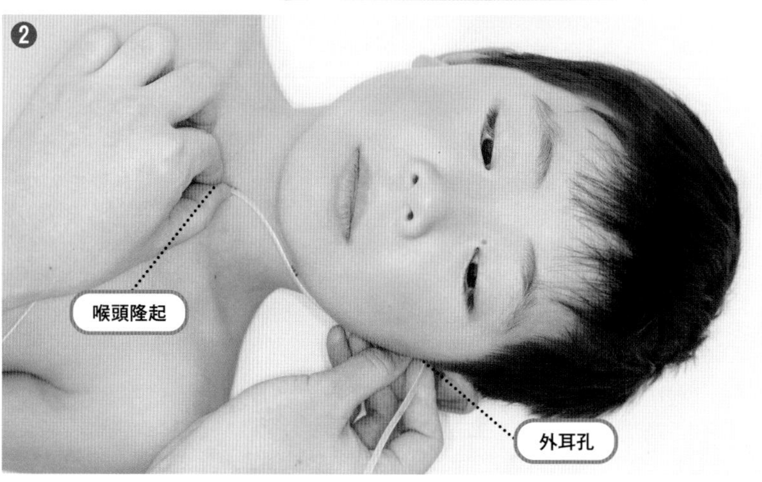

❷ 次に、外耳孔に置いたチューブの位置を動かさずに、患児のあごのラインをたどり、正中線を下って、喉頭隆起にチューブを当てる。

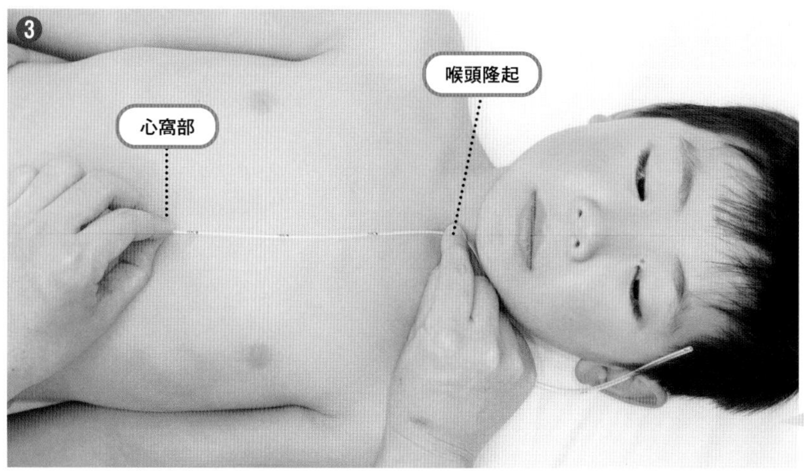

❸ 喉頭隆起に置いたチューブの位置を動かさずに、胸の正中線に沿って下り、心窩部までたどる。
心窩部の位置で、チューブに仮留めテープでマーキングをする。この位置が、チューブを挿入する長さの目安となる。

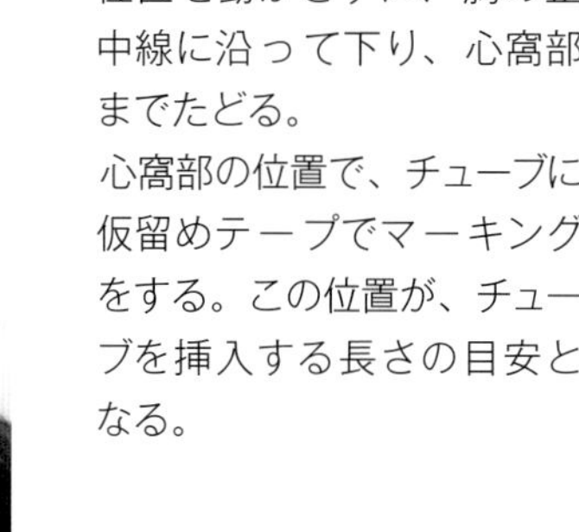
POINT
■小児は日々成長しているため、栄養チューブ挿入の長さは、必ず、事前に測定する。

POINT

チューブ挿入の長さを測定

外鼻孔 → 外耳孔 → 喉頭隆起 → 心窩部 → マーキング

PROCESS 4 経鼻栄養チューブの挿入

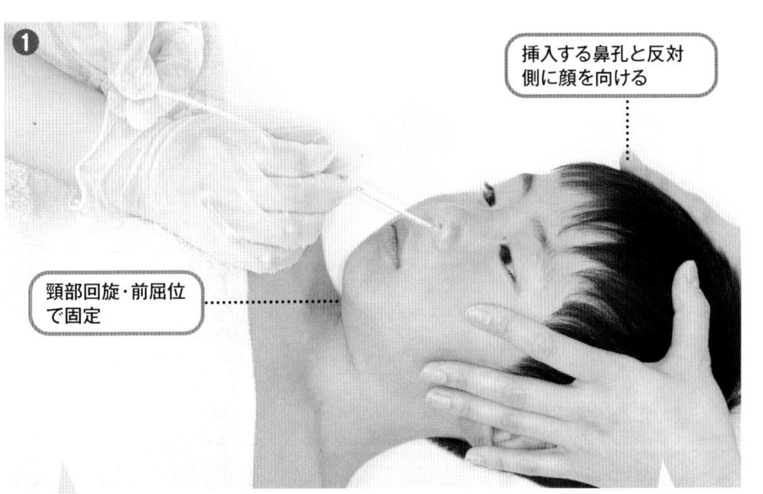

挿入する鼻孔と反対側に顔を向ける
頸部回旋・前屈位で固定

❶ 介助者は患児の顔を、チューブを挿入する鼻孔と反対側に向け、頸部前屈で頭部を固定する。
実施者は、チューブ先端から5cm程度まで潤滑剤を塗り、鼻の彎曲に沿ってチューブを挿入する。咽頭部に達して抵抗を感じたら、ゴックンと唾を飲み込むよう説明し、ゆっくりとチューブを進める。

POINT

安全に挿入するために

- 挿入する鼻孔と反対側に頸部を回旋する。
- 頸部前屈位で固定する。
- 挿入時、せき込んだり、体動が激しい場合は、気管に挿入された可能性があるため、直ちにチューブを抜く。

EVIDENCE

挿入時の頸部回旋・頸部前屈位

- 食物は喉頭の両側にある梨状陥凹という窪みを通って、食道に入る。
- 右側に頸部を回旋すると、左側の梨状陥凹が広がり、左鼻孔から挿入したチューブが通過しやすくなる。
- 頸部前屈位は、咽頭と気管に角度がつき、気管への誤挿入が起こりにくい。

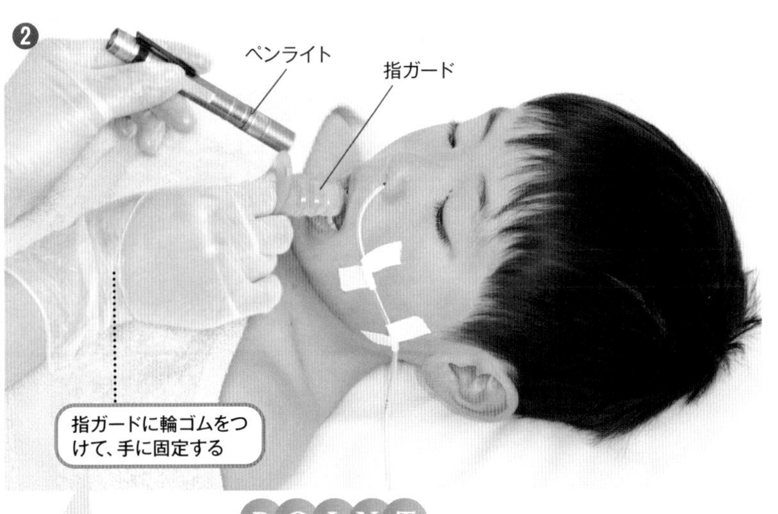

ペンライト
指ガード
指ガードに輪ゴムをつけて、手に固定する

❷ 上咽頭後壁にチューブを挿入し、さらにチューブを進める（上咽頭通過）。チューブを1/3ぐらい挿入したところで、いったん挿入を止め、チューブを仮留めし、口腔内の観察を行う。
指ガードを装着して舌を押さえ、ペンライトで照らして、チューブが口腔内でとぐろを巻いていないこと、咽頭部を交差して走行していないことを確認する。

POINT

口腔内の観察ポイント

- チューブが口腔内でとぐろを巻いていない。
- チューブが咽頭部を交差して走行していない。

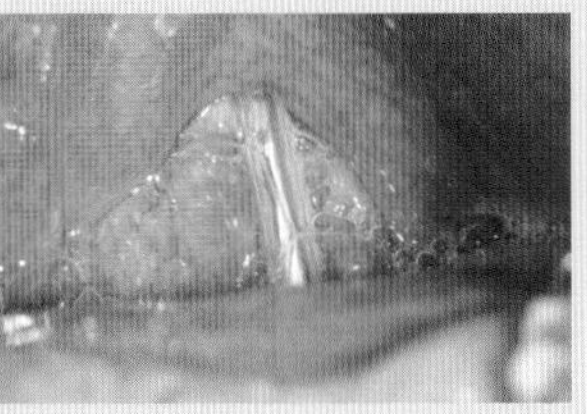

EVIDENCE

チューブの咽頭部交差

- チューブが、挿入した鼻孔と同側の梨状陥凹を通過せず、咽頭部を交差して走行していると、嚥下時に喉頭蓋の閉鎖を妨げる場合があり、誤嚥の誘因となる。

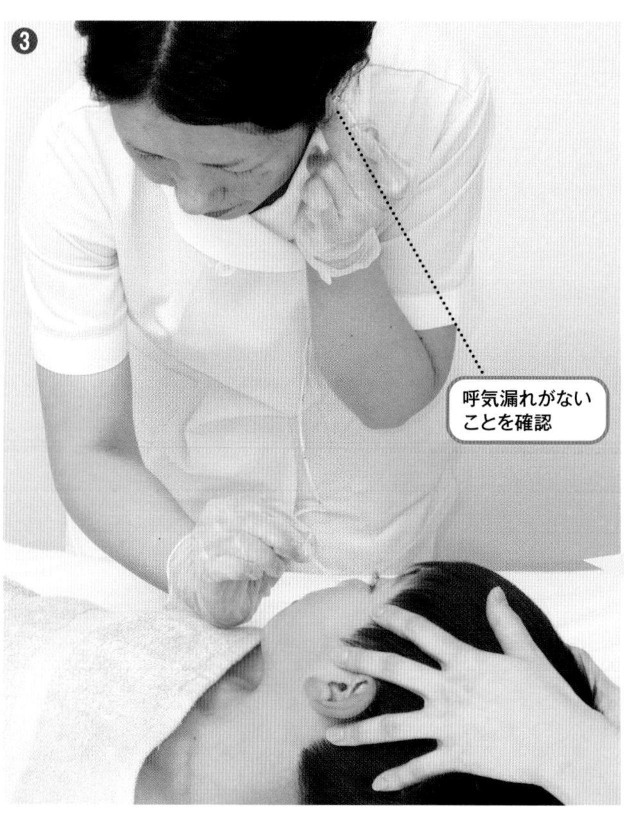

❸ 栄養チューブ末端に耳を近づけ、呼気の漏れがないことを確認。さらに、チューブを測定した長さまで進める。

EVIDENCE

■ チューブ先端が気管に誤挿入されていると、呼気漏れがある。

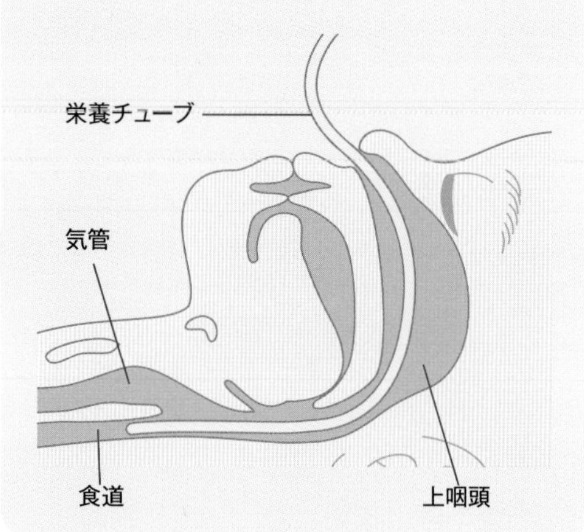

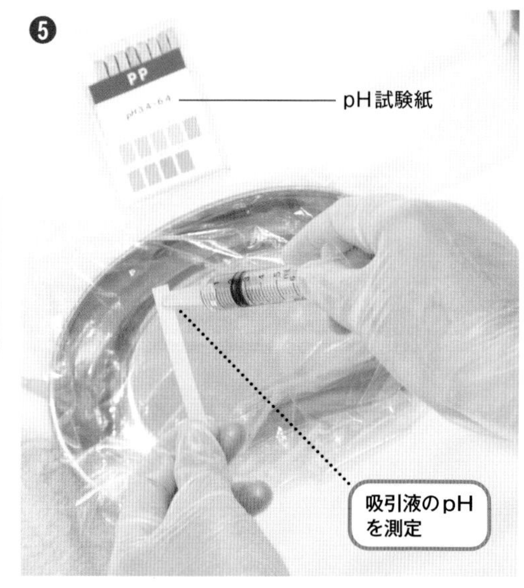

❹❺ チューブをはじめに測定した長さまで挿入したら、先端が胃内にあることを確認する。チューブにカテーテルチップシリンジを接続して吸引し、吸引液の観察とpH試験紙による強酸性の測定を行う。

POINT

吸引液の観察

■ **胃液・唾液**:透明。

■ **胆汁**:黄色、胃で酸化されると緑色。

■ **鮮血**:赤色、時間経過とともに茶色。

■ **気管・気管支分泌物**:粘液性。

吸引液のpH測定

■ **胃液**:強酸性(pH≦5.5)。

■ pHは水素イオン濃度。

アルカリ性 14 ← 7~6 → 0 酸性
中性

■ 制酸薬を服用していると値が高くなるため、胃液の確定にはならない。

チューブ位置のX線撮影

■ 現時点で最も信頼性の高い、チューブ位置の確認法。

■ チューブを仮固定して撮影し、留置位置を確認後にしっかり固定する。

PROCESS 5 経鼻栄養チューブの固定

固定法(1)

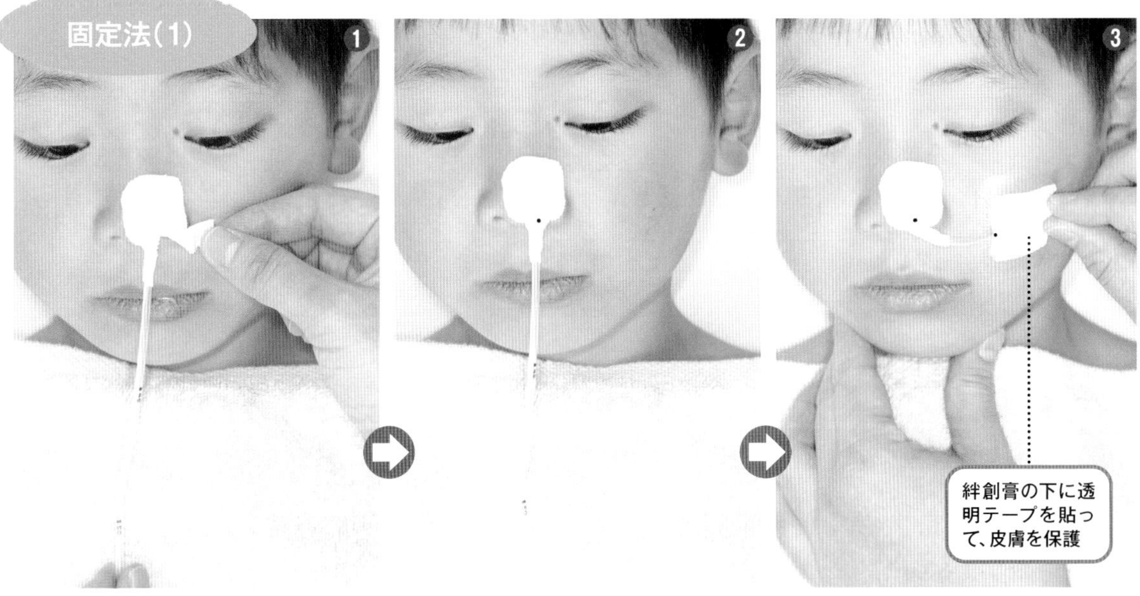

1
2
3
絆創膏の下に透明テープを貼って、皮膚を保護

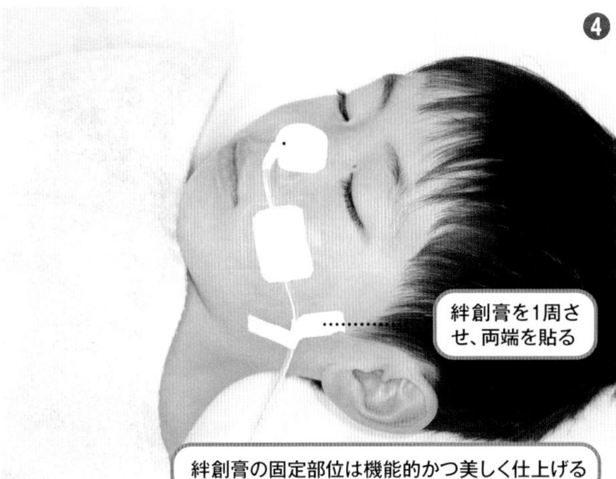

4
絆創膏を1周させ、両端を貼る
絆創膏の固定部位は機能的かつ美しく仕上げる

❶ 鼻孔の位置でチューブにマーキングを行う。角を丸くカットし、切れ込みを入れた絆創膏の基底部を鼻に貼る。切れ込みの片方をチューブに巻き付ける。

❷ 絆創膏の切れ込みのもう片方を、さらにチューブに巻きつける。チューブ位置確認のため、絆創膏の上から鼻孔の位置にマーキングを行う。

❸ チューブを緩やかに曲げ、頬で1箇所固定する。見やすい位置にマーキングを追加する。

❹ 耳の手前で、さらにもう1箇所、絆創膏を巻きつけて固定する。

固定法(2)

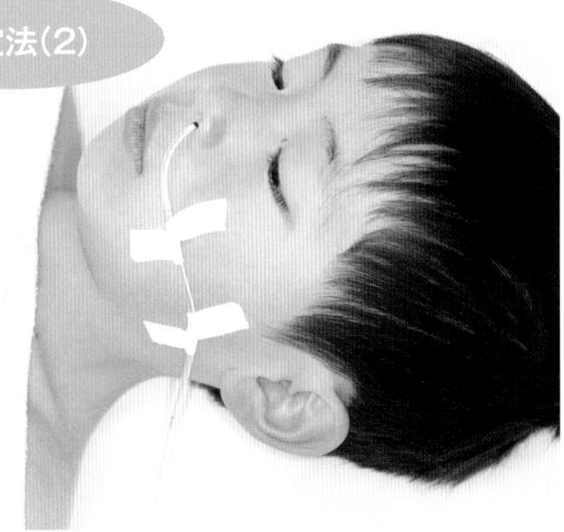

❶ 鼻孔の位置でチューブにマーキングを行う。

❷ チューブを鼻孔から緩やかに曲げて、頬で1箇所、耳の手前で1箇所固定する。

POINT 固定後の観察ポイント

- 鼻孔の位置とマーキング位置が一致しているか?
- 絆創膏による固定が緩んでいないか?
- チューブによる鼻翼の圧迫、絆創膏による皮膚トラブルはないか?

PROCESS 6 ミルク(栄養剤)の注入

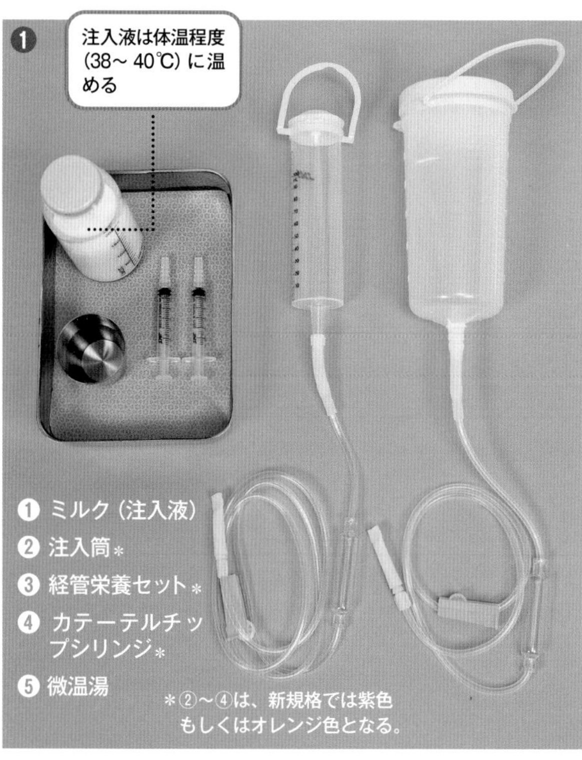

❶ 看護師は手洗いをし、必要物品を準備する。指示された薬剤・栄養剤・ミルクなどの量と濃度、注入時間を確認。注入液を体温程度に温める。患児と家族に説明する。

❷ 鼻孔の位置とマーキングが一致していることを確認。チューブが口腔内でとぐろを巻いていないこと、咽頭で交差していないことを観察、チューブから呼気が漏れていないことを確認する。
さらに内容物を吸引し、pH試験（≦5.5）を行うとともに、胃内の残量をチェックする。

❸ ルートに誤りのないことを確認。チューブを屈曲して閉鎖し、キャップを外して経管栄養セットを接続後、指を離して開放する。

POINT

- 栄養チューブを鼻からたどって、ルートに誤りのないことを確認。
- 患児には「食事を始めます」とひと声かけて、ミルク(栄養剤)を注入する。
- 意識障害・嚥下障害がある場合、鎮静中の場合は、注入前にパルスオキシメーターを装着。

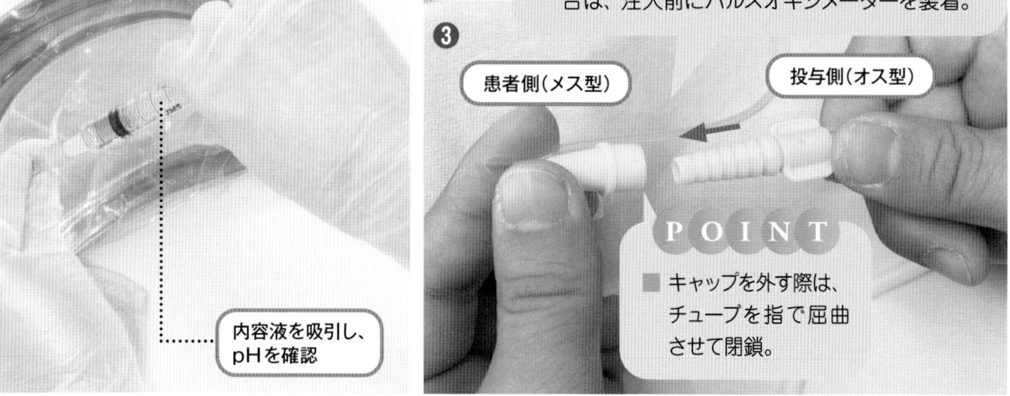

POINT

- キャップを外す際は、チューブを指で屈曲させて閉鎖。

POINT

注入直前の確認

① マーキング位置
② 口腔内・咽頭の観察
③ チューブからの呼気の有無
④ 吸引液のpH試験
＊ チューブの抜けが疑われるときは、医師に報告し、注入は行わない。

CHECK!

新規格のコネクタの形状

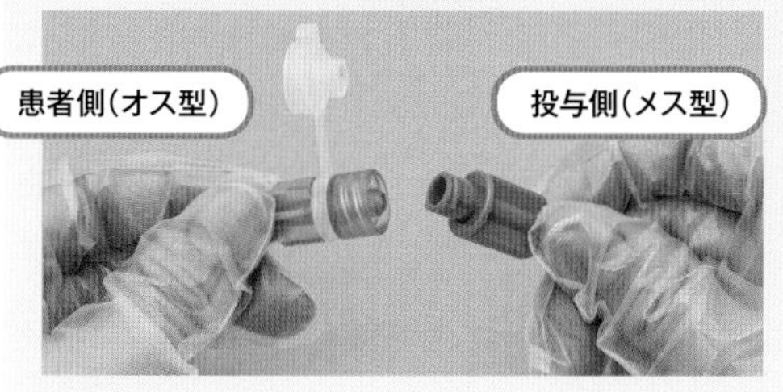

新規格のコネクタの場合は、投与側と患者側でオス型とメス型が逆になる。

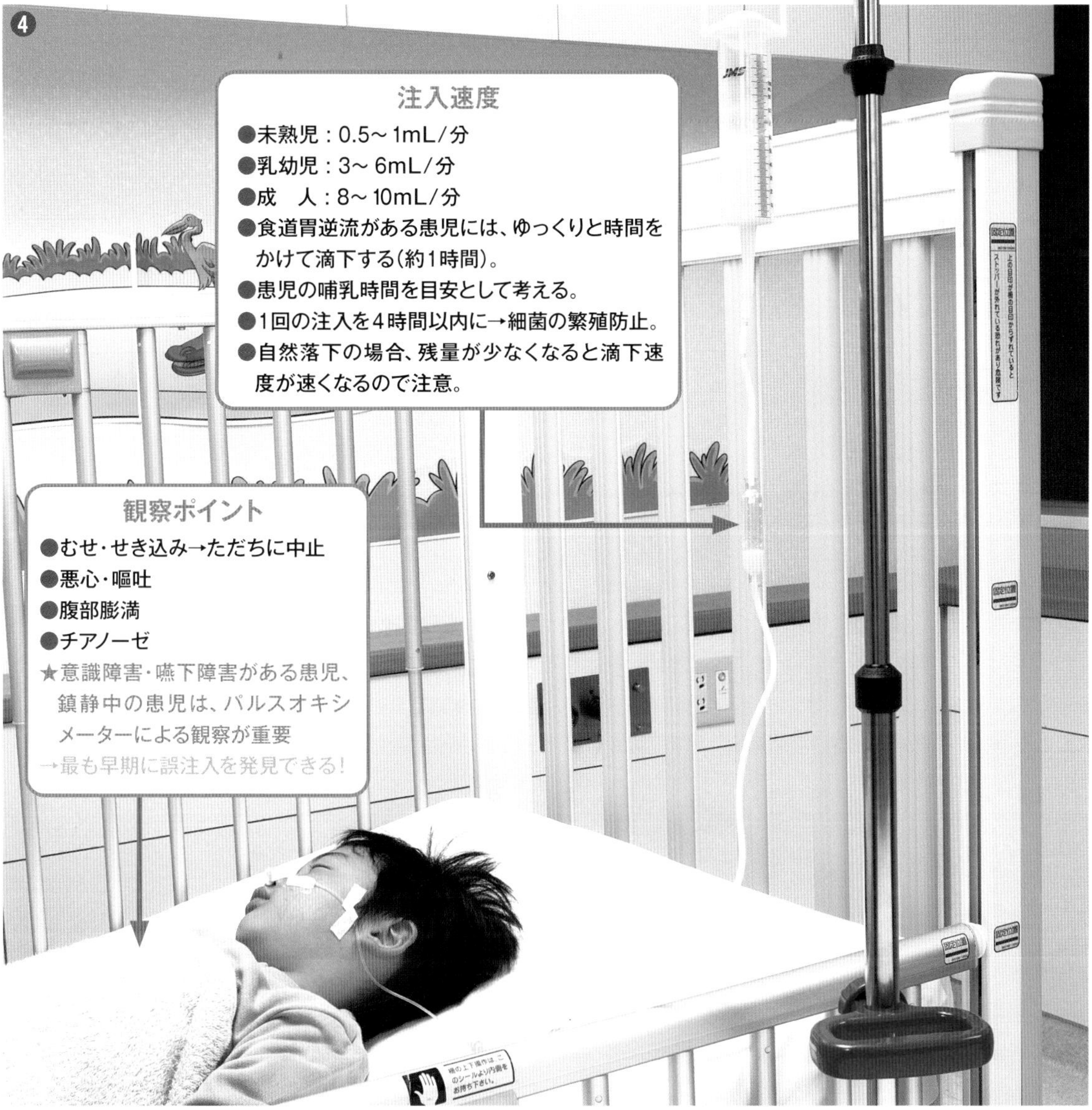

4

注入速度

- 未熟児：0.5～1mL/分
- 乳幼児：3～6mL/分
- 成　人：8～10mL/分
- 食道胃逆流がある患児には、ゆっくりと時間をかけて滴下する(約1時間)。
- 患児の哺乳時間を目安として考える。
- 1回の注入を4時間以内に→細菌の繁殖防止。
- 自然落下の場合、残量が少なくなると滴下速度が速くなるので注意。

観察ポイント

- むせ・せき込み→ただちに中止
- 悪心・嘔吐
- 腹部膨満
- チアノーゼ

★意識障害・嚥下障害がある患児、鎮静中の患児は、パルスオキシメーターによる観察が重要
→最も早期に誤注入を発見できる！

4 ベッド頭部の角度を45度程度に挙上し、ゆっくりと注入を開始する。
注入速度は、注入液の条件と種類によって調整が必要である。ミルクや水分は消化吸収されやすいが、高カロリー・高蛋白の栄養剤はゆっくり注入する必要がある。
注入中はせき込み、悪心・嘔吐、腹部膨満、チアノーゼなどを観察。むせやせき込みがある場合、腹部膨満が強まる場合は、注入を中止する。
注入方法には、自然落下とポンプを使用する場合がある。微量で持続的に注入する場合、専用ポンプを使用する。

注入終了後の処置

注入終了後は、胃チューブの長さの分量の微温湯を注入。さらに、空気を注入して、チューブ内の水分を排出してからチューブを抜去する。
チューブを留置する場合は、接続部のキャップを閉め、不潔にならないようガーゼで包む。
患児にうがいを勧める。注入した注入液の種類、量、所要時間、胃残量を記録する。

CHAPTER 14 吸入

小児における吸入の意義

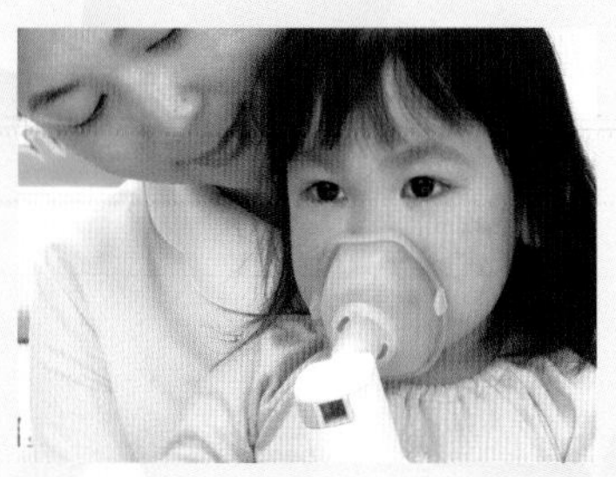

- 小児は呼吸機能・免疫機能が未熟なため、呼吸器疾患にかかりやすい。
- 小児は気道が狭いため、分泌物が詰まりやすく、排出しにくい。薬剤の吸入により、短時間で気管支を拡張したり、気道の炎症を抑えることが期待できる。
- 吸入は気道粘膜に直接噴霧するため、薬剤を確実に、効率よく到達させることができる。
- 吸入時は、小児の年齢、重症度、コンプライアンスによって、使用する薬剤や吸入器材を選択する。
- 吸入にステロイド薬を使用する場合は、吸入後、必ず、うがいをする。

吸入の種類

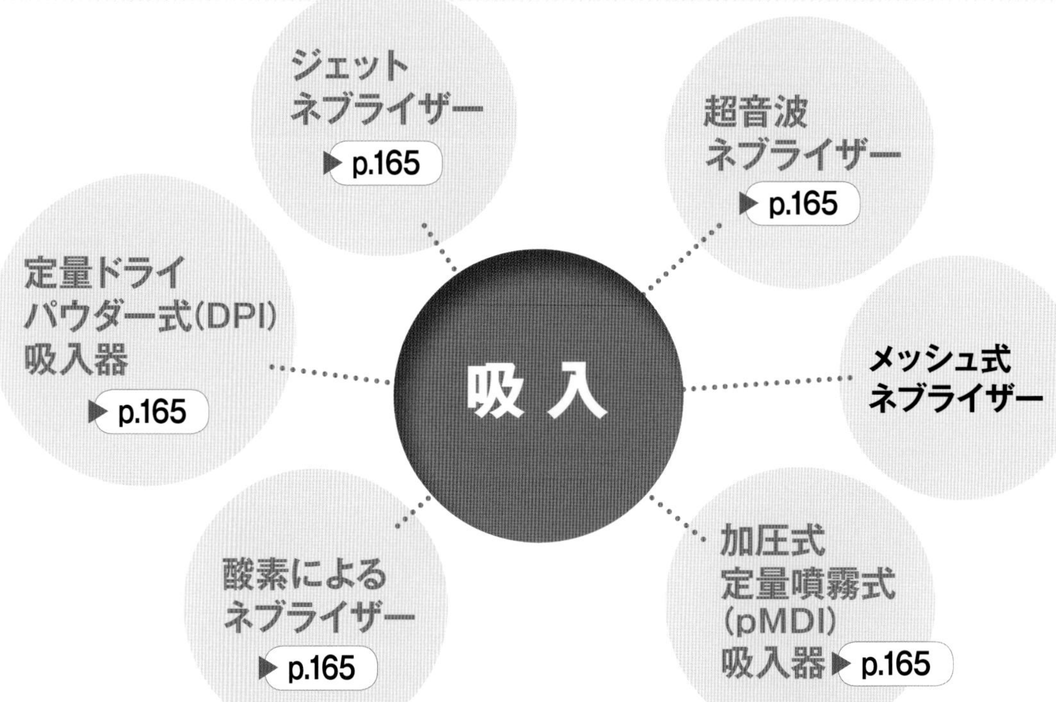

吸入器具の種類

吸入器具には、ネブライザーと定量吸入器がある

ネブライザーや定量吸入器は、水分・薬剤を霧状に噴霧して気道に付着させ、気道壁が分泌物を排除する働きを促す。さらに分泌物の粘稠度を弱め、痰を排出しやすくする。種類により発生する粒子の大きさが異なり、粒子が小さいほど末梢の気道（肺胞）への到達度が高い。

ジェットネブライザー　粒子：5μm程度

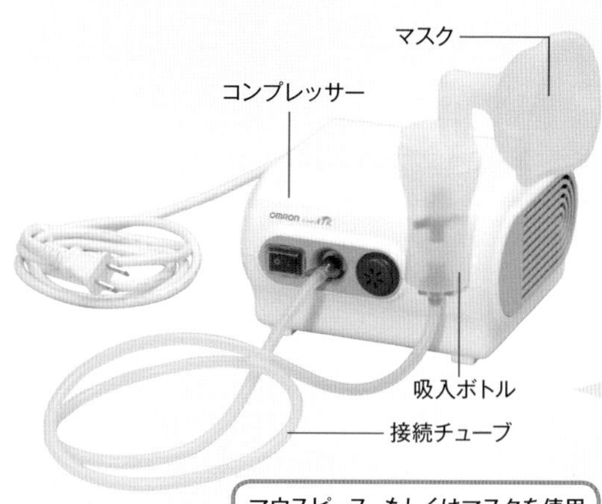

加圧により、空気がジェット気流となり、薬剤が毛細管現象によって吸い上げられる。水分・薬剤は5μm程度の粒子として、気道に吸入される。コンプレッサーに接続チューブをつなぎ、吸入ボトル、マウスピースもしくはマスクを接続して用いる。

POINT

酸素によるネブライザー

- 吸入ボトルを接続チューブ、流量計を介して中央配管の酸素口に接続し、酸素を5～8L使用することで加圧され、コンプレッサーを使用せずに吸入ができる。

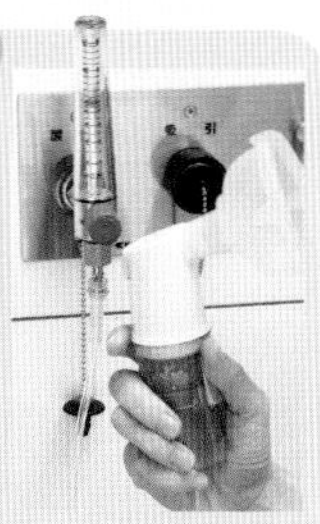

超音波ネブライザー　粒子：1～5μm程度

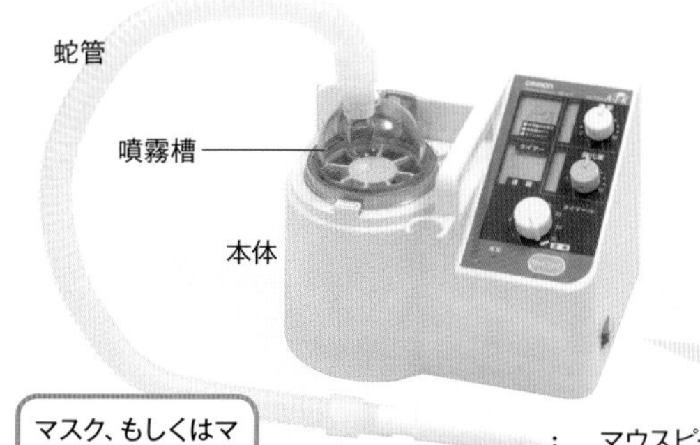

水や薬液に超音波振動を与えることで、1～5μmの小さな粒子になり、細気管支から肺胞に達する。ただし、2μm未満の粒子は、肺胞に達しても小さすぎて呼出されてしまうことが多い。

粒子が細かいため加湿に適しているが、長時間の吸入により、肺胞への過剰投与やバクテリアの吸入が起こる。

POINT

- 本体・付属器具、水などの清潔管理に留意。定期的な洗浄・交換を行う。

定量ドライパウダー式吸入器　学童以上に使用

カプセルに入った粉末状の薬剤をセットし、マウスピースをくわえて吸い込む。吸入後は可能な限り息を止め、吸入器から口を離して息を吐く。ステロイド薬の吸入後は、必ずうがいをする。吸気力が必要なため、学童以上に使用。

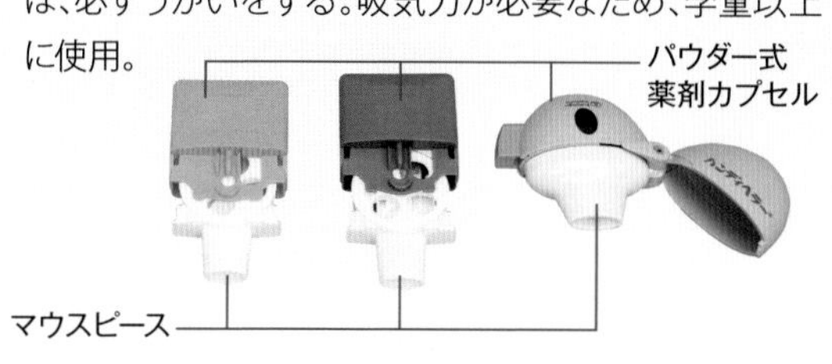

加圧式定量噴霧式吸入器　マスク式なら乳幼児でも使用可

薬剤をセットし、ノズルを押すと一定量の薬が噴霧でき、タイミングを合わせなくとも、ゆっくり普通の呼吸リズムで吸入できる。マスク式のスペーサーを使用することで、乳幼児でも使用可能。

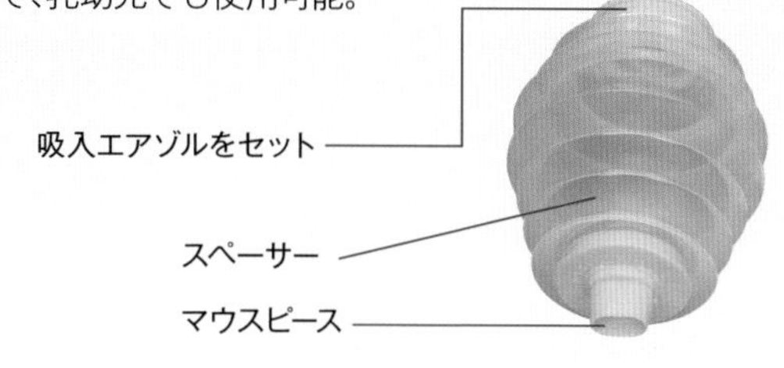

ジェットネブライザーによる吸入

ジェットネブライザーによる吸入は、
薬液を気管・気管支に噴霧するために行われる。
薬剤を正確に計量し、絵本を読むなどして不安を和らげ、
呼吸状態・全身状態を観察しながら実施する。

目的　薬液を気管・気管支に噴霧することにより、分泌物の喀出を促進し、気管支拡張、喉頭の消炎、鎮咳などを図る。

適応　気管支の分泌物が多く、呼吸が妨げられている幼児

PROCESS 1 必要物品の準備と確認

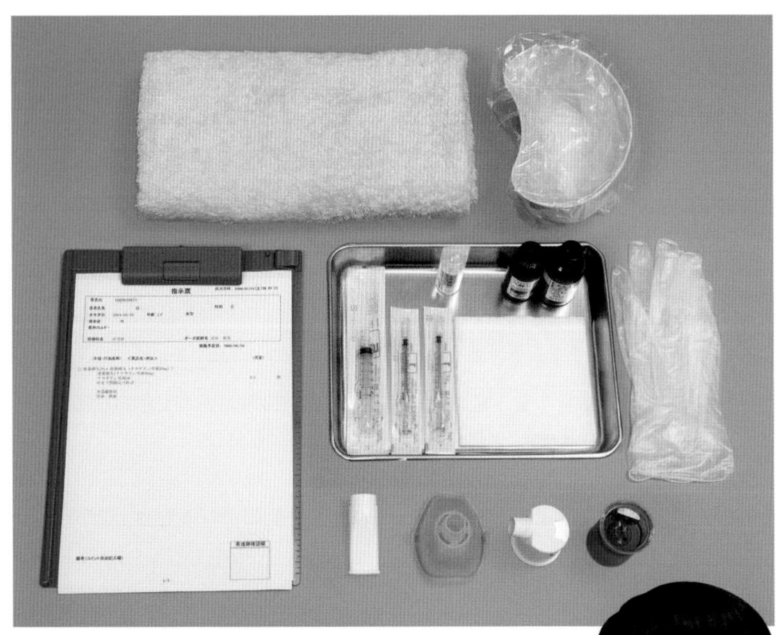

手洗いを行い、必要物品を準備する。ジェットネブライザーが正常に作動することを確認しておく。

❶ コンプレッサー・接続チューブ・吸入ボトル
❷ マウスピース/マスク
❸ 指示箋
❹ 薬剤
❺ 注入器
❻ ガーグルベースン
❼ ガーゼ/タオル
❽ 手袋
❾ 聴診器

POINT

マウスピース、マスクの選択

- マウスピース、マスクの型やサイズは、患児の発達に合ったものを選択する。
- プラスチック製が、安全上望ましい。
- 写真のように、キャラクターのついた製品も発売されている。

PROCESS 2 薬液の吸い上げ

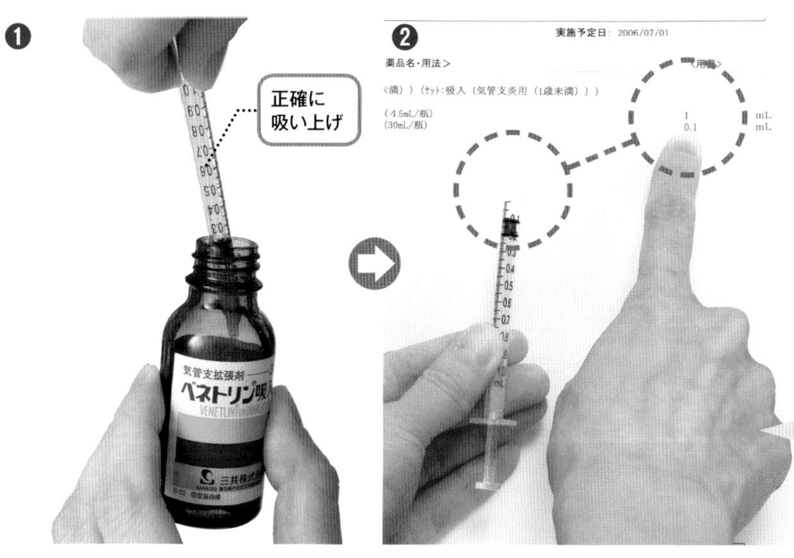

❶❷ 指示された薬剤を注入器で吸い上げ、指示箋と指差しで照合する。
吸入薬には気管支拡張薬が使用されることが多いため、確実な用量を計量する。

POINT

- 指示量の単位を間違えないよう、確認する。
- 注射用注射器の使用は禁物！ 誤って輸液ラインに接続する危険がある。

PROCESS 3 吸入の実施

❶❷ ネブライザーの電源を入れ、ベッドサイドに準備。患児と家族に説明を行い、呼吸音を聴診する。
吸入ボトルと接続チューブ、マスク（マウスピース）をつなぐ。患児を腰かけさせ、ゆっくりと腹式呼吸で吸入することを説明。スイッチを入れ、吸入を開始する。

POINT

- 器械の音を患児がこわがることがないよう、「どんな音かなー？ジェット機の音かなー？」と興味を持たせる。
- ネブライザーの噴霧状況を確認する。
- 絵本を読むなどして、患児の緊張を和らげ、リラックスできるよう環境を整える。
- 自分で分泌物を排出できない場合は、吸引を実施する。

❸

❸ 介助者は、患児の腹部に手を当て、吸気時にお腹を膨らませるよう指導する。ゆっくりと腹式呼吸で吸入させる。口腔内に貯留した唾液・痰・薬液は、飲み込まないようガーグルベースンに吐き出させる。
吸入時間は10分程度を目安とする。

POINT

吸入時の注意点

- 脈拍・呼吸状態・顔色・咳の有無、悪心・嘔吐、喘鳴などを観察する。
- 抱く場合は、患児の腹部を圧迫しないよう注意。
- 上手にできていることをほめる。
- 吸入時間の目安を伝えて、励ます。
- 薬液の噴霧がなくなっても、液が残っていることがあるため、吸入ボトルを振って残薬を噴霧させる。

POINT

吸入終了後の留意点

- 実施後は呼吸音を聴取し、吸入前の状態と比較する。
- 聴診をして、痰の貯留の有無や部位を確認。必要により、タッピングなどで排痰を促す。
- うがいをして、不快感を和らげる。
- 患児を安楽な体位で休ませる。

CHECK!

粒子の大きさと到達部位

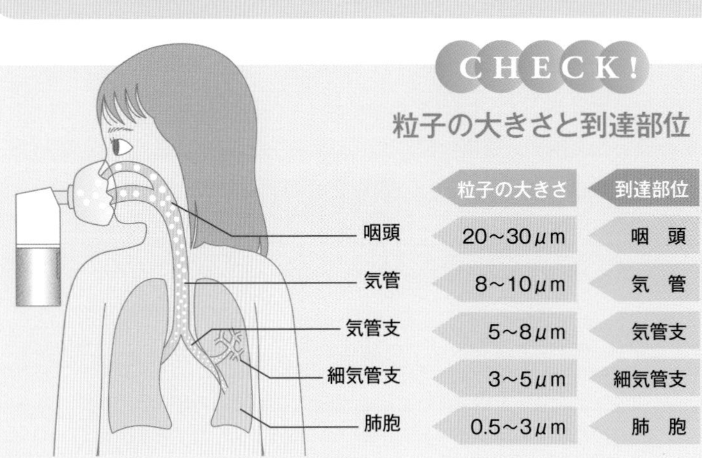

粒子の大きさ	到達部位
20～30μm	咽　頭
8～10μm	気　管
5～8μm	気管支
3～5μm	細気管支
0.5～3μm	肺　胞

ネブライザーの種類により、水分・薬剤の粒子の大きさが異なり、気道内の主な到達部位が異なる。咽頭→気管→気管支→細気管支→肺胞と、粒子の大きさが小さくなるほど、気道の深部に到達する。

＊国元文生:吸入療法の種類,呼吸管理 専門医にきく最新の臨床. 中外医学社,2003, p.118より数値を引用

CHAPTER 15

吸引

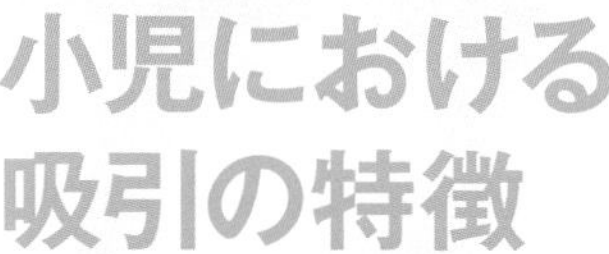

小児における吸引の特徴

- 吸引は苦痛を伴う処置であるため、事前に小児の理解力に応じた説明を行い、協力を確認する。
- 小児は鼻腔・口腔・気道内径が成人よりも狭いため、浮腫や分泌物の貯留、狭窄、閉塞を起こしやすい。
- 分泌物の粘稠性が高い場合は事前に吸入を行い、痰を柔らかくする。
- 吸引前は聴診により痰の位置を確認し、体位ドレナージや呼吸理学療法などを併用する。
- 小児は気道が狭く、吸引時に十分な呼吸ができないため、必要に応じて酸素吸入の準備をする。
- 分泌物や異物の吸引では、吸引圧・吸引時間の検討が重要であり、迷走神経の刺激による徐脈・不整脈に注意する。

吸引の種類

吸引

- 口腔・咽頭内 ▶p.170
- 鼻腔内 ▶p.170
- 吸引カテーテル法 ▶p.171
- 鼻腔管法 ▶p.174
- 胃内
- 気管内 ▶p.175
- 胸腔内

口鼻腔吸引 15-1

小児は上気道が狭く、また、自分の力で鼻汁や分泌物を排出することができないため、閉塞を起こしやすい。
呼吸困難の予防、呼吸の安楽を図るため、口鼻腔吸引を実施する。

目的 気道分泌物などを吸引し、呼吸困難の予防、呼吸の安楽を図る。

種類 吸引カテーテル法、鼻腔管法

吸引時の留意点

小児の鼻腔粘膜・気道粘膜は傷つきやすいので慎重に！

■吸引は、小児に苦痛や恐怖を与える処置である。事前に小児と家族に説明し、同意を得る必要がある。
一時的に、必要最小限の身体の抑制を行う場合があることも説明し、理解を得る。

■口鼻腔吸引は、清潔操作で行う。気管内吸引は、無菌操作で行う。

■吸引時は以下の点に留意する。
1. 小児の鼻腔粘膜・気道粘膜は柔らかく傷つきやすいため、慎重な吸引操作が必要である。
2. カテーテル挿入は吸気に合わせて行う。
3. 苦しくなったときは手を握るなどの合図を決めておく。
4. 聴診により分泌物の有無や呼吸音・呼吸状態を確認しておく。

■小児の口鼻腔吸引は、吸引圧40kPa以下で行う。ただし、吸引圧は分泌物の固さ、カテーテルの太さによって大きく異なる。

■吸引圧の単位はmmHgとPaに表示が混在している。
安全な吸引圧は80～120mmHgとされているが、分泌物の状態や手技によって変化する。

(1mmHg=133.32Pa)

口鼻腔吸引のカテーテルサイズと吸引圧の目安

	カテーテルサイズ(Fr)	内径(mm)	吸引圧(mmHg)	吸引圧(kPa)
新生児	5～7	1.5～2.5	90	12
乳幼児	7～10	2.5～3.5	100～200	13～26
学童	10～12	3.5～4.0	200～300	26～40
成人	12～14	4.0～	200～300	26～40

PROCESS 1 必要物品の準備と説明

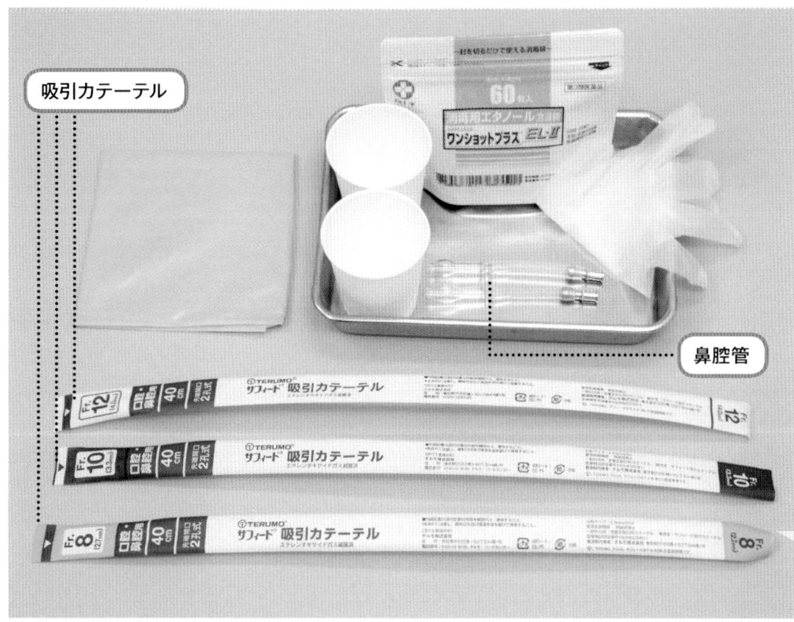

必要物品を準備し、患児と家族に説明を行う。
吸引カテーテルは患児に合ったサイズを用意する。
実施者は、手洗いを行い、手袋を装着する。

❶ 吸引カテーテル（8Fr・10 Fr・12Fr）/鼻腔管
❷ 水　❸ 紙コップ
❹ アルコール綿
❺ 手袋　❻ 聴診器
❼ プラスチックエプロン

POINT

■ 鼻汁を吸引する場合は、鼻腔管を用いる。

PROCESS 2 吸引カテーテル法の実施

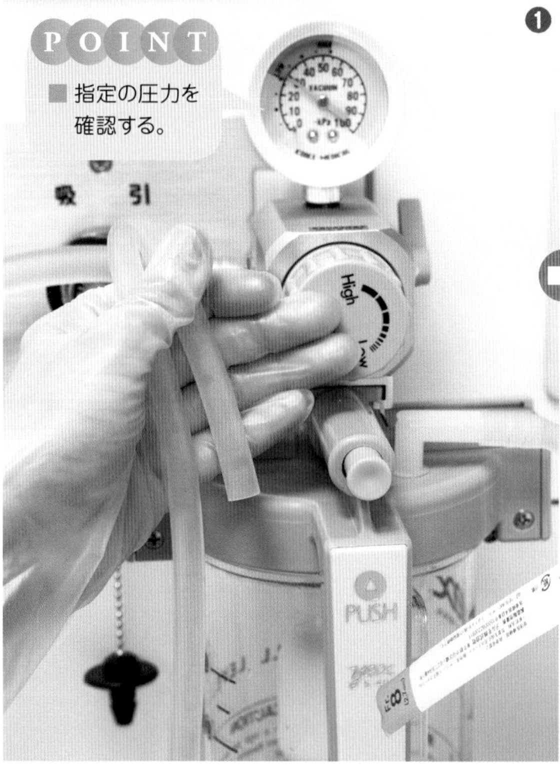

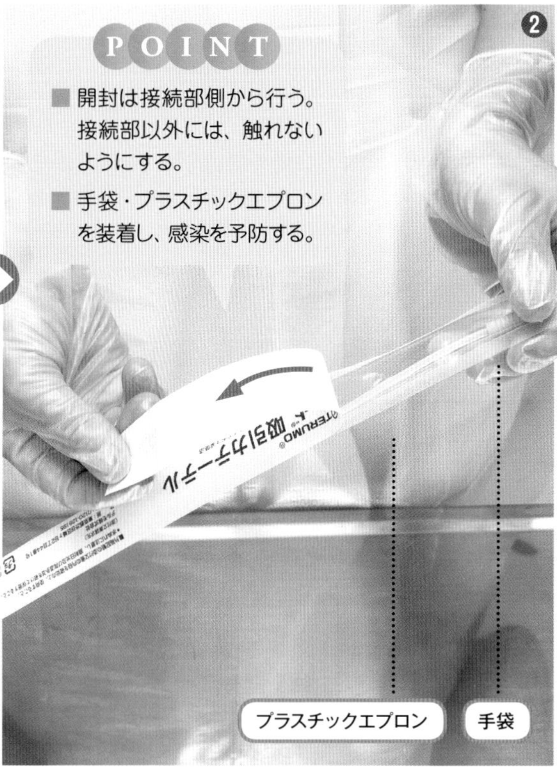

POINT

■ 指定の圧力を確認する。

POINT

■ 開封は接続部側から行う。接続部以外には、触れないようにする。
■ 手袋・プラスチックエプロンを装着し、感染を予防する。

プラスチックエプロン　手袋

❶ 吸引器をONにし、チューブを折り曲げて指定の圧力（20 ～ 40kPa）があることを確認する。

❷ 吸引カテーテルを接続部側から開封する。

❸ 吸引器のチューブと吸引カテーテルをしっかりと接続する。

POINT

■ 脱落しないよう、しっかりと接続!

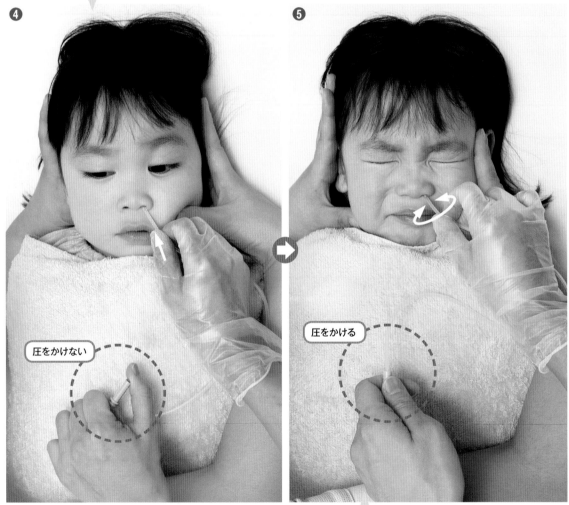

POINT

■ 半坐位や抱っこで、動かないよう固定。

■ 泣いているとき、体動が激しいときは無理に挿入せず、しばらく待つ。

■ 粘膜を傷つけないよう注意。

❹

圧をかけない

❺

圧をかける

❹❺ 介助者は、患児の頭部・顔を両手で固定する。実施者は、患児に声をかけ、吸引カテーテルを指で折り曲げて圧をかけずに、鼻腔に挿入する。

分泌物の手ごたえがある場合は、そこにとどまり、圧をかけて吸引する。吸引の持続時間は、10秒以内とする。

口腔内吸引も同様に行う。口腔内吸引時は、口蓋垂を刺激しないよう注意する。

POINT

■ カテーテルの吸引孔は側面にもあるため、指でこするように回しながら吸引する。

■ 分泌物が多い場合は、挿入時から低圧で吸引する方法もある。

吸引孔

CHECK!

スムーズに吸引を実施するには

手短かに実施する

必要物品を漏れなく準備し、手短かに実施するよう配慮する。

吸引音をこわがらせないために

吸引器をスイッチONにした後は、「ジェット機の音かな?」などと声をかけ、患児がこわがることがないよう、一緒に吸引音を聞いてみる。

動かないよう固定

半坐位、抱っこなどで、吸引時に患児が動かないよう固定する。患児が暴れるような場合は、バスタオルでくるんで抑制する。

泣いているときは…

泣いているときは、落ち着くのを待つ。無理に施行すると、カテーテルで粘膜を傷つける場合がある。

PROCESS 3 カテーテルの後始末(乾燥法の場合)

❶❷ アルコール綿でカテーテル表面を拭き、水を吸引して内腔を洗浄する。

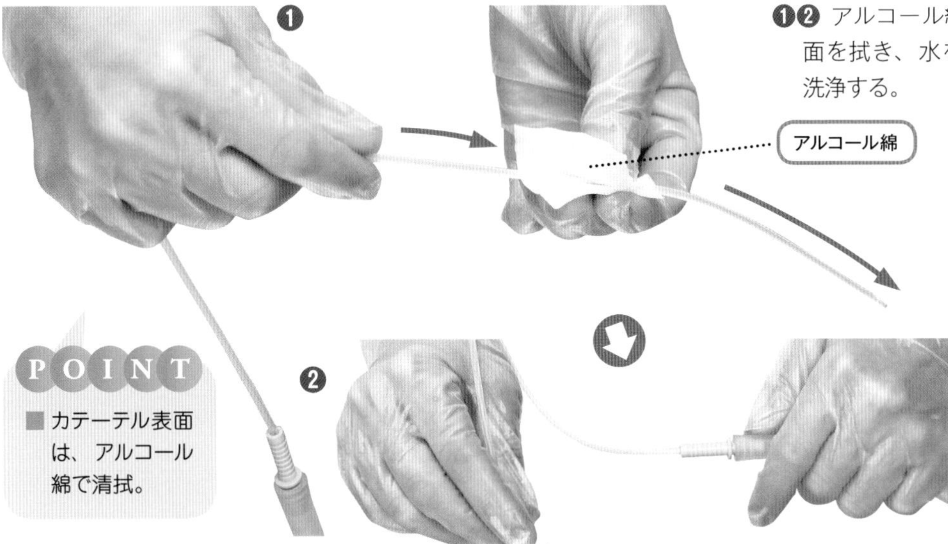

アルコール綿

水

POINT

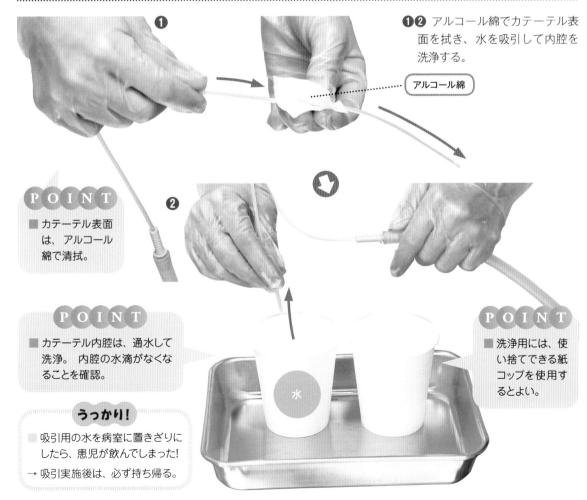

■ カテーテル表面は、アルコール綿で清拭。

POINT

■ カテーテル内腔は、通水して洗浄。 内腔の水滴がなくなることを確認。

POINT

■ 洗浄用には、使い捨てできる紙コップを使用するとよい。

うっかり!

■ 吸引用の水を病室に置きざりにしたら、患児が飲んでしまった!

→ 吸引実施後は、必ず持ち帰る。

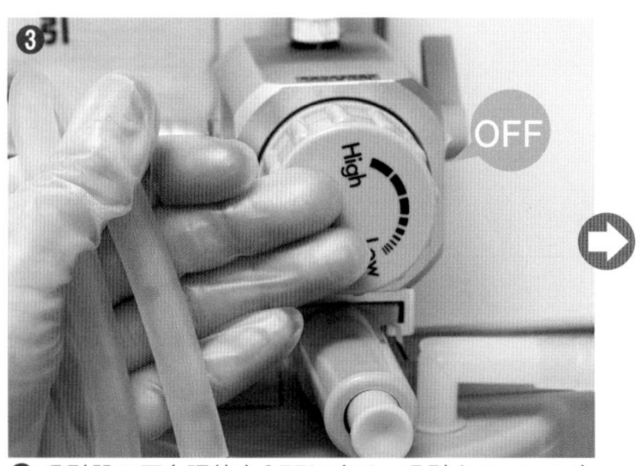

❸ 吸引器の圧力調整をOFFにする。吸引カテーテルを吸引器のチューブから外す。

❹ カテーテルを空の紙コップに入れ、乾燥させておく。

POINT
■ 吸引カテーテルを再使用する場合は、空の容器に入れて乾燥させておくことがポイント。

鼻腔管吸引の場合

15-2

鼻水を吸引する

鼻腔管は、鼻水を吸引するために使用する。あらかじめ水を通して吸引圧を確認。介助者は、患児の頭部・両腕を固定する。
実施者は、チューブを折り曲げて圧をかけずに、鼻腔管を鼻腔に挿入する。鼻水の手ごたえのある所でとどまり、吸引を実施する。

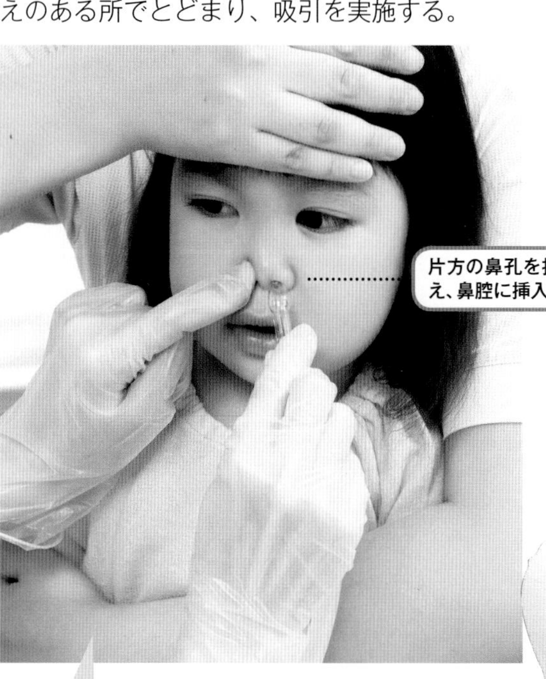

POINT
■ 挿入時はチューブを折って、圧をかけない。
■ 吸引の持続時間は、10～15秒以内。

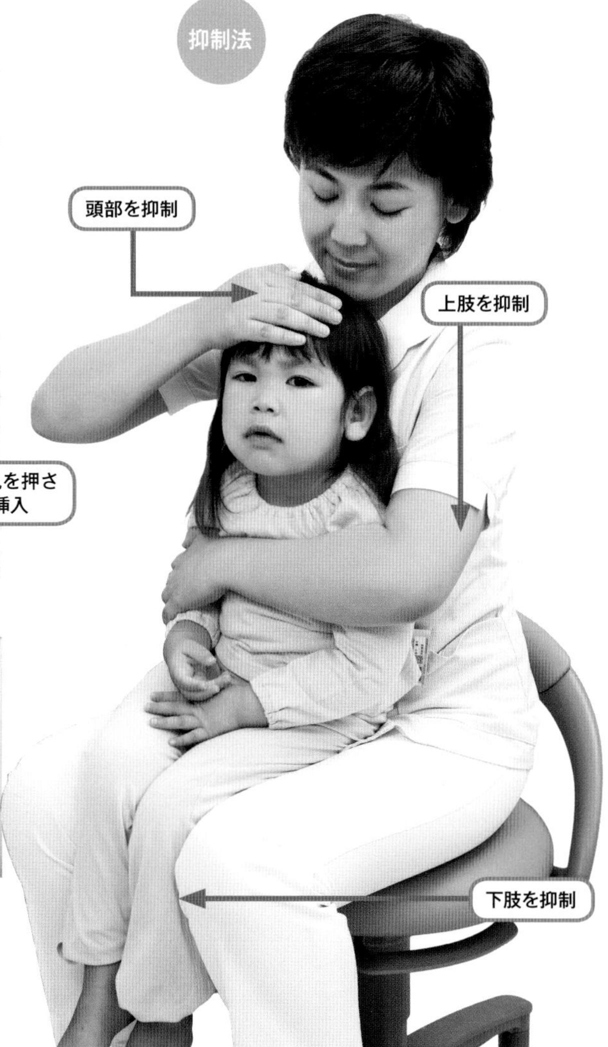

気管内吸引

万一に備え、交換用の気管チューブを用意

気管挿管や気管切開をしている患児では、気道分泌物や貯留物を除去するために、無菌操作で気管内吸引を実施する。小児用気管チューブはカフがなく、内径の太いチューブを使用する。カフがなく抜けやすいため、吸引時には万一に備えて交換用チューブを準備する。

吸引は2人で実施。1人が吸引前後に用手的人工換気を行い、もう1人が気管内吸引を行う。

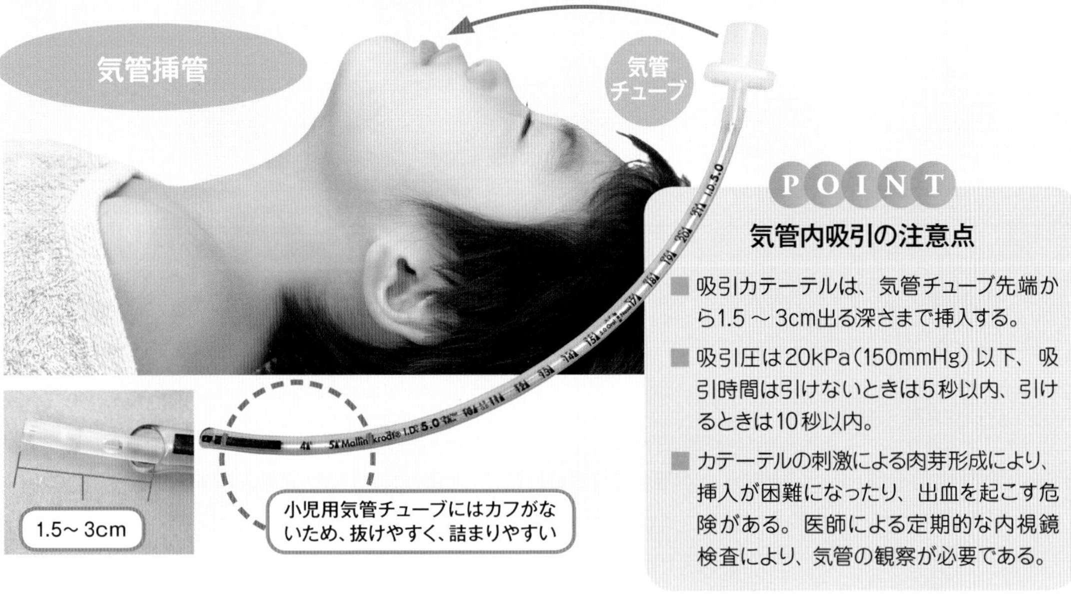
気管挿管
気管チューブ
1.5〜3cm
小児用気管チューブにはカフがないため、抜けやすく、詰まりやすい

POINT

気管内吸引の注意点

- 吸引カテーテルは、気管チューブ先端から1.5 〜 3cm出る深さまで挿入する。
- 吸引圧は20kPa(150mmHg)以下、吸引時間は引けないときは5秒以内、引けるときは10秒以内。
- カテーテルの刺激による肉芽形成により、挿入が困難になったり、出血を起こす危険がある。医師による定期的な内視鏡検査により、気管の観察が必要である。

気管内吸引 Q&A

Q 気管内吸引が必要な場合の、日常ケアは？

A 日頃からネブライザーなどにより痰を柔らかくしたり、体位ドレナージ、理学療法などにより痰を移動させ、短時間に、スムーズに吸引できるようケアを行う。
また、ベッドサイドには、スタッフ誰もが一定の条件で気管内吸引が行えるよう、 ●吸引カテーテルの種類・太さ ●挿入の深さと目印 ●吸引圧 などを表示しておくとよい。

様	
挿管チューブ	Fr
チューブ固定	cm
吸引チューブ	Fr　cm

Q カテーテルの選択は？

A 吸引カテーテルは外径が気管チューブ内径の1/2以下で、なるべく太いものを選ぶ。挿入の長さは、+3cmまでとし、目印をつけておくとよい。

Q 吸引による合併症は？

A 吸引カテーテルを深く挿入しすぎたり、吸引圧が高すぎることにより出血、肉芽の形成と悪化、気道粘膜細胞の線毛障害が起きる場合がある。
また、太すぎるカテーテルの使用、長時間の吸引により、無気肺が起こる危険がある。

CHAPTER 16

救命救急処置

小児の救命救急の特徴

- 乳児・小児は鼻腔や気道が狭く、異物や吐物、分泌物などで気道閉塞を起こしやすい。
- 乳児や小児では、呼吸不全が心停止に至る主な原因であるため、呼吸不全の状態を把握し、対処することが重要である。
- 反応がなく、かつ呼吸がない、あるいは異常な呼吸（死戦期呼吸:gasping）があれば、ただちに心停止と判断して、心肺蘇生法（CPR）を開始する。
- CPR開始時には、ただちに胸骨圧迫を開始する。
- 小児の誤飲による来院時には、すぐに胃洗浄できる物品と手順を確認しておく。

本章では、乳児を1歳未満、小児を1～15歳程度と定義する。

救命救急処置の種類

救命救急処置

- 胸骨圧迫 ▶p.180
- 気道確保／
  - 口腔内異物除去 ▶p.178
  - 背部叩打法 ▶p.178
  - 頭部後屈-あご先挙上法 ▶p.179
  - 下顎挙上法 ▶p.179
  - 気管挿管
- 除細動（AED） ▶p.183
- 人工呼吸／
  - 口対口人工呼吸
  - 口対口鼻人工呼吸
  - 口対鼻人工呼吸
  - バッグバルブマスク法 ▶p.182
- 胃洗浄 ▶p.188
- 腸重積の整復 ▶p.186

急変患児の発見

患児の異変に気付いたら、ただちに意識の確認を行う。
反応・呼吸がない、異常な呼吸(死戦期呼吸)がある場合は、
速やかに応援要請をし、除細動の手配を行う。

心肺蘇生アルゴリズム

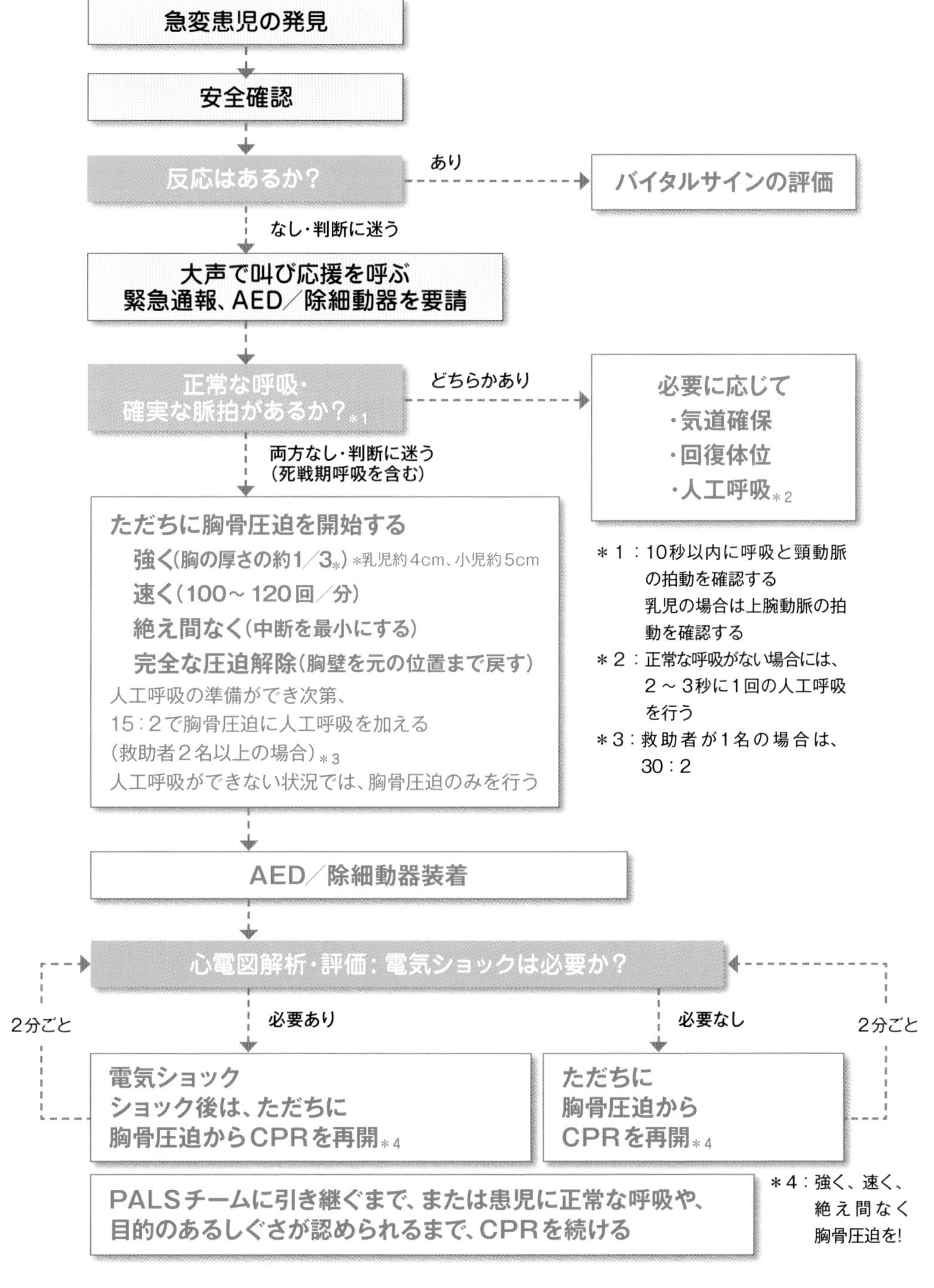
急変患児の発見
安全確認
反応はあるか?
あり
バイタルサインの評価
なし・判断に迷う
大声で叫び応援を呼ぶ
緊急通報、AED/除細動器を要請
正常な呼吸・
確実な脈拍があるか?＊1
どちらかあり
必要に応じて
・気道確保
・回復体位
・人工呼吸＊2
両方なし・判断に迷う
(死戦期呼吸を含む)
ただちに胸骨圧迫を開始する
強く(胸の厚さの約1/3＊)＊乳児約4cm、小児約5cm
速く(100～120回/分)
絶え間なく(中断を最小にする)
完全な圧迫解除(胸壁を元の位置まで戻す)
人工呼吸の準備ができ次第、
15:2で胸骨圧迫に人工呼吸を加える
(救助者2名以上の場合)＊3
人工呼吸ができない状況では、胸骨圧迫のみを行う
＊1:10秒以内に呼吸と頸動脈の拍動を確認する
乳児の場合は上腕動脈の拍動を確認する
＊2:正常な呼吸がない場合には、2～3秒に1回の人工呼吸を行う
＊3:救助者が1名の場合は、30:2
AED/除細動器装着
心電図解析・評価:電気ショックは必要か?
2分ごと
必要あり
必要なし
2分ごと
電気ショック
ショック後は、ただちに
胸骨圧迫からCPRを再開＊4
ただちに
胸骨圧迫から
CPRを再開＊4
PALSチームに引き継ぐまで、または患児に正常な呼吸や、
目的のあるしぐさが認められるまで、CPRを続ける
＊4:強く、速く、絶え間なく胸骨圧迫を!

一般社団法人日本蘇生協議会監修:JRC蘇生ガイドライン2020. 医学書院, 2021. P51をもとに作成

気道確保

患児の急変を発見し意識がない場合は、まず、呼吸状態の評価を行う。
乳児・小児ではお菓子や玩具の誤嚥による気道異物もみられ、
反応がある場合はただちに背部叩打法を行う。

目的　気道の閉塞を解除、もしくは予防する。

適応　気道の閉塞がある場合

PROCESS 1 口腔内・気道異物除去法

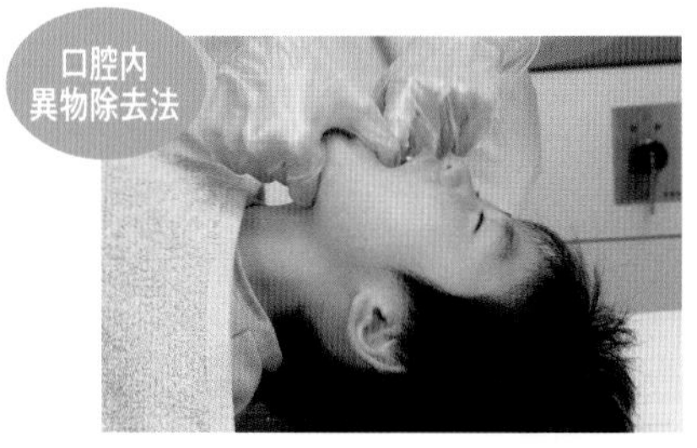

母指と他の指で患者の舌と下顎をいっしょにつかみ、下顎を持ち上げる。異物があれば、指またはマギール鉗子で取り出す。

反応がある患児の気道異物除去は、次のように行う。

乳児の場合：背部叩打法、胸部突き上げ法を数回ずつ交互に行う。

小児の場合：背部叩打法を行い、異物除去できなかった場合は、腹部突き上げ法を行う。

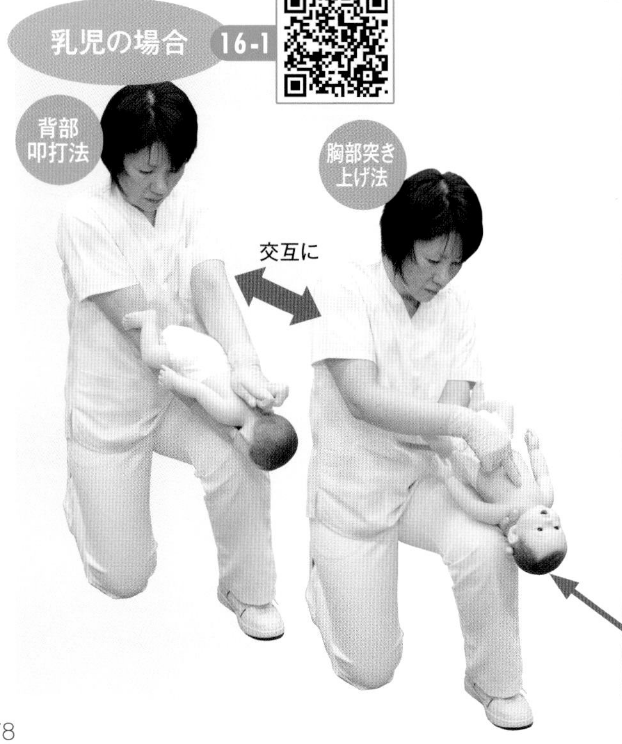

乳児の場合　16-1

背部叩打法

胸部突き上げ法

交互に

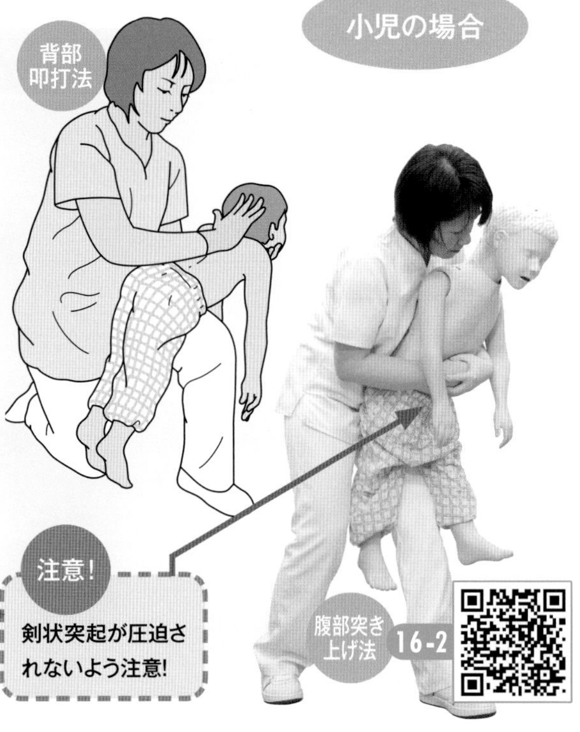

注意!
剣状突起が圧迫されないよう注意!

小児の場合

背部叩打法

腹部突き上げ法　16-2

PROCESS 2 用手的気道確保

頭部後屈-あご先挙上法

患児に頸椎損傷がないと思われる場合は、頭部を後屈させ、あご先を挙上して気道を確保する。
患児の前額部に片手を当て、もう片方の手指を下顎先端（オトガイ部）にかけて引き上げる。

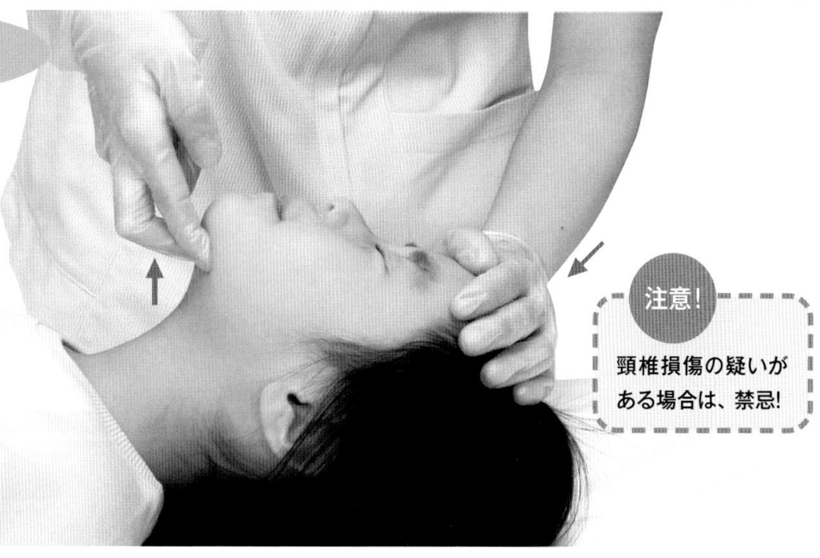

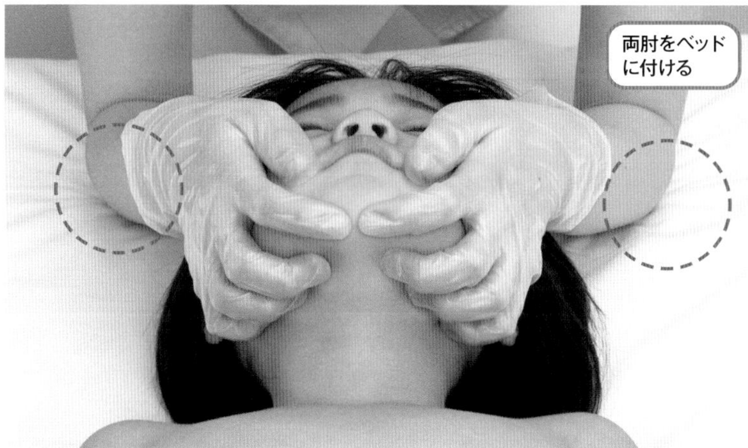

下顎挙上法

転倒・転落など頸椎損傷が疑われる場合は、下顎挙上法で気道を確保する。
左右の小指を患児の左右下顎角にかけ、示指・中指・薬指を下顎骨縁に当てる。両手で同時に下顎を押し上げ、受け口になるまで挙上する。

CHECK!

意識消失と舌根沈下

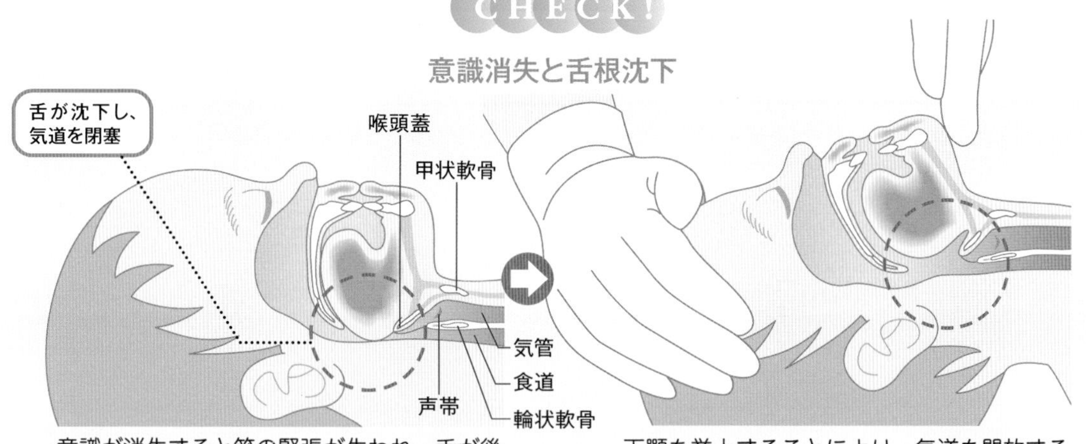

意識が消失すると筋の緊張が失われ、舌が後方に落ち込んで、気道を閉塞する。

下顎を挙上することにより、気道を開放することができる。

胸骨圧迫

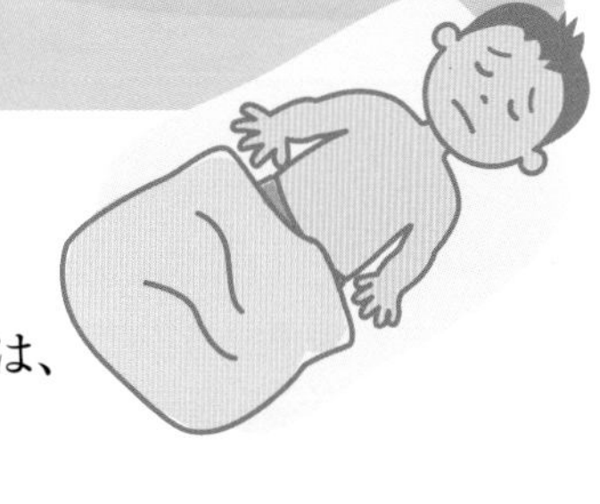

10秒以内に呼吸を観察する。熟練した救助者は、呼吸と同時に脈拍を確認する。
呼吸と脈拍が確認できない、または判断に迷う場合は、心停止と判断。ただちに、胸骨圧迫を行う。

目的
心肺停止、あるいはその疑いのある小児に対し、心臓を外部より圧迫して循環を補助する。

適応
1. 10秒以内に呼吸と脈拍が確認できない、または判断に迷う場合。
2. 心拍数60回/分未満の場合。

PROCESS 1 循環状態の確認

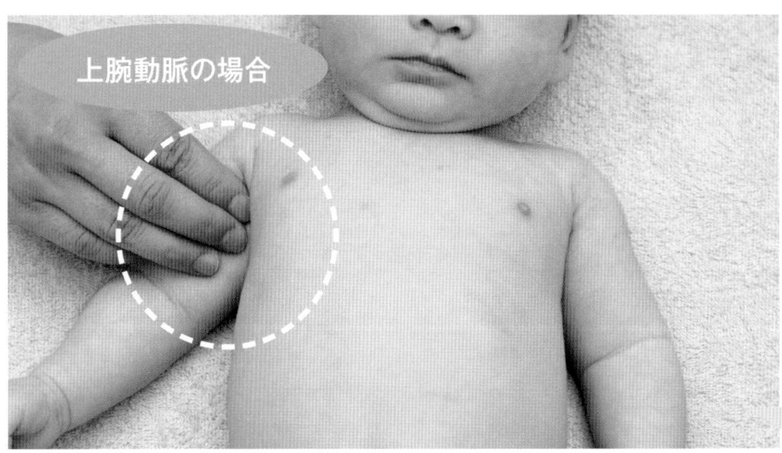

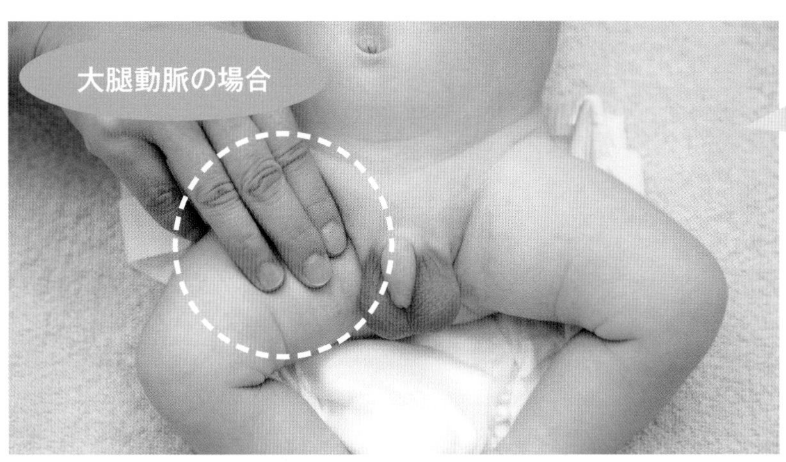

脈拍の触知は、小児では頸動脈か大腿動脈、乳児では上腕動脈に、示指・中指・薬指を当てて行う。
乳児の場合は、頸部が短く、動脈が触れにくいため、上腕動脈で脈拍を確認する。

POINT
触知のポイント
- 乳児:上腕動脈を触知。
- 小児:頸動脈か大腿動脈を触知。
- 示指・中指・薬指を軽く当てる。強く押しすぎないよう注意。

PROCESS 2 胸骨圧迫（乳児の場合）

16-4

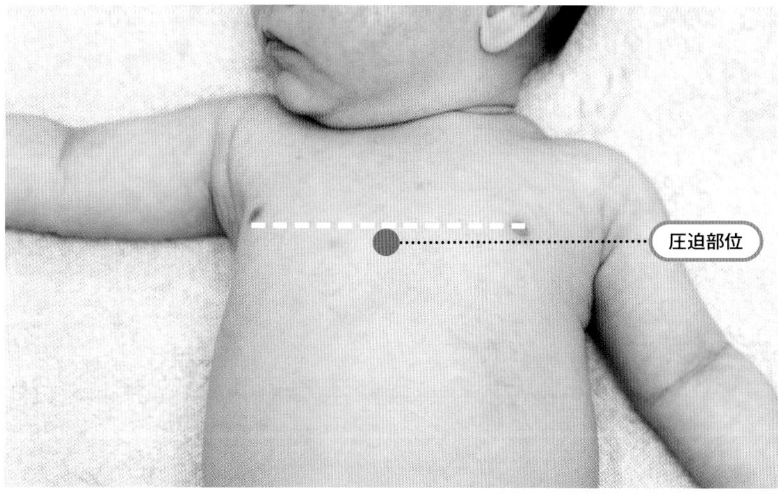

胸部中央の乳頭間線のすぐ下に指を置き、圧迫部位とする。

1人で行う場合

胸部中央の乳頭間線のすぐ下に2本の指を置き、胸の厚さの約1/3の深さ（約4cm）まで、1分間に100～120回のテンポで圧迫する。
胸骨圧迫30回ごとに、人工呼吸2回を実施する。

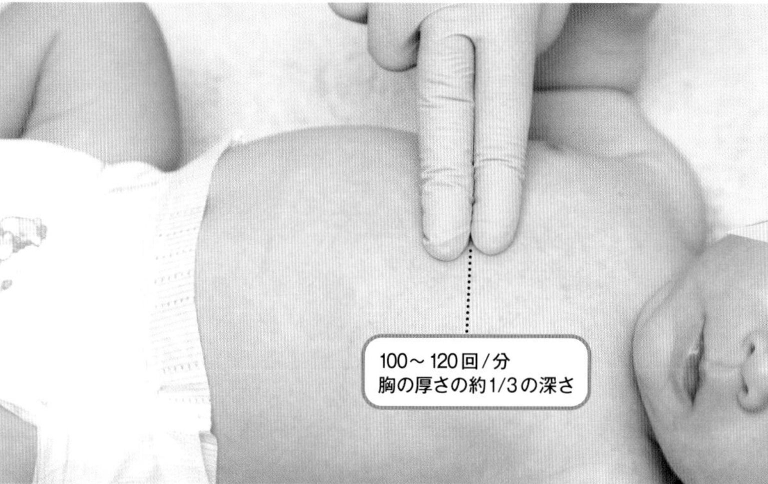

POINT

- 圧迫を行うたびに胸壁が元に戻るまで待つ。
- 圧迫を解除したとき、指先を圧迫部位から離さないよう注意!
- 2本の指もしくは2本の親指で胸骨の1/3の深さ（約4cm）を圧迫する。困難な場合は、片手の手根を使用してもよい。

2人で行う場合

両手の母指を胸部中央の乳頭間線のすぐ下に置き、他の4指は体側に当てる。両母指で同時に胸骨を圧迫。胸の厚さの約1/3の深さ（約4cm）まで、1分間に100～120回のテンポで圧迫する。
胸骨圧迫15回ごとに、人工呼吸2回を実施する。

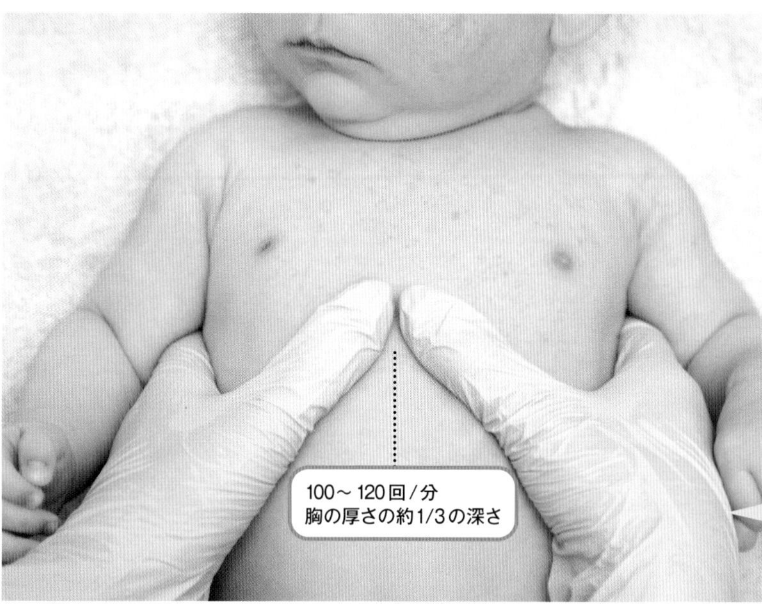

POINT

- 2本指法より、適切な強さ、深さが安定して得られる。
- 母指は圧迫部から離さない。

PROCESS 2 胸骨圧迫（小児の場合）

16-5

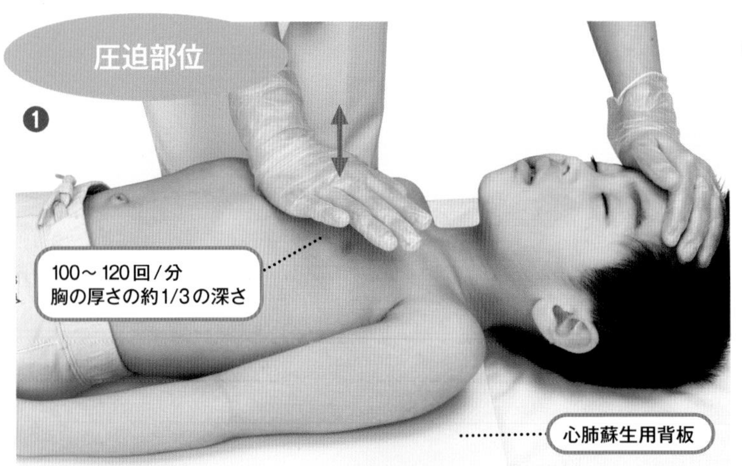

❶❷胸部中央の胸骨下半分の胸骨上に実施者の片手または両手を置く。片手で行う場合は、もう片方の手を患児の前額部に置く。頭部を後屈し、気道確保を維持する。
胸の厚さの約1/3の深さ（約5cm）まで、1分間に100～120回のテンポで垂直に圧迫する。片手では十分な圧迫ができない場合は、両手を重ねて行う。
胸骨圧迫30回ごとに、人工呼吸2回を行う。

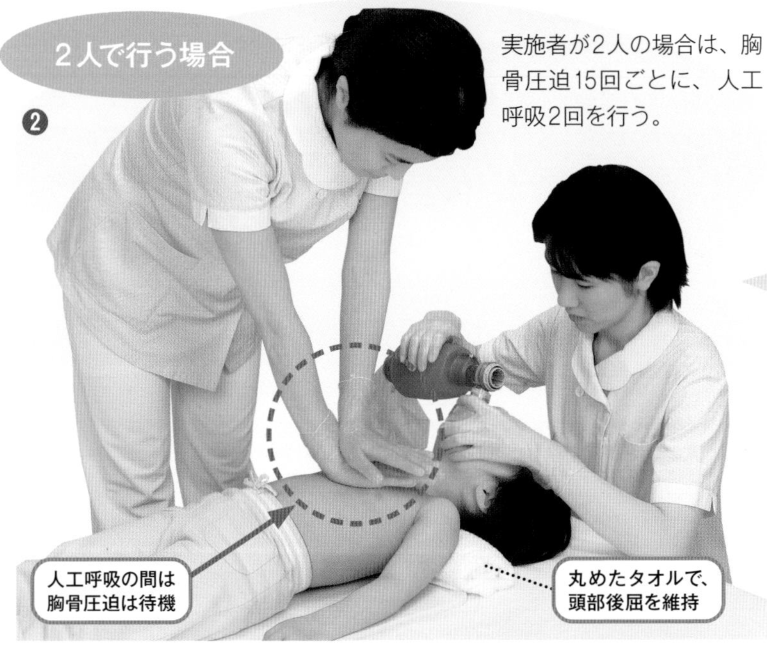

実施者が2人の場合は、胸骨圧迫15回ごとに、人工呼吸2回を行う。

POINT バッグバルブマスク法

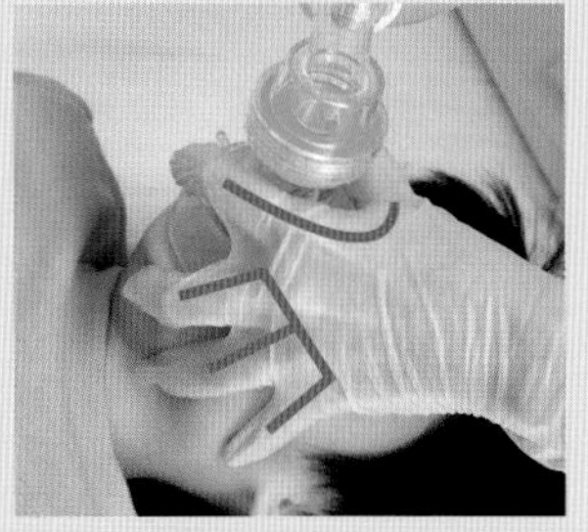

- 人工呼吸は、バッグバルブマスク法で行う。
- 母指・示指で「C」の字をつくるようにマスクを固定し、残り3指で「E」の字をつくり、下顎挙上を維持する。

CHECK! 蘇生バッグの選択

- 蘇生バッグには、バッグバルブマスクとジャクソンリースがある。バッグバルブマスクは操作が簡単であるが、ジャクソンリースの操作には技術の習熟を要する。
- バッグバルブマスクには250mL、500mL、1500mLの容量があり、患児に適した容量のバッグを使用する。
- バッグバルブマスクの使用前には、圧レリーフ弁が作動しているか、バッグやリザーバーバッグに亀裂・破損がないかを確認する。

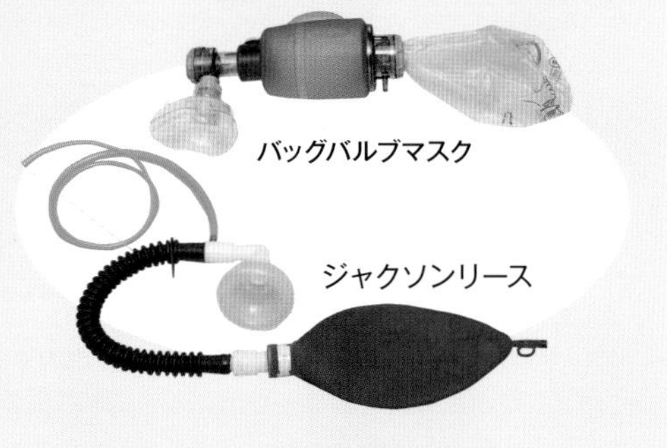

除細動（AEDを用いる場合）

AEDが到着し、準備ができるまでの間は、
絶え間なく胸骨圧迫を続ける。
自動解析中は全員が患児から離れ、音声ガイドに従い
電気的除細動（ショックを与えて洞調律に戻す）を実施する。

目的

● 致死的不整脈に対し、電気的刺激を加え、洞調律に戻す。

適応

1. 心室細動（VF）、無脈性心室頻拍（pulseless VT）
2. 反応、呼吸、脈拍がない場合

AEDの適応

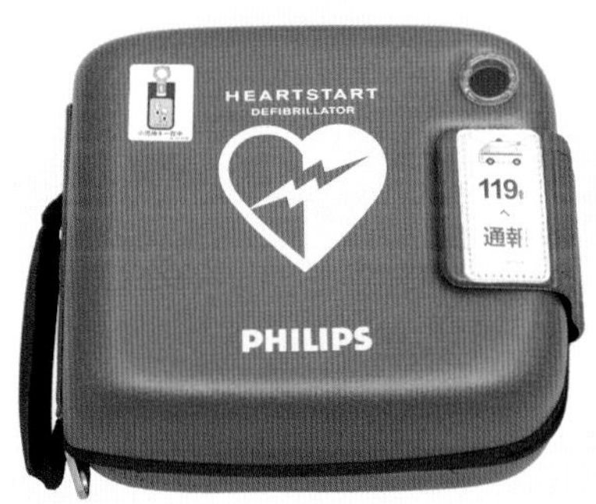

絶対的適応は、VFとVT

自動体外式除細動器（Automated External Defibrillator：AED）は、心原性心停止の心室細動（VF）、無脈性心室頻拍（pulseless VT）といわれる致死的不整脈の場合のみ、電気的除細動の必要があると機械が判断し、自動的に充電を行う。正常な心電図や完全に動きが止まっている心静止の場合には、充電を行わない仕組みになっている。
突然の心停止のうち、最も一般的なきっかけはVFであるとされている。

- VFは、心臓が震えるだけで、血液を送りだすことができない状態である。
- VFをそのままにしておくと、心静止に至るため、速やかにショックを行い、洞調律に戻す必要がある。
- 除細動の成功率は、時間経過とともに急速に低下する。

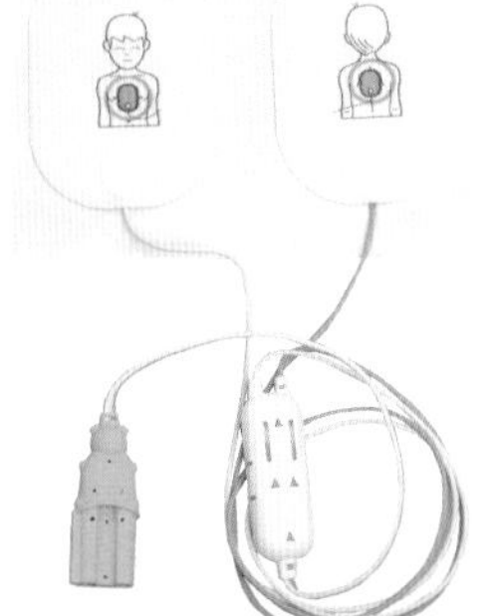

1歳未満の乳児でもAEDが適応

「AHAガイドライン2010」より、乳児の除細動にはAEDよりも手動式除細動器の使用が望ましいとされている。手動式除細動器が使用できない場合は、AEDに未就学児用の電極パッドがあれば接続し、除細動を行う。未就学児用パッドがない場合は、小学生～大人用パッドを代用することができる。
小児・乳児の場合、呼吸原性の心停止が多い。乳児では、低酸素などの気道トラブルによる虚脱が多く、気道確保と人工呼吸のみで回復する可能性がある。万一、心肺停止（CPA）であれば、一刻も早い良質の心肺蘇生法（CPR）が必要となる。

PROCESS 1 電源を入れ、電極パッドを装着

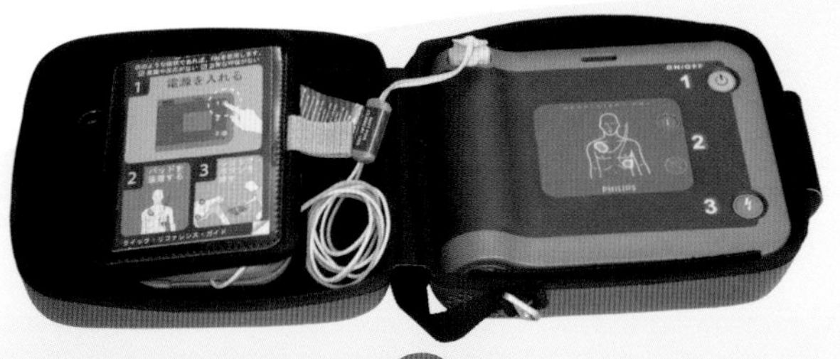

❶ AEDの携帯用ケースまたは蓋をあける。

ボタンを押し、電源を入れる。同時に音声による手順のガイドが始まる。

＊ケースや蓋を開けると自動的に電源が入る製品もある。

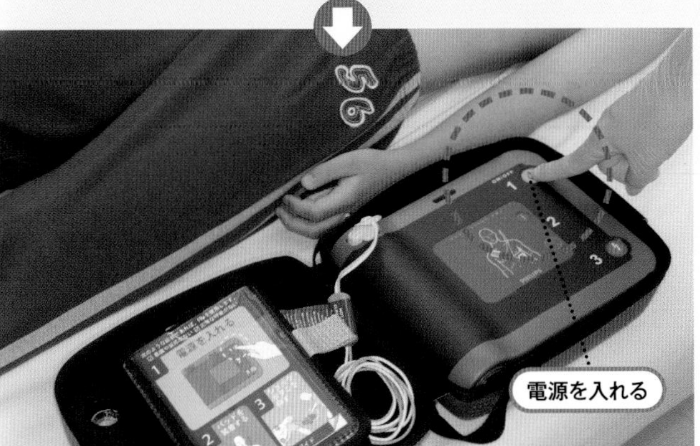

❷ 患児の胸を開き、電極パッドの貼付部が汗などで濡れている場合は素早く拭く。

電極パッドを取り出し、
①胸骨の右上部、②左腋窩の下・乳頭の左に貼付する。

電極パッドの貼付位置は、
①前胸部（心尖部）、②背部でもよい。
自動解析が始まるまで、胸骨圧迫を継続する。

小学生～大人用パッド

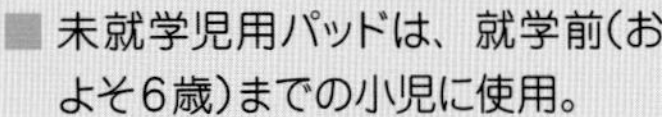

POINT

パッドの選択

- 未就学児用パッドは、就学前（およそ6歳）までの小児に使用。
- 就学児以上の小児に対しては、小学生～大人用パッドを使用する。
- 電極パッドの電気量は、小学生～大人用が150J、未就学児用が50Jに設定されている。
- 未就学児用パッドがない場合には、小学生～大人用パッドを使用してもよい。その際、パッド同士を接触させないよう注意。

未就学児用パッド

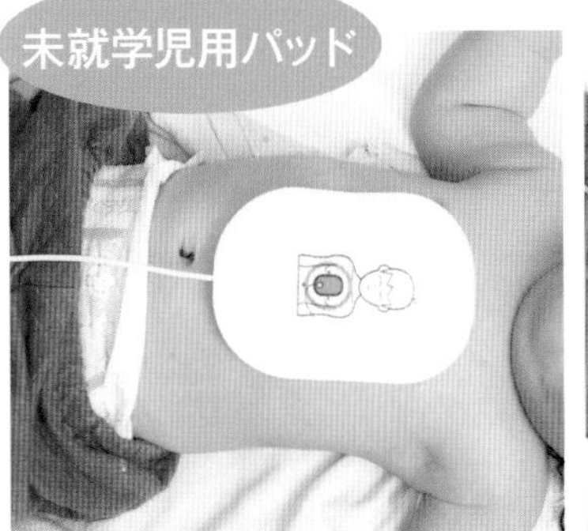

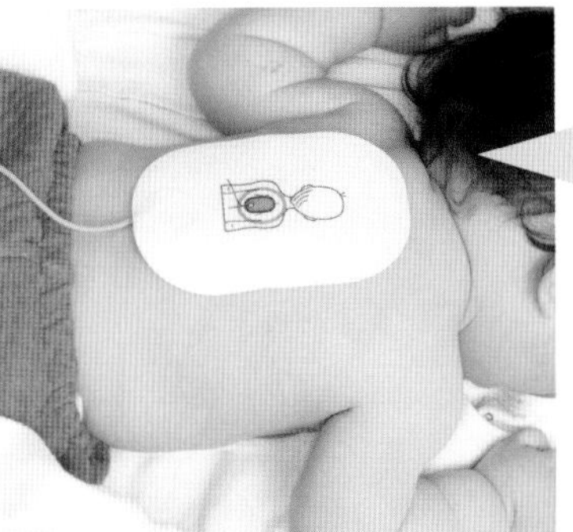

PROCESS 2 心電図の解析と除細動の実施

❶ AED本体と電極パッドの接続ケーブルを接続する。製品によっては、あらかじめ接続されている場合もある。

AEDによる自動解析が始まる。音声ガイドに従い、全員が患児から離れる。同時に大声で指示し、だれも患児に触れていないことを目視確認する。

私離れています！
あなた離れています！
みんな離れています！

EVIDENCE

- 解析中、患児に触れていると正しく解析できない。
- ショック時に患児に触れると感電の危険がある。

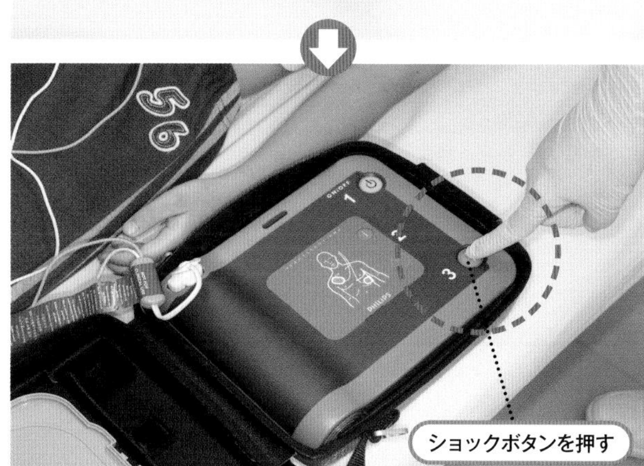

❷「ショックを実行します」の音声ガイドに従い、ショックボタンを押す。ショックを与えたら、速やかに心肺蘇生法を開始する。

約2分後、再度解析が始まり「患者に触れないでください」という音声ガイドが流れる。再び全員が患児から離れ、大声による指示とともに、だれも触れていないことを目視確認する。

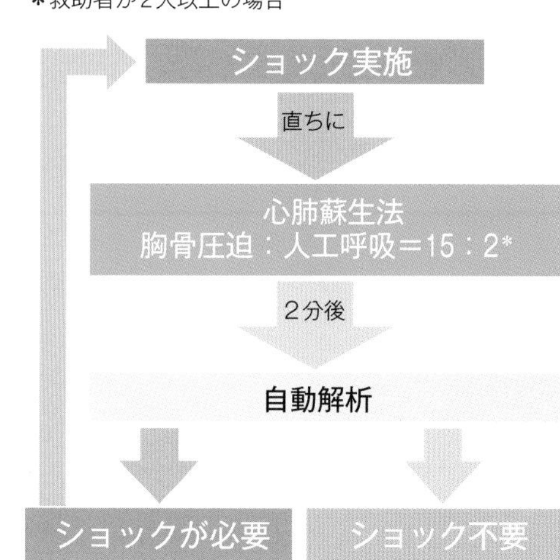

腸重積の整復

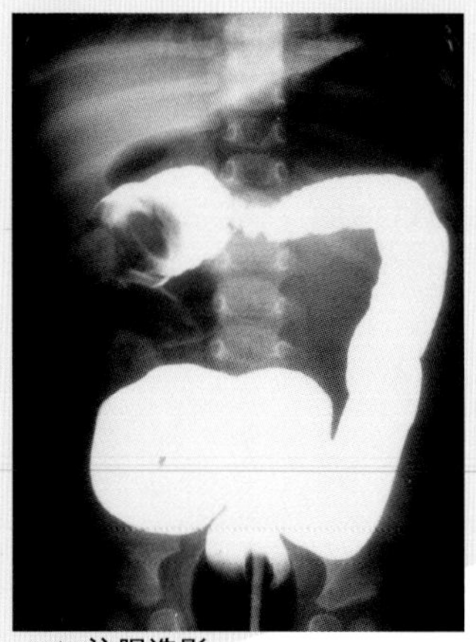

▲ 注腸造影
特徴的なカニ爪様陰影欠損

腸重積とは、何らかの原因により小腸または、大腸の一部が腸管内に嵌入し、二重に畳み込まれて腸閉塞に陥った状態である。
先進部の重積腸管が腸蠕動により肛門側へ進んでいくとともに、重積時に巻き込まれた腸管膜が圧迫されて静脈還流が障害され、腸管浮腫が進行する。
粘膜出血による下血を生じ、最終的には腸管壊死に至るため、迅速な治療が必要である。

症状

腹痛（不機嫌）

患児は、間欠的（5～30分ごと）に腹痛あるいは、腹痛があるかのように不機嫌になり、泣き叫び、顔面蒼白になる。

粘血便（イチゴジャム様）

嘔吐（食物残渣、胆汁様）

初めは食物残渣を吐き、やがて胆汁が混じるようになる。

身体所見

腫瘤を触れる	腹部膨満	便の所見は重要！
右上腹部にソーセージ様の腫瘤を触れ、右下腹部には空虚な感じがある。	腹部膨満が強くなり、腹膜刺激症状が現れる。	血便・粘血便。

検査

注腸造影	超音波診断	腹部単純X線
特徴的なカニ爪様、コイルスプリング状の陰影欠損が認められる。	腫瘤の部位に、target signまたはpseudokidney signが観察される。	初期の小腸ガスは少ないが、時間経過とともに増加し、立位像で鏡面像が出現する。

治療

非観血的整復法	造影剤注腸法	肛門から直腸内に造影剤を注入して圧を加える。透視を行いながら整復する。
	空気整復法	造影剤の代わりに空気を用いて整復する。
	超音波法	超音波装置を使って整復する。
観血的整復法	手術	整復ができない、穿孔がある、整復できても先進部に器質的病変・壊死がある場合は、腸切除を行う。

造影剤注腸法

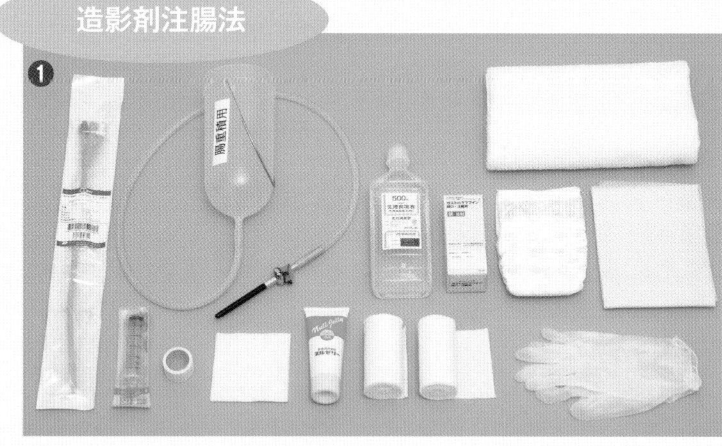

❶ 家族に説明をし、同意書を得る。造影剤は事前に温め、透視台からの高さが約1mになるように吊るしておく。
室温を25度前後に設定し、必要物品を準備する。

❶ 直腸バルーンカテーテル（18Fr・24Fr）
❷ 造影剤、潤滑剤
❸ 生理食塩液、蒸留水
❹ イルリガートル
❺ クランプ鉗子、注射器（20mL）
❻ バスタオル、防水シーツ、シートおむつ、紙おむつ
❼ 未滅菌ガーゼ、弾性包帯、手袋

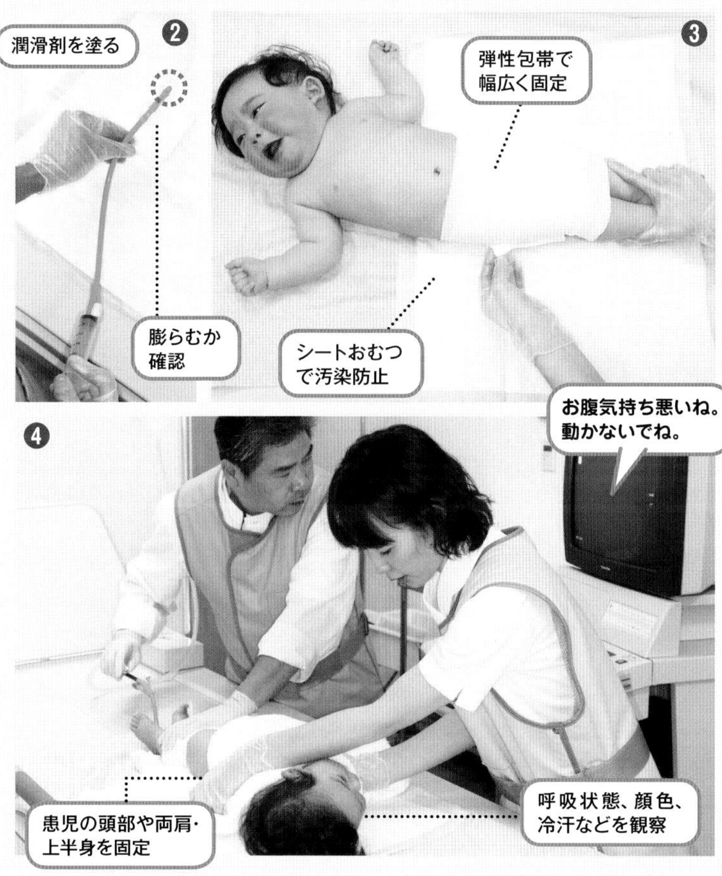

潤滑剤を塗る
膨らむか確認
弾性包帯で幅広く固定
シートおむつで汚染防止
お腹気持ち悪いね。動かないでね。
患児の頭部や両肩・上半身を固定
呼吸状態、顔色、冷汗などを観察

❷ 直腸カテーテルのバルーンが膨らむことを確認し、先端に潤滑剤を塗る。

❸ 透視台に防水シーツ、バスタオル、シートおむつを敷き、患児を仰向けに寝かせ、衣服・おむつを脱がせる。
直腸バルーンカテーテルを肛門に挿入、空気を入れ、弾性包帯で大腿部を固定する。

❹ 腹部を撮影後、注腸造影による整復を開始する。この際、バスタオルを患児の上半身にかけ、保温を図り、両肩を固定する。
整復後は、臀部・肛門を拭く。おむつと衣服を着せ、患児の機嫌、腹部状態、全身状態を観察する。

CHECK!

整復後の観察と家族への説明

● 整復が終了したことを家族に伝え、以下を説明する。
① 問題なく整復が行われた場合でも、数日入院の上、経過を観察する。
② しばらくは、便に血が混じったり、下痢がみられることがある。
③ 多量の血液が便に混じる場合には、医療者に伝える。
④ 造影剤は脱水を起こすことがある。尿量や回数が少ない場合は、医療者に伝える。
⑤ 腸重積は再発する可能性があり、腹痛、嘔吐、血便などの症状に注意する。

胃洗浄

薬剤や洗剤などを誤飲した場合は、胃洗浄を実施する。
胃洗浄は口鼻腔から、できるだけ太いチューブを挿入し、一刻も早く行う必要がある。
ただし、酸やアルカリ性の物質（灯油など）を誤飲した場合は、胃洗浄は禁忌となるので注意する。
「誤飲」とは、誤って異物を飲み込み、それが食道や胃、消化管に入ること。
「誤嚥」とは、異物が誤って気管・肺に入ることである。
ピーナッツなどの気道異物は、喘鳴・呼吸困難・窒息状態に陥るため、緊急処置が必要である。

1 何を誤飲したかを確認！

4時間以内

2 胃洗浄を実施！

何回も繰り返す

3 胃洗浄後は下剤を投与

POINT

アセスメント

- 誤飲した薬物・化学物質の名前、製造者名、火気厳禁などの注意書きを確認→容器を持参してもらう。
- 誤飲時間を確認。
- どのような症状が出現したか?
- 家庭でどのような処置をしたか?

4時間以内に胃洗浄をする

- 胃洗浄は誤飲後、4時間以内に行わないと効果が期待できない。
- 活性炭などの解毒剤、中和剤を投与する。

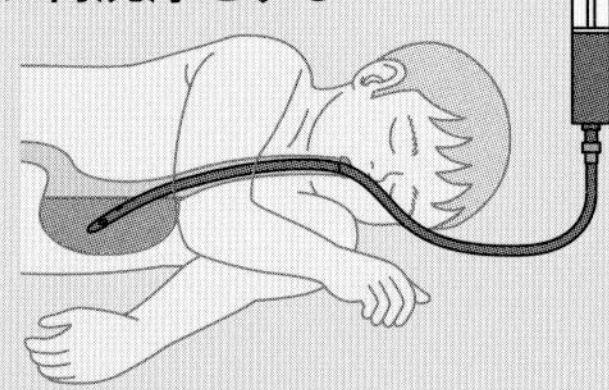

下剤で腸内からも排出

- 胃洗浄後、腸内に残った物質をできるだけ早く体外に排出する。

胃洗浄の方法

胃チューブに注入器をつなぎ、洗浄液の注入と吸引・排出を行う。吸引される洗浄液がきれいになるまで、注入と排出を繰り返す。

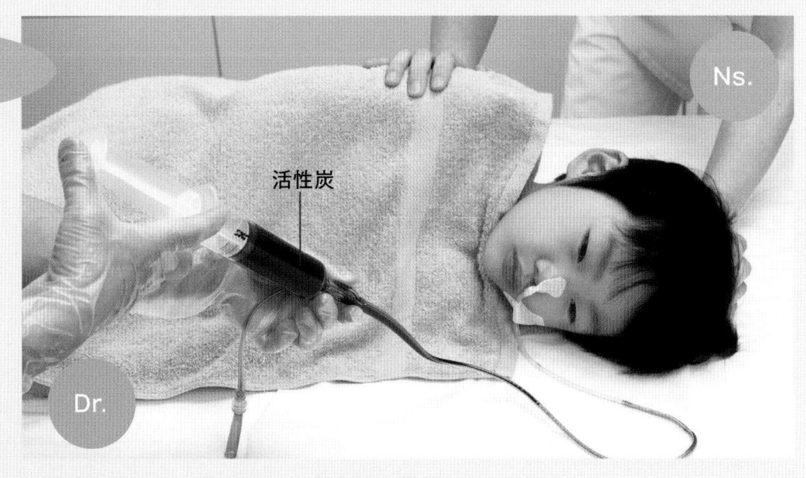

禁忌!
酸やアルカリ性の物質(灯油など)を誤飲した場合は、胃洗浄は行わない。
タバコの毒性は水溶性であるため、乾燥タバコを少量誤食した場合、胃洗浄は第一選択ではない。

CHAPTER 17 医療的ケア児への在宅看護

医療技術の進歩に伴い、経管栄養管理、喀痰吸引、人工呼吸器による呼吸管理等の医療的ケアを必要とする子どもが増えている現状がある。しかし、医療的ケア児およびその家族が安心して暮らし、育てることができる社会の仕組みが確立されていない。これらの背景から、2021年9月に「医療的ケア児及びその家族に対する支援に関する法律」が施行された。本項では、医療的ケア児および家族に必要な支援について紹介する。

医療的ケア児とは

医療的ケア児とは、日常生活および社会生活を営むために恒常的に医療的ケア（人工呼吸器による呼吸管理、喀痰吸引、その他の医療行為）を受けることが不可欠である児童（18歳以上の高校生を含む）をいう[1)]。

医療的ケア児は重症心身障害児（重度の肢体不自由と重度の知的障害が重複した状態にある児童）と混同しがちであるが、自分で身体を動かすことができない肢体不自由や、言葉を話せない知的障害などがない医療的ケア児も多い。

医療的ケア児

日常生活および社会生活を営むために恒常的に医療的ケアを受けることが不可欠である児童（18歳以上の高校生を含む）

重症心身障害児

重度の肢体不自由と重度の知的障害が重複した状態にある児童

分類のイメージ

医療的ケア	重症心身障害：非該当	重症心身障害：該当
あり	医療的ケア児	重心医ケア児
なし	医療的ケア以外（重心以外）の障害児	重症心身障害児

厚生労働省社会・援護局 障害保健福祉部障害福祉課「令和３年度報酬改定における医療的ケア児に係る報酬（児童発達支援及び放課後等デイサービス）の取扱い等について」（https://www.mhlw.go.jp/content/000763142.pdf）より一部改変

本項では、「医療的ケア児」と表記している箇所については、「医療的ケア児」「重心医ケア児」を含むこととする。

医療的ケア児支援法の成立（2021年）

医療的ケア児は医療の進歩と共に年々増加し続け、全国に約2万人いると推計されている。

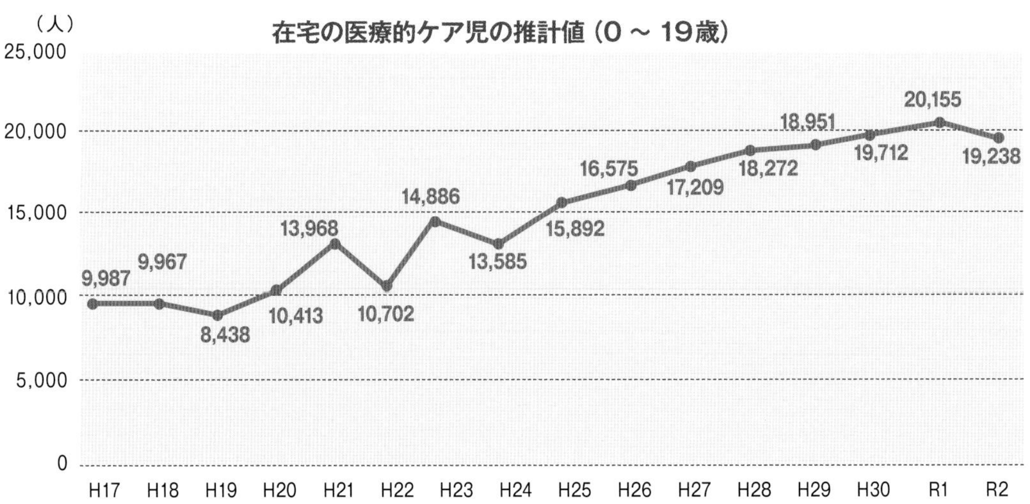

厚生労働省社会・援護局 障害保健福祉部障害福祉課 障害児・発達障害者支援室「医療的ケア児等の支援に係る施策の動向」(https://www.mhlw.go.jp/content/10800000/000584473.pdf)より

2021年6月に成立し、9月に施行された「医療的ケア児及びその家族に対する支援に関する法律」は、近年の医療的ケア児増加の背景のもと、国・地方自治体が「責務」として医療的ケア児およびその家族の支援を行い、医療的ケア児の日常生活および社会生活を社会全体で支えていくことを明文化した法律である。
これにより、保育所や学校等での医療的ケア児の受け入れに向けた支援が拡充され、医療的ケア児の健やかな成長が図られることが期待されている。

医療的ケア児及びその家族に対する支援に関する法律	
目的	医療的ケア児の健やかな成長を図るとともに、その家族の離職の防止に資する。 安心して子どもを生み、育てることができる社会の実現に寄与する。
支援措置	**国・地方公共団体による措置** ○医療的ケア児が在籍する保育所、学校等に対する支援 ○医療的ケア児及び家族の日常生活における支援　○相談体制の整備 ○情報の共有の促進　○広報啓発　○支援を行う人材の確保　○研究開発等の推進
	保育所の設置者、学校の設置者等による措置 ○保育所における医療的ケアその他の支援 ➡看護師等又は喀痰吸引等が可能な保育士の配置 ○学校における医療的ケアその他の支援 ➡看護師等の配置
	医療的ケア児支援センター（都道府県知事が社会福祉法人等を指定又は自ら行う） ○医療的ケア児及びその家族の相談に応じ、又は情報の提供若しくは助言その他の支援を行う ○医療、保健、福祉、教育、労働等に関する業務を行う関係機関等への情報の提供及び研修を行う　等

（2021年6月11日成立、9月18日施行）

厚生労働省「医療的ケア児等とその家族に対する支援施策－2医療的ケア児及びその家族に対する支援に関する法律・医療的ケア児及びその家族に対する支援に関する法律の全体像」(https://www.mhlw.go.jp/content/000801674.pdf)をもとに作成

医療的ケアの種類

医療的ケアは、以下に示す14類型の医療行為を指す。

医療的ケア（診療の補助行為）	
1 人工呼吸器（鼻マスク式補助換気法、ハイフローセラピー、間欠的陽圧吸入法、排痰補助装置、高頻度胸壁振動装置を含む）の管理	
2 気管切開の管理	
3 鼻咽頭エアウェイの管理	
4 酸素療法	
5 吸引（口鼻腔・気管内吸引）	
6 ネブライザーの管理	
7 経管栄養	(1) 経鼻胃管、胃瘻、経鼻腸管、経胃瘻腸管、腸瘻、食道瘻
	(2) 持続経管注入ポンプ使用
8 中心静脈カテーテルの管理（中心静脈栄養、肺高血圧症治療薬、麻薬など）	
9 皮下注射	(1) 皮下注射（インスリン、麻薬など）
	(2) 持続皮下注射ポンプ使用
10 血糖測定（持続血糖測定器による血糖測定を含む）	
11 継続的な透析（血液透析、腹膜透析を含む）	
12 導尿	(1) 利用時間中の間欠的導尿
	(2) 持続的導尿（尿道留置カテーテル、膀胱瘻、腎瘻、尿路ストーマ）
13 排便管理	(1) 消化管ストーマ
	(2) 摘便、洗腸
	(3) 浣腸
14 痙れん時の坐薬挿入、吸引、酸素投与、迷走神経刺激装置の作動等の処置 ＊医師から発作時の対応として上記処置の指示があり、過去概ね1年以内に発作の既往がある場合	

厚生労働省社会・援護局 障害保健福祉部障害福祉課「令和3年度報酬改定における医療的ケア児に係る報酬（児童発達支援及び放課後等デイサービス）の取り扱い等について」（https://www.mhlw.go.jp/content/000763142.pdf）をもとに作成

2019年度の実態調査において、医療的ケア児が必要とする医療的ケアは、「経管栄養（経鼻・胃瘻・腸瘻）」が74.4%で最も多く、「吸引（気管内、口腔・鼻腔内）」、「気管内挿管、気管切開」、「ネブライザー」の順に続く[2)]。

医療的ケア児への在宅でのケアの特徴

医療的ケアが必要になった理由は、「先天性の病気」「後天性の病気」「事故」「その他（出産時のトラブル、超低出生児、原因不明など）」が挙げられる[2)]。

状況により細やかな対応が必要とされるため、個別性の高いケアが求められる。在宅では主な介護者が母親であることが多いため、介護者の負担が最小限となるよう、適切な支援を組み合わせることが必要となる。

また、医療的ケア児とその家族には、病院入院中から、地域の医療機関、訪問看護ステーション、行政、教育機関などのさまざまな職種が関わることが多いため、プライバシーを保持したうえで情報共有を密にして、それぞれの役割を明確にし、チームで成長を支えていくことが重要である。

在宅ケアの実際

訪問看護は、各家庭の環境に合わせながら、訪問時の児の様子のみではなく、訪問前までの様子も踏まえて総合的に判断する。ここでは、実際の様子を訪問看護の流れに沿って紹介する。

Aちゃんの場合（5歳／女児／訪問看護・訪問リハビリ利用／週1日幼稚園へ通園）

訪問看護の様子

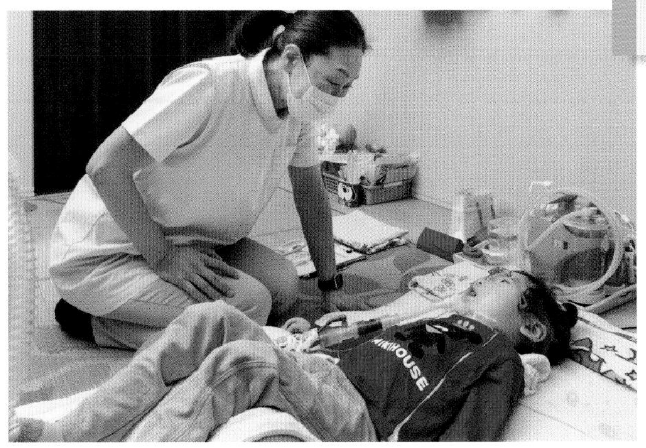

挨拶

・これから訪問看護が始まることをお話しし、目線を合わせるようにして挨拶する。
・Aちゃん周囲の環境を観察、安全の確認をする。
・Aちゃんは看護師と遊ぶことを楽しみにしているため、Aちゃんといつ、どのような遊びをするか約束をする。

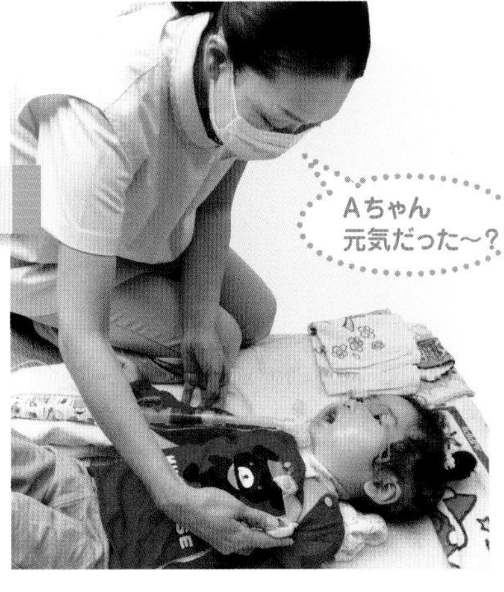
Aちゃん
元気だった～？

検温、観察

・Aちゃんに話しかけながら、バイタルサインの測定をする。このとき、測定値やAちゃんの様子が普段と変わりないか観察をする。
・室温や湿度が体調に影響していないか、併せて観察する。

お腹よく動いていましたよ！

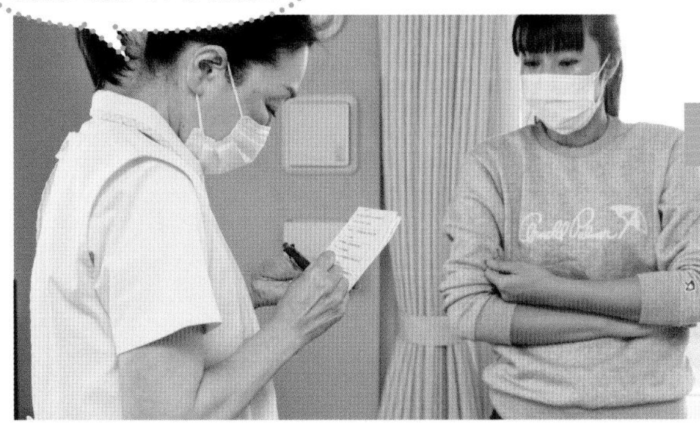

家族との情報共有

・訪問するまでのAちゃんの様子を家族から聴取し、訪問時のバイタルサイン測定値や観察した内容を家族に伝え、Aちゃんの状態を家族と共有する。
・かかりつけ医や往診医に、次回診察時に報告、相談するようなことがあれば、家族と一緒に確認する。

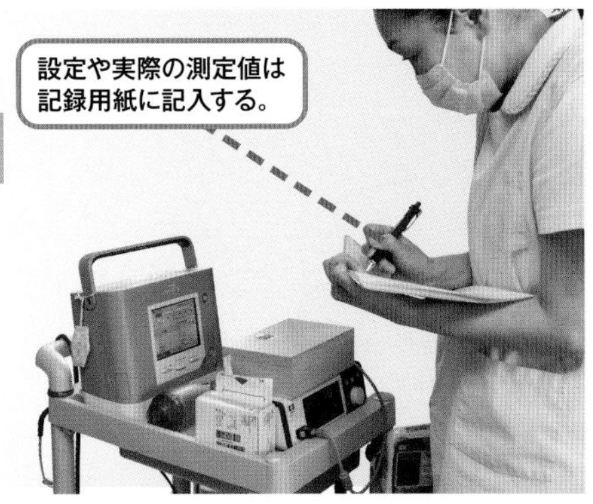
設定や実際の測定値は
記録用紙に記入する。

人工呼吸器設定確認

・人工呼吸器の設定（換気圧や回数）、人工呼吸器回路から気管カニューレまでの接続の状態などを確認する。
・人工呼吸器回路の加温、加湿の状態を確認する。

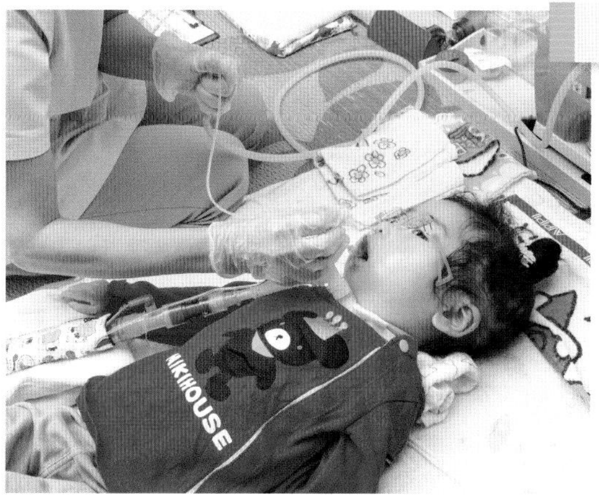

口鼻腔吸引

・Aちゃんは唾液が気管へ垂れ込んでしまうことがあるため、唾液の垂れ込みを予防するため、入浴前や移動前のタイミングで口鼻腔の吸引をする。

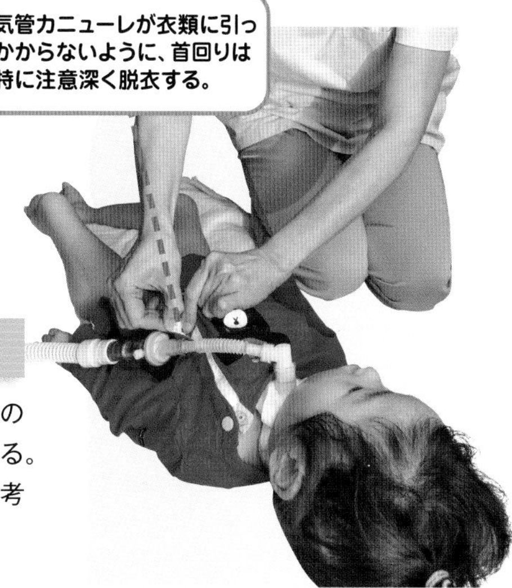

気管カニューレが衣類に引っかからないように、首回りは特に注意深く脱衣する。

脱衣

・Aちゃんは全身の筋力低下と軽度の下肢の拘縮があり、脱衣時に骨折する危険性がある。自力で脱衣できないため、関節可動域を考慮しながら送り袖で脱衣する。

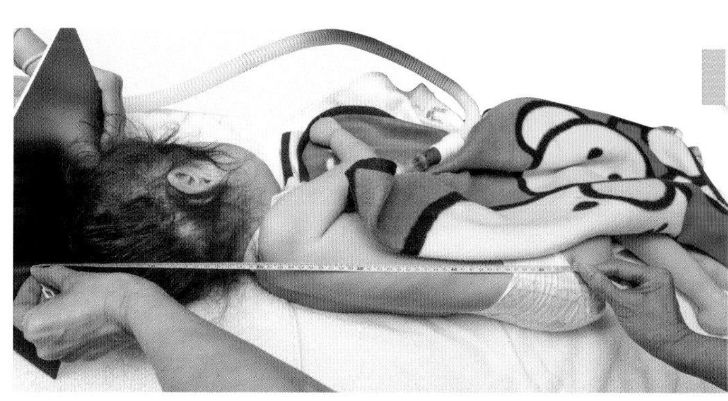

計測

・Aちゃんは月1回身体計測（体重・身長）を行っている。立位での計測ができないため、側臥位で3か所に分けて測定する。

*測定法や測定箇所の分け方は、身体の変形等の特徴に合わせて選択する。

・測定時は保温に留意し、前回の測定値を把握しておき、測り直しがないようにする。

入浴

・お母さんと役割を分担して入浴介助をする。
・看護師は、Aちゃんが沈み込まないように体を支え、気管切開部、人工呼吸器接続部に水がかからないよう注意を払う。
・入浴中はパルスオキシメーターを外しているため、顔色や呼吸状態は特に注意する。
・入浴後の着衣時は、脱衣時と同様に関節可動域や気管カニューレ等に注意しながら、迎え袖で行う。

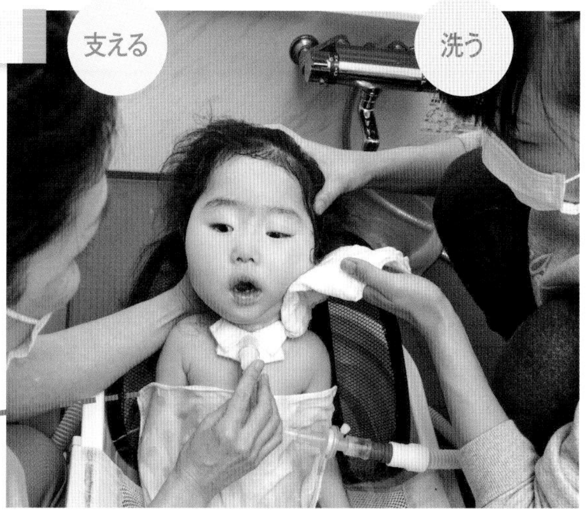

身体が沈まないように、身近に揃えられるもので背もたれや腰掛けをつくるなど、家庭によって工夫されている。

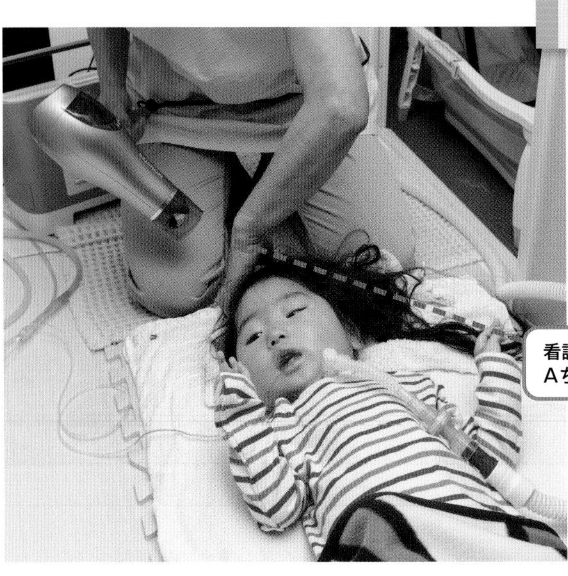

整髪

・ドライヤーの作動音で人工呼吸器のアラーム音が聞こえにくくなるため、Aちゃんの様子や人工呼吸器を目視で確認する。

・ドライヤー施行時は、首が動きやすいため、人工呼吸器と気管カニューレの接続部が外れないように注意する。

看護師の手に温風を当てて温度を確認しながら、Aちゃんに熱風が直接当たらないように配慮する。

移動

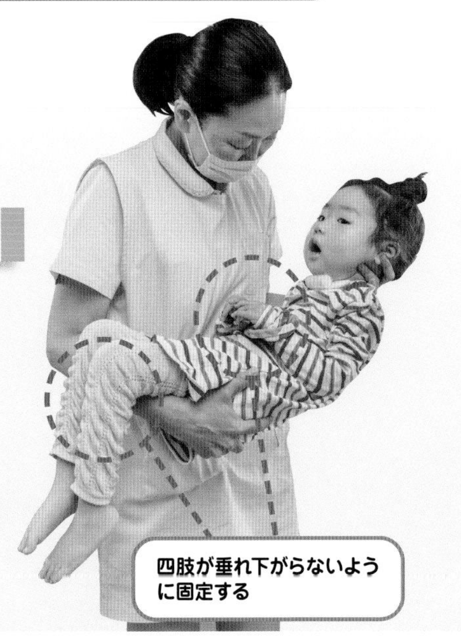

・Aちゃんは嚥下機能が弱く唾液の垂れ込みが起こることがあるため、上体を挙上しすぎないようにして移動する*。

*どの角度で垂れ込みが起きやすいか把握しておくことが重要である。

・筋力が低下しているため、四肢の重みで脱臼や骨折をしないように、手首はバンド等で、下肢も膝下を確実に固定する。

四肢が垂れ下がらないように固定する

カニューレ保持

バンド交換

カニューレバンド交換

・カニューレバンド交換は、カニューレの抜去がないように2人で行う。（Aちゃんの場合、お母さんがカニューレを押さえ、看護師がカニューレバンドを交換している。）

・発汗や蒸れなどでカニューレバンド装着箇所に発赤が生じることがあるため、清拭、保湿をして清潔に保つ。

一人は必ずカニューレを押さえておく

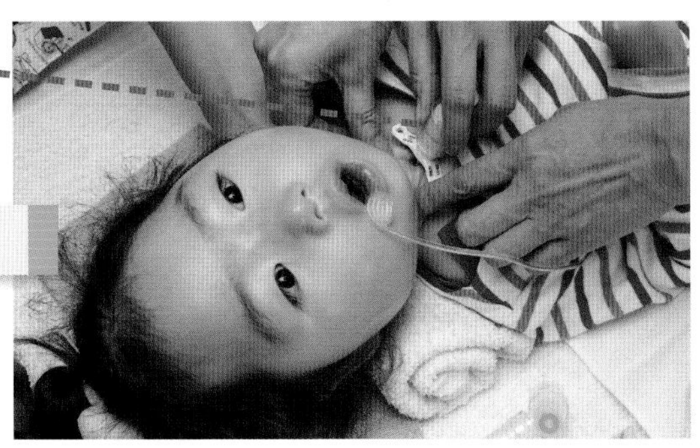

気切孔の観察

・気管カニューレや吸引チューブの刺激により気管粘膜に肉芽が生じることがあるため、適宜観察する。

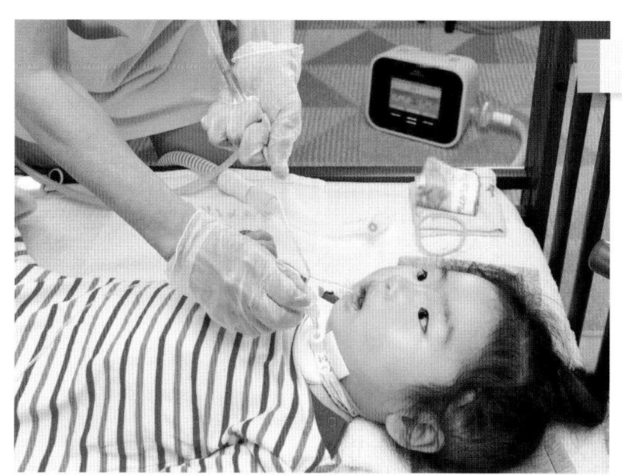

気管内吸引

・気管粘膜の損傷や肉芽防止のため、吸引チューブは決められた長さを挿入する。
・気管内分泌物が硬いとカニューレ内が閉塞する可能性があるため、分泌物の性状や量を観察し、適度な粘稠度になるように人工呼吸器の加温加湿器を調節する。

ミキサー食注入

・胃瘻栄養法では半固形物を注入できるため、家族が食べているものと同じ、さまざまな食品をミキサー食にして摂取することが可能である。
・注入前後は、胃瘻孔や周囲の皮膚の状態を観察する。

今日はニンジンが入っているよ～
一緒に「いただきます」しようね。

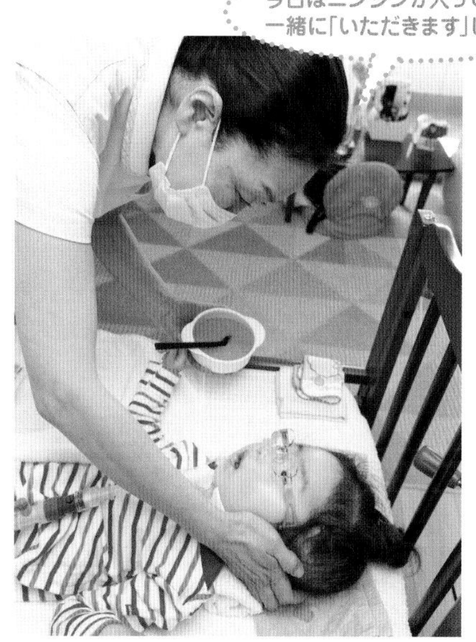

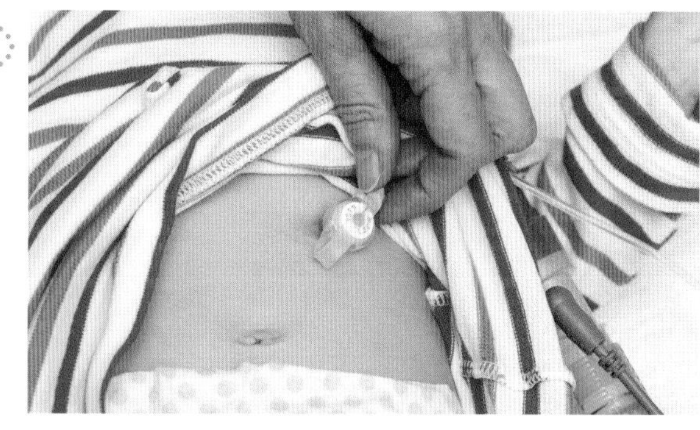

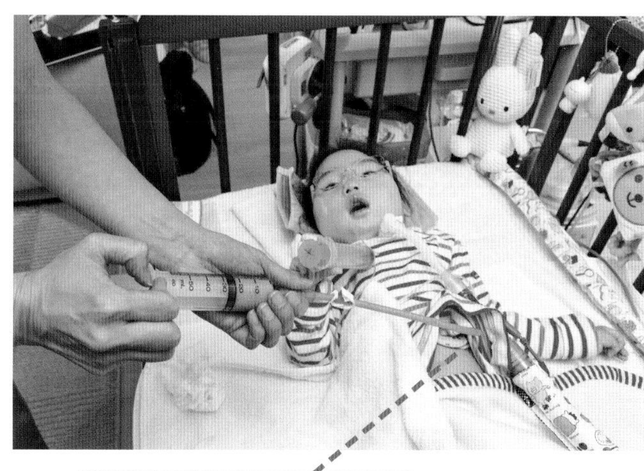

・食事に興味や楽しみをもたせるため、注入する食材を伝えたり、ミキサー食を見せて、食品の香りや温かさを伝えたりする。
・初めて注入する食品は、アレルギー症状の出現に注意する。

注入中は腹部が張っていないか、呼吸が早くなっていないかなど、状態を観察する。

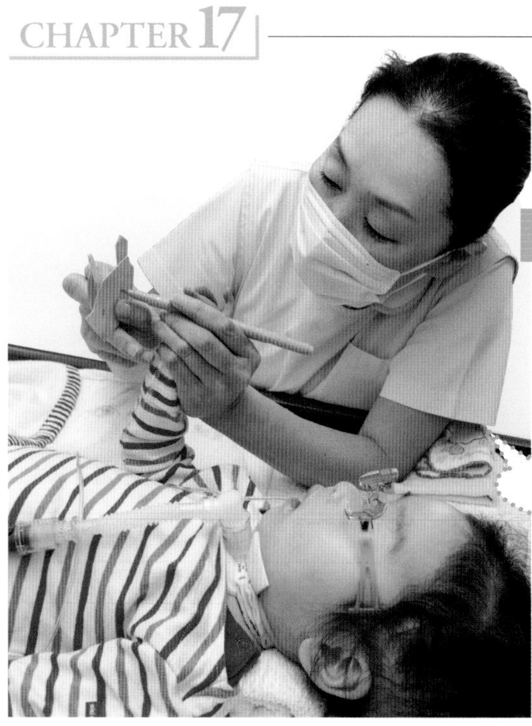

遊び

・訪問時の遊びの時間は5～10分程度と短いが、可能な限りAちゃんが希望する遊びを選択する。

・この日はウサギの折り紙を一緒に作ると決定。サインペンの把持は手伝い、目や鼻を一緒に書く。

Aちゃん、うさちゃんのおめめはこれでオッケー？

訪問リハビリ

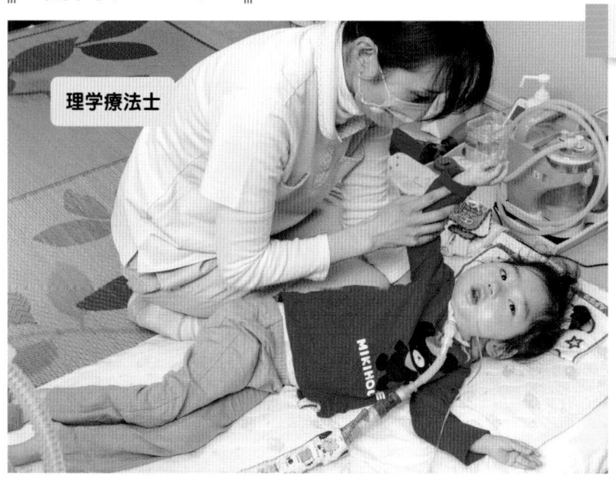

姿勢保持・理学療法

・Aちゃんの体型にあった固定具を使用。成長に伴い適宜調整する。

・Aちゃんの拘縮を予防するために、肩関節や下肢の可動域を拡げる動きを実施している。

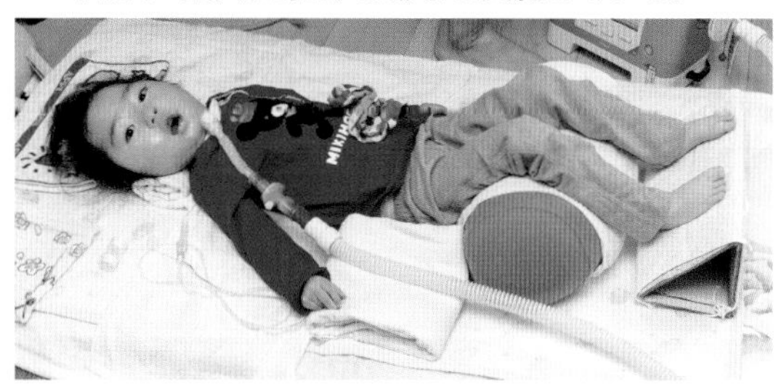

幼稚園への通園（週1回）

登園

・バギー乗車中は、振動により排痰が促進されることがあるため、呼吸状態をよく観察する。

・必要時すぐに吸引ができるように、吸引器はAちゃんの傍に配置しておく。

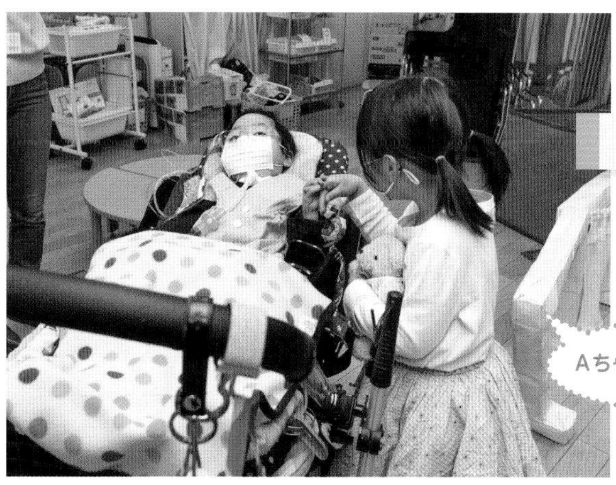
Aちゃんおはよう！

幼稚園での様子

・登園には感染予防など注意が必要だが、仲良しの友達と会えるため、Aちゃんは幼稚園に行くことをとても楽しみにしている。

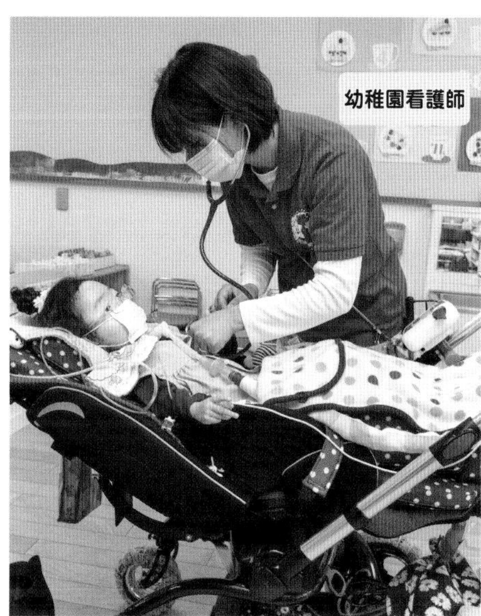
幼稚園看護師

・この日はいつもより気管内分泌物が多いため、幼稚園の看護師が適宜状態を観察し、Aちゃんが参加可能なプログラムを幼稚園教諭と検討している。

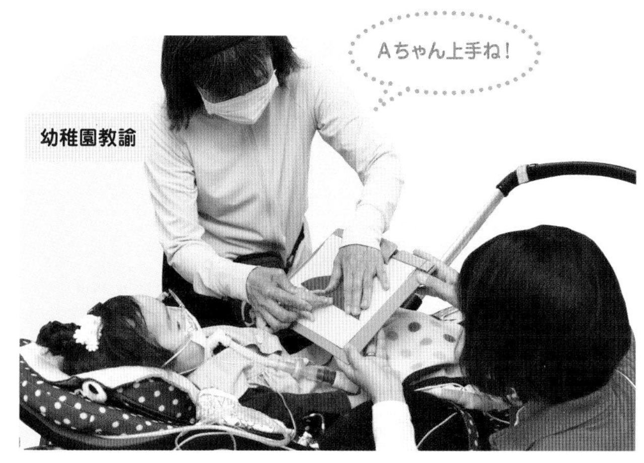
Aちゃん上手ね！
幼稚園教諭

・お迎えの車が到着するまでの時間で、幼稚園教諭、看護師と折り紙で遊ぶ。

また来週待っているよ！

降園

Bちゃんの場合（12歳／女児／訪問看護・訪問リハビリ利用／週3回訪問による授業）

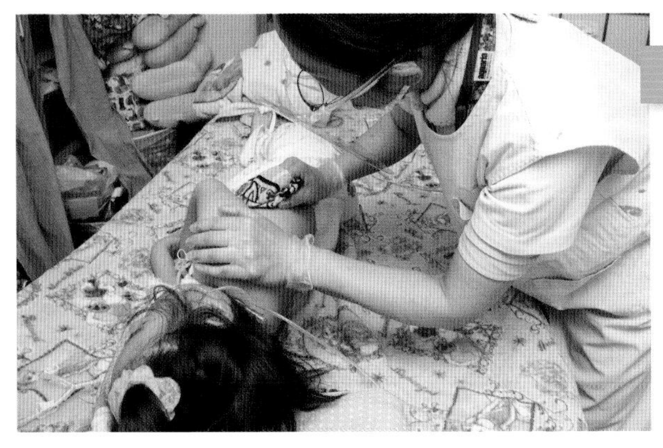

清拭

・気管カニューレを抜去しないよう、気管カニューレの固定状況をケア前に確認する。
・訪問時は一人で清拭することが多いため、側臥位時の支えを確実に実施する。必要に応じてクッション等の固定具を使用する。

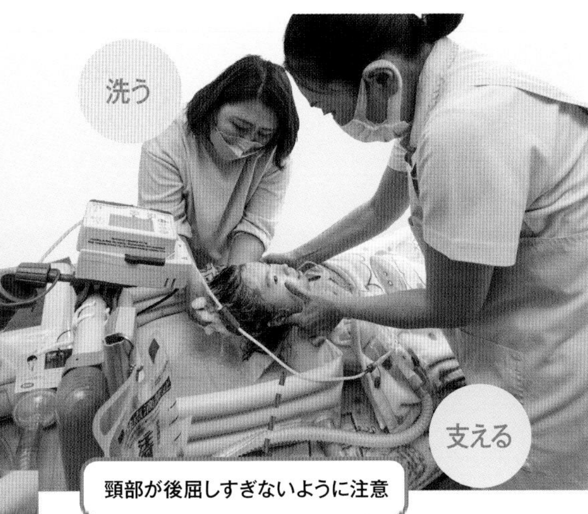

洗髪

・頸部を後屈した際に起こる頸椎圧迫による動脈血流不良が起きないように、頸部は過度に後屈させない。

・ペットボトルのキャップに穴を開けてシャワーの代わりにするなど、家庭内にある物品を代用する。

肺理学療法

・Bちゃんの様子、呼吸の状態によって、施行する部位、方法（クラッピング、スクイージングなど）を選択する。
・施行前後の呼吸音や胸郭の動きを見て、肺理学療法による効果を評価する。

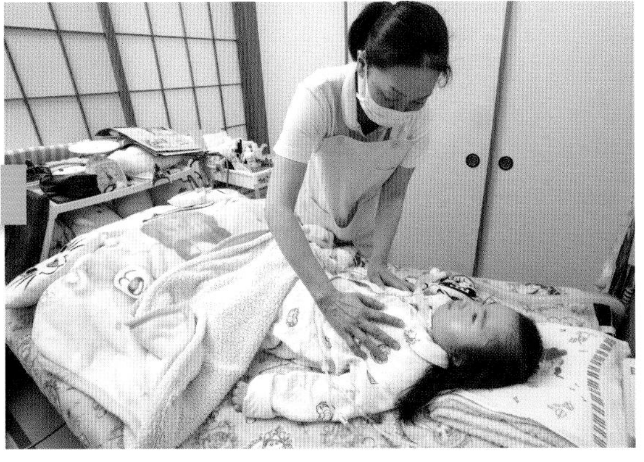

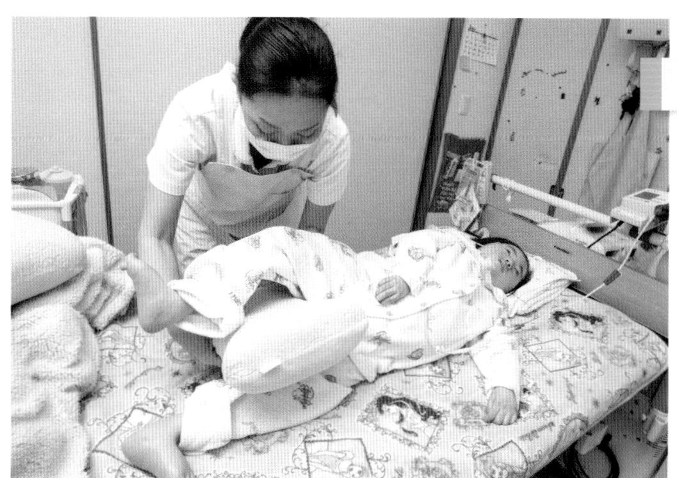

体位変換

・Bちゃんは自分で体位を変えることができないため、2時間ごとに体位変換をする。身体の拘縮の状況、程度によって、固定具を選択する。
・本人の安楽な反応（表情、脈拍、呼吸）などを把握する。

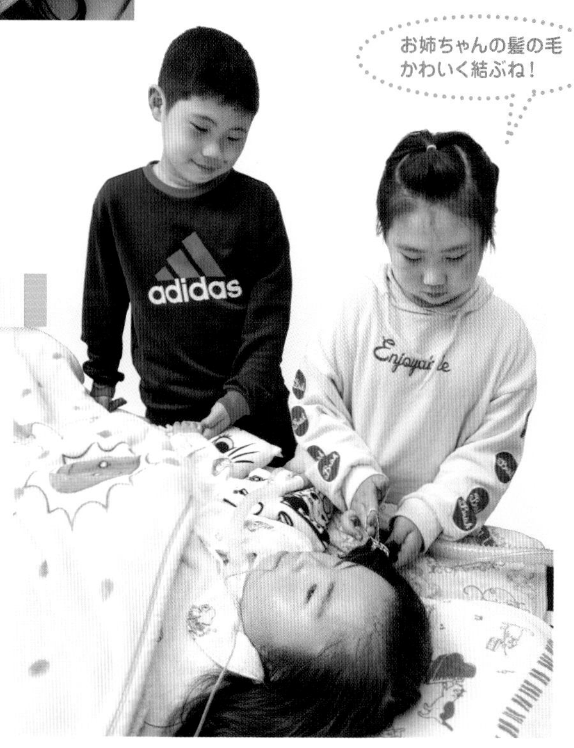

家族との関わり

・日々の訪問を通じて、きょうだいの思いにも目を向け、Bちゃんとかかわりがもてるようにする。

家族への対応

医療的ケア児の親は、24時間、365日、家庭内で介護を行っているため、疲労が蓄積される。負担の軽減を図るために、方法の検討や社会的資源（レスパイト利用）の活用等を提案する。家庭内でのケアは、介護者がケアしやすく、経済的な負担が少なく、かつ安全な方法を家族と共に検討し、家族が適切なケア方法を選択できるようにする。
また、医療的ケア児に関わる医療者や多職種者が、ケアの方法を統一できるよう、訪問看護師、理学療法士、保健師、保育士、教員などが常に情報を共有して実践していくことも重要である。
また、親は医療的ケア児への関わりを優先せざるを得ないため、きょうだい児は我慢を強いられることがある。医療的ケア児へのケアと同様に、家族一人ひとりの観察とコミュニケーションを密にし、必要に応じた支援を行う。

やってみよう！ セルフチェック

本書で学んだ内容をもとに、セルフチェック問題にチャレンジしてみよう。

＊問題は、過去の看護師国家試験（厚生労働省）第 95 回、第 100 回、第 102 回、第 103 回、第 103 回追試、第 105 回、第 106 回、第 107 回、第 109 回、第 110 回より

問 1

幼少期後期における呼吸の型はどれか。

1　肩呼吸
2　胸式呼吸
3　腹式呼吸
4　胸腹式呼吸　　（第 103 回追試　午前 6 問）

問 2

学童期の正常な脈拍数はどれか。

1　50 ～ 70/ 分
2　80 ～ 100/ 分
3　110 ～ 130/ 分
4　140 ～ 160/ 分　　（第 105 回　午後 6 問）

問 3

平成28年度（2016年度）の福祉行政報告例における児童虐待で正しいのはどれか。

1　主たる虐待者は実父が最も多い。
2　性的虐待件数は身体的虐待件数より多い。
3　児童虐待相談件数は 5 年間横ばいである。
4　心理的虐待件数は 5 年前に比べて増加している。　　（第 109 回　午後 59 問）

問 4

ピアジェ J.の認知発達理論において2 ～ 7歳ころの段階はどれか。

1　感覚―運動期
2　具体的操作期
3　形式的操作期
4　前操作期　　（第 107 回　午後 52 問）

問 5

子どもへの医療処置に対するプレパレーションで正しいのはどれか。

1　子どもの病気の治癒を促進する。
2　泣いてはいけないと子どもに伝える。
3　両親はプレパレーションに参加しない。
4　経験するであろう感覚についての情報を子どもに伝える。　　（第 100 回　午後 71 問）

問 6

Aちゃん（3歳　女児）は、病室で朝食を食べていた。そこに、医師が訪室して採血を行いたいと話したところ、Aちゃんは何も答えず下を向いて泣き始めた。その様子を見ていた看護師は、Aちゃんは朝食を中断して採血されるのは嫌だと思っているようなので、朝食後に採血して欲しいと医師に話した。この看護師の対応の根拠となる概念はどれか。

1　アセント
2　コンセント
3　アドボカシー
4　ノーマライゼーション
5　ノンコンプライアンス　　（第 105 回　午前 75 問）

問7

身体発育で正しいのはどれか。

1　カウプ指数15は正常範囲である。
2　肥満度20%以上は高度肥満である。
3　身長の発育速度は思春期に最大になる。
4　骨端線の閉鎖が早いほど最終身長は高くなる。　（第95回　午前119問）

問8

生後から20歳になるまでの器官の発育発達を示した曲線（Scammon<スカモン>の発育発達曲線）を図に示す。胸腺の成長を示すのはどれか。

1　①
2　②
3　③
4　④

（第110回　午後26問）

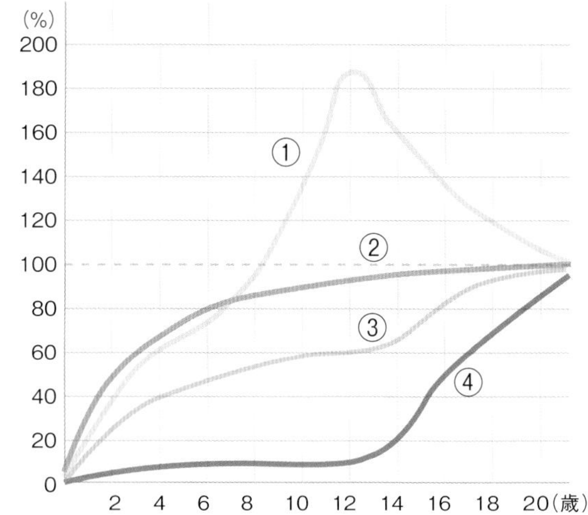

問9

乳児の事故防止として正しいのはどれか。

1　直径25mmの玩具で遊ばせる。
2　ベッドにいるときはベッド柵を上げる。
3　うつ伏せで遊ばせるときは柔らかい布団を敷く。
4　屋外で遊ばせるときはフード付きの衣服を着用させる。　（第102回　午後69問）

問10

乳児に水薬を与薬する方法で適切なのはどれか。

1　哺乳瓶の乳首に入れて吸啜させる。
2　コップに入れて飲ませる。
3　人工乳に混ぜて飲ませる。
4　胃管を挿入して注入する。　（第103回追試　午後62問）

問11

輸液ポンプを50mL/時に設定し、500mLの輸液を午前10時から開始した。終了予定時刻はどれか。

1　午後2時
2　午後4時
3　午後6時
4　午後8時　（第100回　午後24問）

問12

排便を促す目的のために浣腸液として使用されるのはどれか。

1　バリウム
2　ヒマシ油
3　グリセリン
4　エタノール　（第107回　午前16問）

問 13

Aちゃん（3歳、女児）は母親とともに小児科外来を受診した。診察の結果、Aちゃんは血液検査が必要と判断され、処置室で採血を行うことになった。看護師の対応で適切なのはどれか。

1 処置前、母親ひとりに採血の説明をする。
2 坐位で行うか仰臥位で行うかをＡちゃんに選ばせる。
3 注射器に血液の逆流が見られたときに「終わったよ」とＡちゃんに伝える。
4 処置後、Ａちゃんと採血について話さないようにする。 （第103回 午後59問）

問 14

排泄が自立していない男児の一般尿を採尿バッグを用いて採取する方法で正しいのはどれか。

1 採尿バッグに空気が入らないようにする。
2 採尿口の下縁を陰茎の根元の位置に貼付する。
3 採尿バッグを貼付している間は座位とする。
4 採取できるまで1時間ごとに貼り替える。
5 採取後は貼付部位をアルコール面で清拭する。 （第106回 午前79問）

問 15

腰椎穿刺における乳児の体位と看護師による固定方法の図を別に示す。
正しいのはどれか。

（第101回 午前67問）

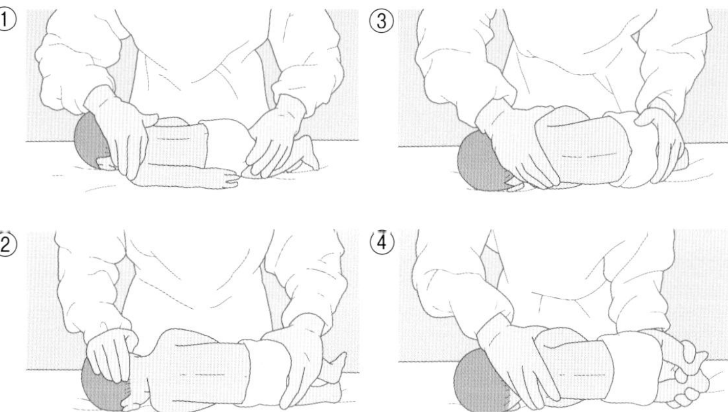

問 16

経鼻胃管の先端が胃内に留置されていることを確認する方法で正しいのはどれか。

1 腹部を打診する。
2 肺音の聴取を行う。
3 胃管に水を注入する。
4 胃管からの吸引物が胃内容物であることを確認する。 （第110回 午前22問）

問 17

幼児の心肺蘇生における胸骨圧迫の方法で正しいのはどれか。

1 胸骨中央下部を圧迫する。
2 実施者の示指と中指とで行う。
3 1分間に60回を目安に行う。
4 1回の人工呼吸につき3回行う。 （第109回 午前58問）

問 18

次の文を読み①～③の問いに答えよ。

A 君（2 歳 6 か月、男児）。両親との 3 人暮らし。脳性麻痺と診断され、自力で座位の保持と歩行はできず専用の車椅子を使用している。話しかけると相手の目を見て笑顔を見せ、喃語を話す。食事はきざみ食でスプーンを使うことができるが、こぼすことが多く介助が必要である。排泄、清潔および更衣は全介助が必要である。（第 106 回　午前 103,104,105）

①定期受診のため外来を受診した。バイタルサインは、体温37.5℃、呼吸数32/分、心拍数120/分、血圧108/48mmHgであった。両上肢と手関節は屈曲、両下肢は交差伸展し、背を反らしており、全身が緊張している。母親は看護師に「Aは、便は出ない日がありますが大体毎日出ています。時々夜遅くまで眠らない日がありますが日中は機嫌良くしています」と話した。母親に指導すべき内容で優先度が高いのはどれか。

1　感染予防
2　筋緊張の緩和
3　排便コントロール
4　呼吸機能の悪化予防
5　睡眠パターンのコントロール

②A君の食事について看護師が母親に尋ねると「食べこぼしが多く、食べながらうとうとしてしまい時間がかかるし、十分な量も食べられていません」と話した。A君の食事に関する母親への指導で最も適切なのはどれか。

1　「経腸栄養材の開始について医師と相談しましょう」
2　「ホームヘルパーの依頼を検討しましょう」
3　「食事時間を 20 分以内にしましょう」
4　「ペースト食にしてみましょう」

③現在、A君の母親は妊娠16週で順調に経過している。母親は「出産のときにAを預かってくれるところを探そうと思っています」と看護師に話した。父親は会社員で、毎日20時ごろ帰宅する。A君の祖父母は遠方に住んでおり支援をすることができない。母親に情報提供する社会資源で最も適切なのはどれか。

1　乳児院
2　病児保育
3　情緒障害児短期入所施設
4　レスパイトを目的とする入院
5　ファミリーサポートセンター

解答・解説

問1　正解：4

小児の呼吸法は、腹式呼吸→胸腹式呼吸→胸式呼吸と移行する。幼児期後期における呼吸の型は胸腹式呼吸である。(→ p.13 参照)

問2　正解：2

小児の脈拍数は成人より多く、成長とともに減少する。学童期の正常な脈拍数は 80 ～ 100/ 分である。(→ p.13 参照)

問3　正解：4

主たる虐待者は実母が最も多く、身体的虐待件数は性的虐待件数よりも多い。心理的虐待件数は、平成 23 年度（2011 年度）に 17,670 件であったのに比べ、平成 28 年度（2016 年度）は 63,186 件と 3 倍以上増加している。

なお、その後も増加は続き、令和 2 年度（2020 年度）には 121,334 件となっている。

問4　正解：4

ピアジェの認知発達理論において、誕生～ 2 歳ごろまでは「感覚運動的段階」、2 ～ 7 歳ごろまでは「前操作期」、7 ～ 11 歳ごろまでは「具体的操作期」、11 歳～成人までは「形式的操作期」に分類される。(→ p.31 参照)

問5　正解：4

プレパレーションは心理的準備と訳され、患児と家族に発達段階に応じたわかりやすい説明を行い、これから体験する検査・処置などについての心の準備ができるようにかかわることが重要である。(→ p.42 参照)

問6　正解：3

アドボカシーとは、「権利擁護・代弁」と訳される。A ちゃんが下を向いて泣き始めたことに対して看護師は代弁者として「後にしてほしい」と医師に伝えているため、アドボカシーが正しい。(インフォームド・アセントについては p.42 参照)

問7　正解：1

乳幼児の発育評価に用いられるカウプ指数は、20 以上が肥満、18 ～ 20 が肥満傾向、15 ～ 18 が標準、13 ～ 15 がやせぎみ、13 未満がやせとなっている。カウプ指数 15 は正常範囲である。(→ p.76 参照)

問8　正解：1

①はリンパ型（扁桃・リンパ節・胸腺など）、②は神経系型（脳や脊髄、視覚器など）、③は一般型（身長や体重、臓器など）、④は生殖系型（男児の陰茎や睾丸、女児の卵巣や子宮など）の発育発達を示す曲線である。

問9　正解：2

転落防止のため、ベッド上にいるときはベッド柵を上げる。ベッドから目を離すときは、必ずベッド柵を上段まで上げるよう、入院時や面会時には家族にも指導する必要がある。(→ p.102 参照)

問10　正解：1

哺乳瓶の乳首の部分を使い、水薬を注入して吸啜させるとよい。なお、人工乳に混ぜて飲ませると、ミルク嫌いになる可能性があるため、哺乳前に水薬を飲ませた方がよい。(→ p.108 ～ p.109 参照)

問11　正解：4
毎時 50mL で 500mL 滴下するには、10 時間かかる。午前 10 時の 10 時間後なので、午後 8 時となる。

問12　正解：3
浣腸液には、腸壁に刺激を与え、腸の蠕動運動を促進し、排便・排ガスを促す役目を果たすグリセリンが使用される。(→ p.114 参照)

問13　正解：2
坐位で行うか仰臥位で行うか、A ちゃん自身が選択し、納得して処置に臨めるように援助することが重要である。(→ p.46 ～ p.47 参照)

問14　正解：2
男児の場合は、採尿口の下縁を陰茎の根元の位置に隙間をつくらないように貼り付け、採尿バッグ内に陰茎を収める。(→ p.135 参照)

問15　正解：3
腰椎穿刺は、患児が左側臥位で、背面を垂直に穿刺部の椎間が空くように背中を丸めて固定するのが正しい。(→ p.139 ～ p.141 参照)

問16　正解：4
チューブの先端が胃内に留置されていることを確認するには、チューブにシリンジを接続して吸引し、吸引液の確認と pH 試験紙による強酸性の測定を行うことが確実である。(→ p.160 参照)

問17　正解：1
小児（幼児）の胸骨圧迫では、胸骨下半分の胸骨上を実施者の手掌で圧迫する。示指と中指での胸骨圧迫は乳児への圧迫方法である。また、幼児の胸骨圧迫は 1 分間に 100 ～ 120 回のテンポで行い、胸骨圧迫 30 回ごとに、人工呼吸を 2 回行う。(→ p.182 参照)

問18

①　正解：2
筋緊張の亢進や緊張が持続することにより身体の拘縮や変形をきたす。拘縮や変形は運動や呼吸に影響を及ぼし、骨折や関節脱臼なども起こしやすくなる。筋緊張により体力が消耗することからも可能な限り筋緊張を取り除く必要がある。

②　正解：4
食べこぼしがあり食事に時間がかかっていることから、摂食機能と食形態が合っていない可能性がある。咀嚼や嚥下がしやすいペースト食に変更し様子をみる。

③　正解：4
レスパイトとは、一時中断・休息・息抜きなどを意味し、療育者が一時的に休息を挟むことである。当該事例のような場合、レスパイト入院を利用することがある。

10~90パーセンタイル：発育上の問題なし　10パーセンタイル未満／90パーセンタイル以上：要経過観察　3パーセンタイル未満／97パーセンタイル以上：要精密検査

乳幼児（男子）身体発育曲線《体重》

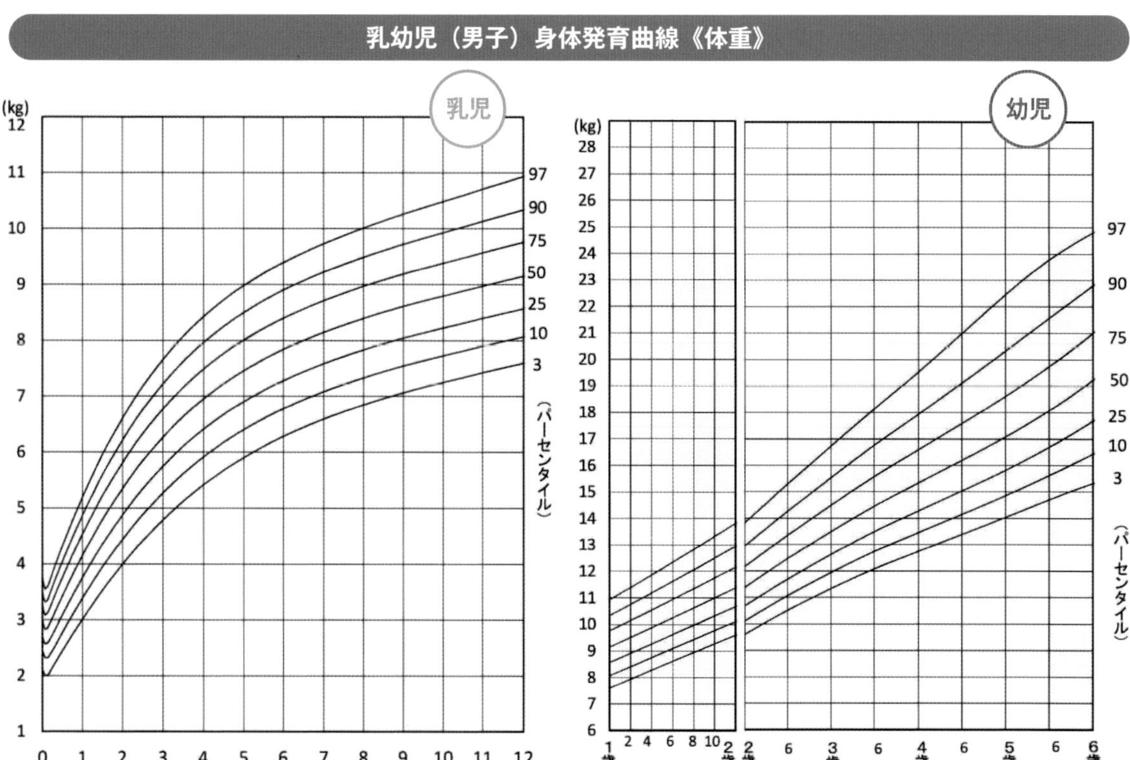

乳幼児（女子）身体発育曲線《体重》

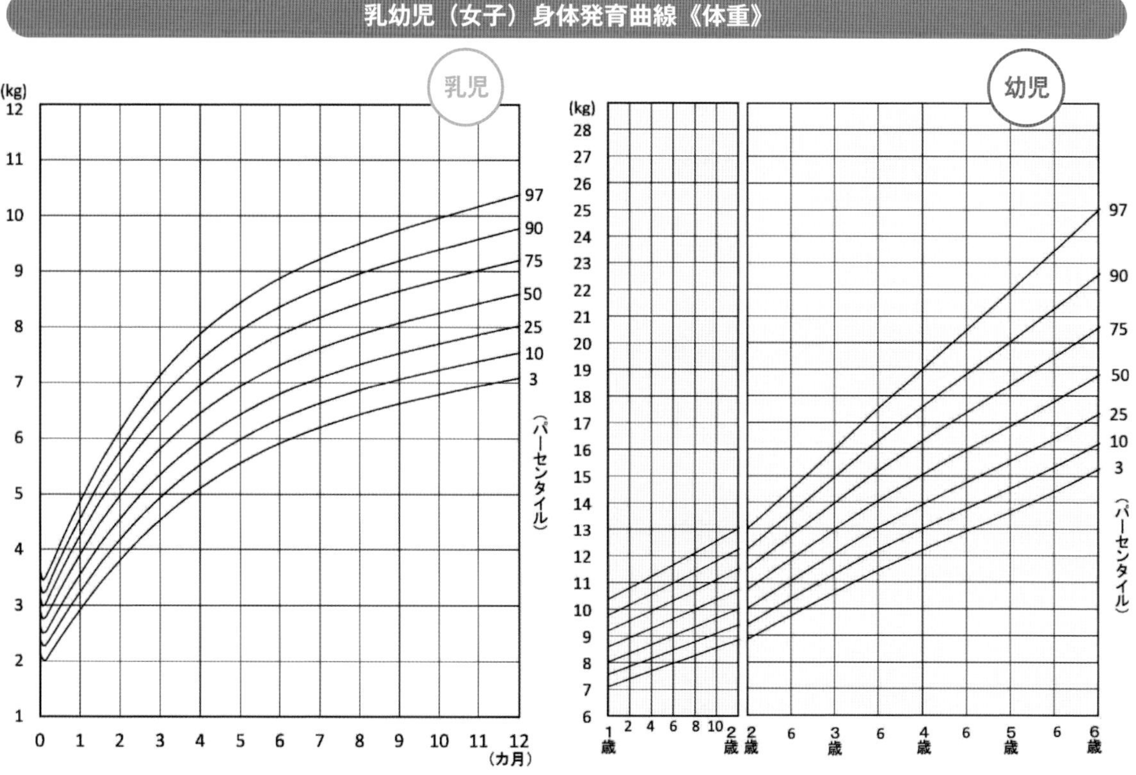

乳幼児（男子）身体発育曲線《身長》

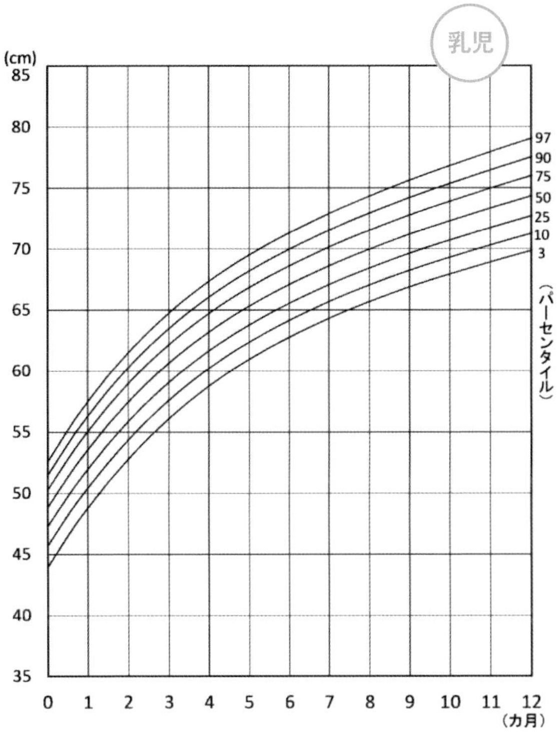
乳児
(cm)
85
80
75
70
65
60
55
50
45
40
35
0 1 2 3 4 5 6 7 8 9 10 11 12
(カ月)
97
90
75
50
25
10
3
（パーセンタイル）

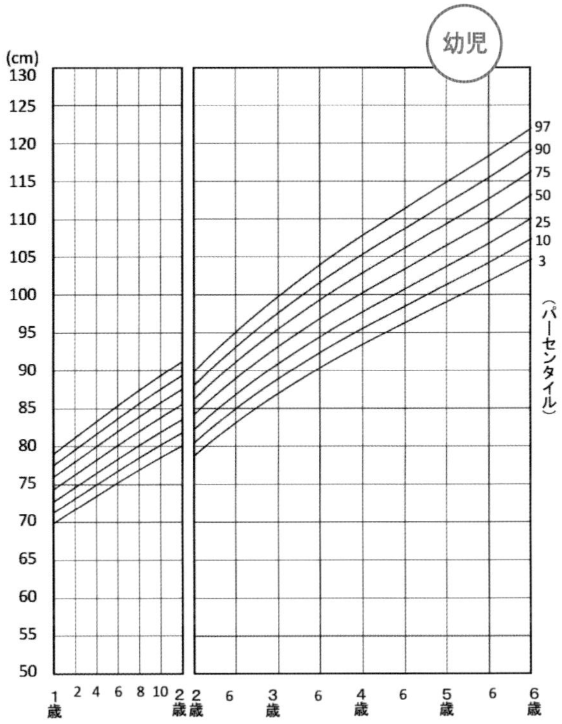
幼児
(cm)
130
125
120
115
110
105
100
95
90
85
80
75
70
65
60
55
50
1歳 2 4 6 8 10 2歳 2歳 6 3歳 6 4歳 6 5歳 6 6歳
97
90
75
50
25
10
3
（パーセンタイル）

乳幼児（女子）身体発育曲線《身長》

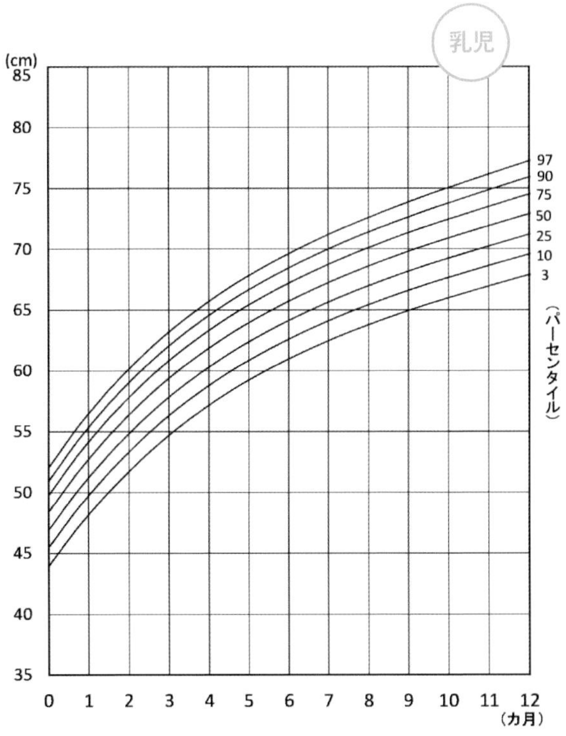
乳児
(cm)
85
80
75
70
65
60
55
50
45
40
35
0 1 2 3 4 5 6 7 8 9 10 11 12
(カ月)
97
90
75
50
25
10
3
（パーセンタイル）

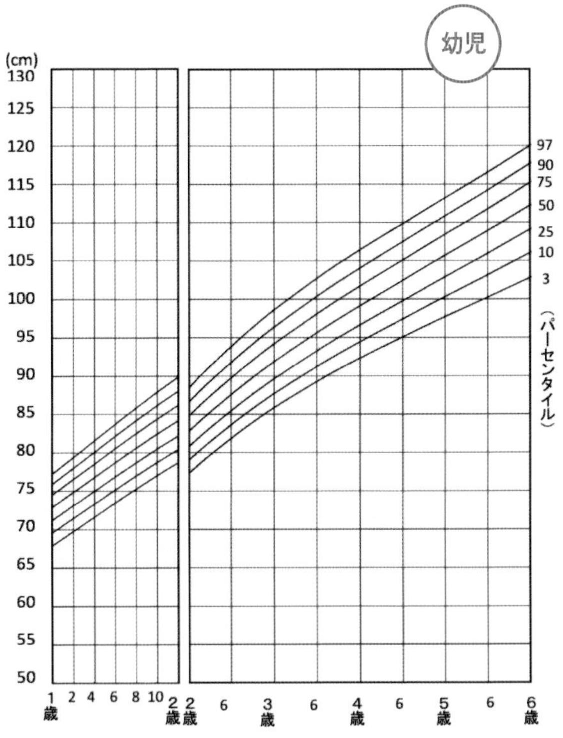
幼児
(cm)
130
125
120
115
110
105
100
95
90
85
80
75
70
65
60
55
50
1歳 2 4 6 8 10 2歳 2歳 6 3歳 6 4歳 6 5歳 6 6歳
97
90
75
50
25
10
3
（パーセンタイル）

10～90パーセンタイル：発育上の問題なし　10パーセンタイル未満／90パーセンタイル以上：要経過観察　3パーセンタイル未満／97パーセンタイル以上：要精密検査

乳幼児（男子）身体発育曲線《胸囲》

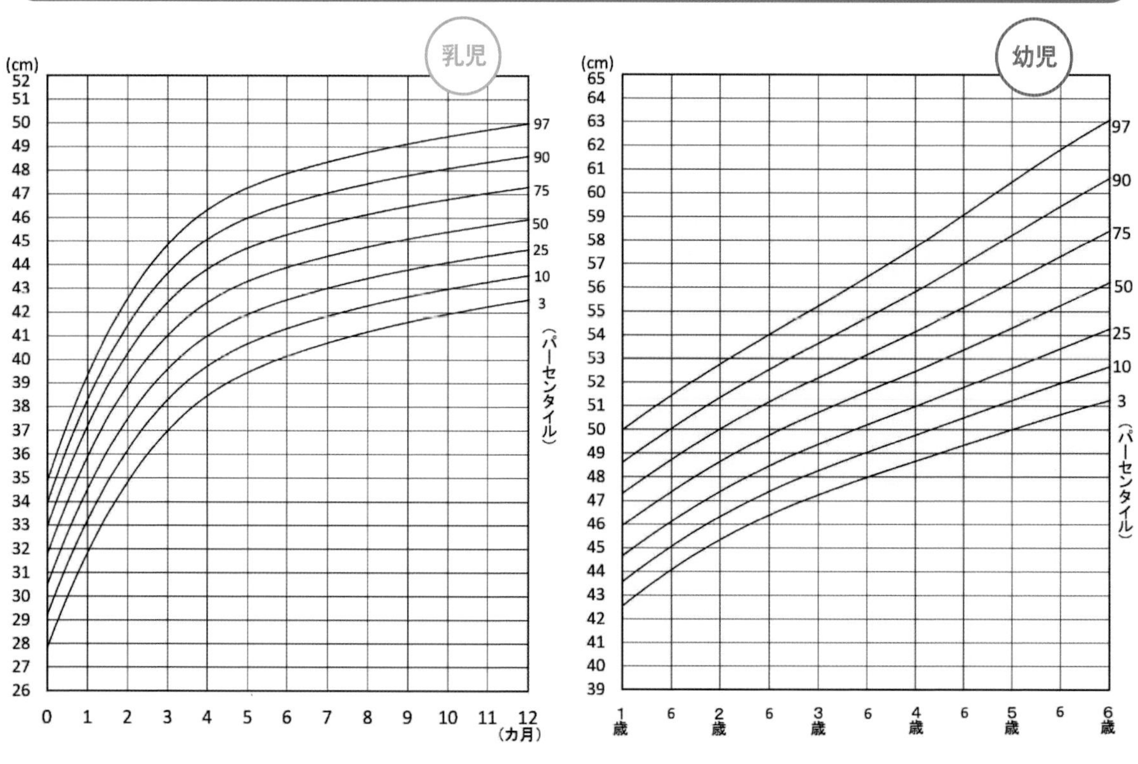

乳幼児（女子）身体発育曲線《胸囲》

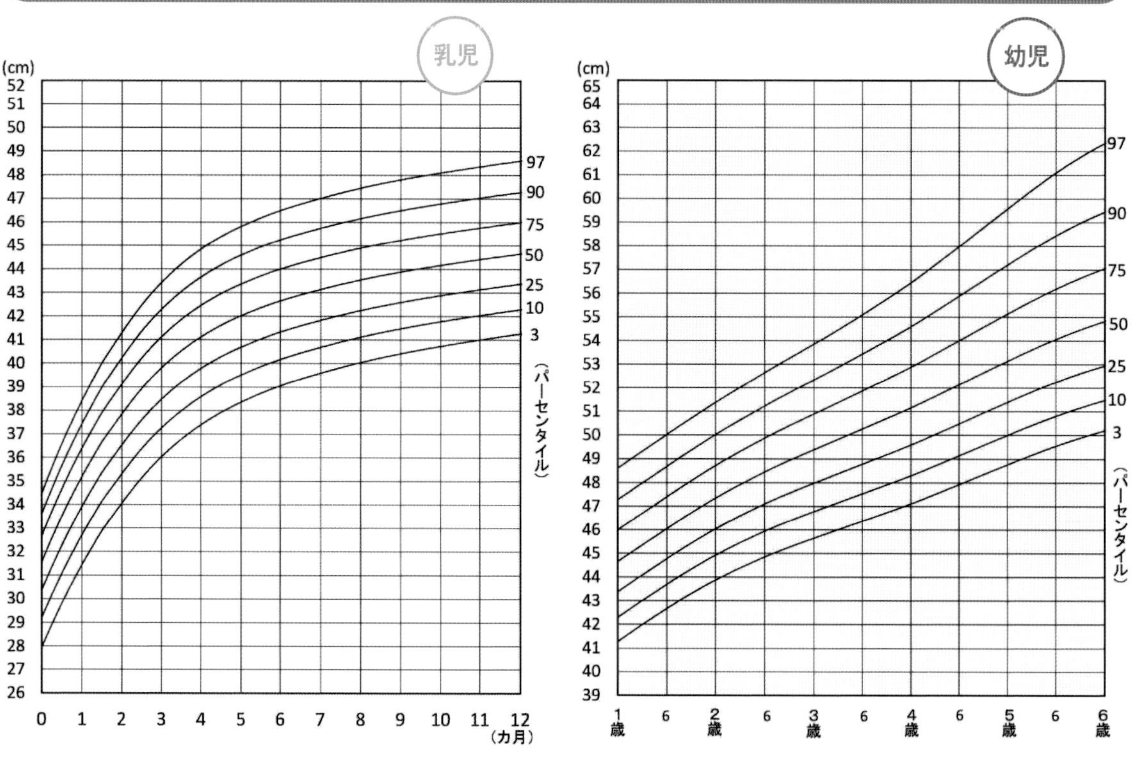

乳幼児（男子）身体発育曲線《頭囲》

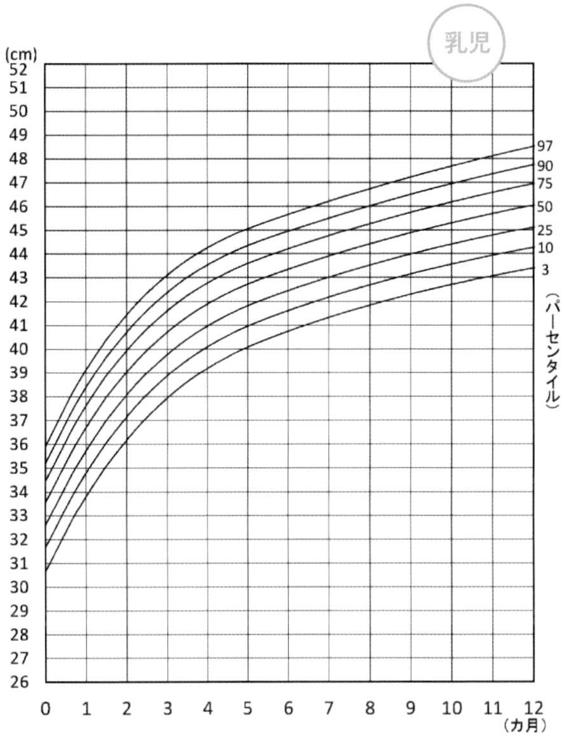

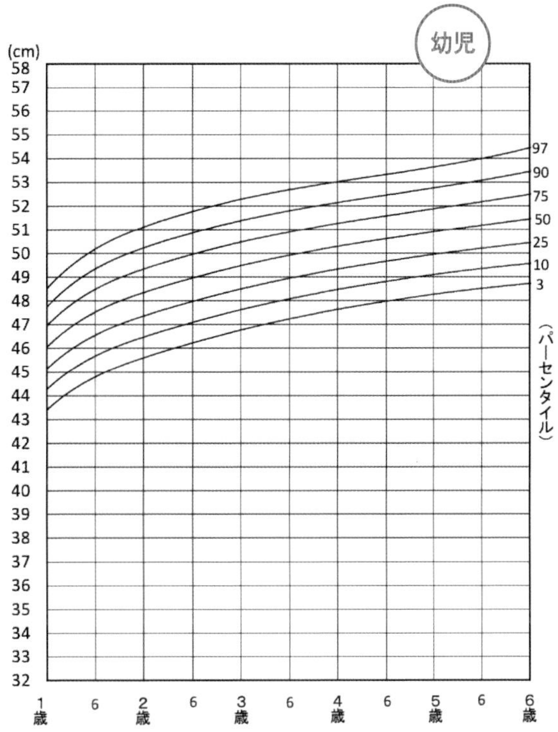

乳児

(cm)

52 51 50 49 48 47 46 45 44 43 42 41 40 39 38 37 36 35 34 33 32 31 30 29 28 27 26

0 1 2 3 4 5 6 7 8 9 10 11 12（カ月）

97 90 75 50 25 10 3（パーセンタイル）

幼児

(cm)

58 57 56 55 54 53 52 51 50 49 48 47 46 45 44 43 42 41 40 39 38 37 36 35 34 33 32

1歳 6 2歳 6 3歳 6 4歳 6 5歳 6 6歳

97 90 75 50 25 10 3（パーセンタイル）

乳幼児（女子）身体発育曲線《頭囲》

乳児

(cm)

52 51 50 49 48 47 46 45 44 43 42 41 40 39 38 37 36 35 34 33 32 31 30 29 28 27 26

0 1 2 3 4 5 6 7 8 9 10 11 12（カ月）

97 90 75 50 25 10 3（パーセンタイル）

幼児

(cm)

58 57 56 55 54 53 52 51 50 49 48 47 46 45 44 43 42 41 40 39 38 37 36 35 34 33 32

1歳 6 2歳 6 3歳 6 4歳 6 5歳 6 6歳

97 90 75 50 25 10 3（パーセンタイル）

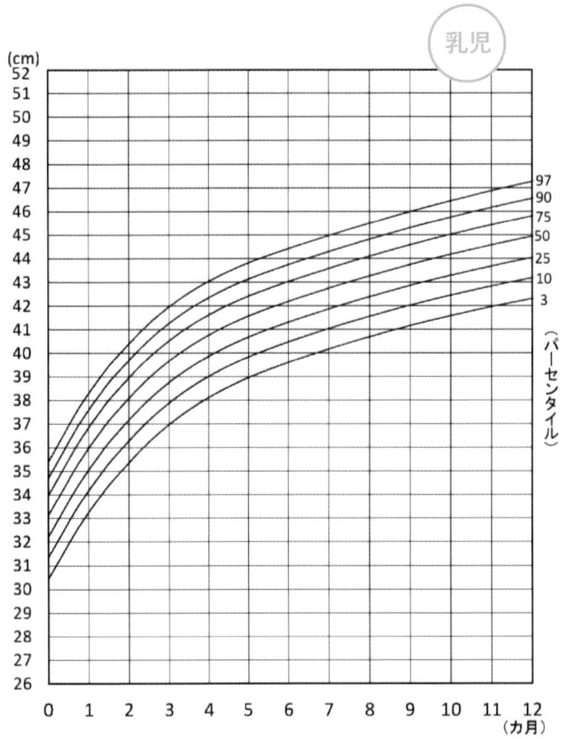

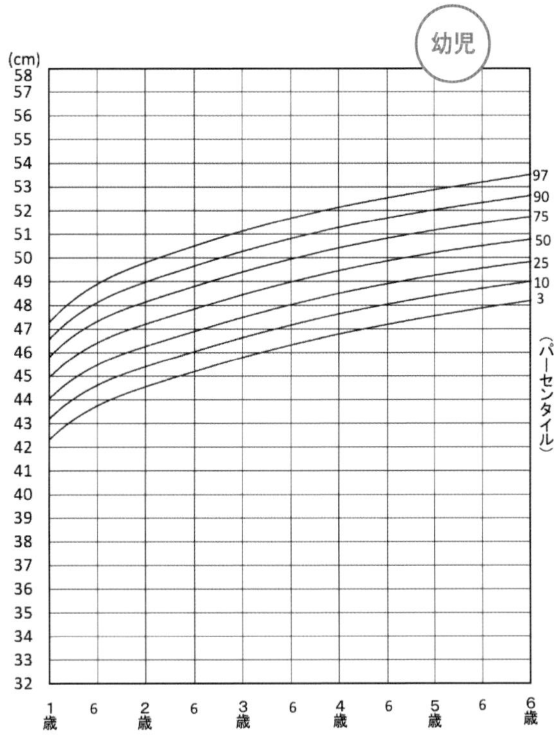

血液所見正常値

ヘモグロビン(Hb)

男児 (g/dL)

年 齢	下限値	上限値
0か月	8.7	13.5
1か月	9.0	13.5
3か月	9.5	13.7
6か月	10.0	14.2
1歳	10.5	14.1
2歳	10.7	14.2
3歳	11.0	14.2
6歳	11.5	14.4
12歳	12.2	15.7
15歳	12.6	16.5
20歳	13.7	17.2

女児 (g/dL)

年 齢	下限値	上限値
0か月	8.7	13.5
1か月	9.0	13.5
3か月	9.5	13.7
6か月	10.0	14.2
1歳	10.7	14.1
2歳	10.9	14.2
3歳	11.1	14.2
6歳	11.5	14.4
12歳	11.9	14.9
15歳	11.8	14.9
20歳	11.5	14.6

ヘマトクリット(Ht)

男児 (%)

年 齢	下限値	上限値
0か月	25.5	39.0
1か月	26.6	40.0
3か月	28.5	41.1
6か月	30.0	41.6
1歳	32.0	42.4
2歳	33.0	43.0
3歳	33.5	43.0
6歳	34.8	43.0
12歳	35.8	45.0
15歳	36.4	48.0
20歳	40.0	51.0

女児 (%)

年 齢	下限値	上限値
0か月	25.5	39.0
1か月	26.6	40.0
3か月	28.5	41.1
6か月	30.0	41.6
1歳	31.7	42.4
2歳	32.5	43.0
3歳	33.0	43.0
6歳	34.5	43.0
12歳	35.0	43.0
15歳	35.0	43.6
20歳	35.0	44.0

赤血球数(RBC)

男児 ($10^4/\mu L$)

年 齢	下限値	上限値
0か月	290	410
1か月	298	440
3か月	340	500
6か月	380	523
1歳	393	538
2歳	400	540
3歳	405	535
6歳	410	529
12歳	415	540
15歳	425	560
20歳	430	580

女児 ($10^4/\mu L$)

年 齢	下限値	上限値
0か月	290	410
1か月	298	440
3か月	340	500
6か月	380	523
1歳	393	538
2歳	400	535
3歳	405	530
6歳	410	520
12歳	407	510
15歳	400	510
20歳	380	490

巻末資料　血清電解質の正常値

(mEq/L)

ナトリウム(Na)

(mEq/L)

男女 年齢	下限値	上限値
0か月	135	143
1か月	135	143
3か月	135	143
6か月	135	143
1歳	135	143
2歳	135	143
3歳	136	144
6歳	137	144
12歳	138	144
15歳	138	144
20歳	138	144

カリウム(K)

(mEq/L)

男女 年齢	下限値	上限値
0か月	4.1	6.0
1か月	4.2	5.9
3か月	4.1	5.6
6か月	4.0	5.4
1歳	3.6	5.1
2歳	3.6	4.9
3歳	3.6	4.8
6歳	3.6	4.7
12歳	3.6	4.7
15歳	3.7	4.7
20歳	3.7	4.7

クロール(CL)

(mEq/L)

男女 年齢	下限値	上限値
0か月	101	111
1か月	101	111
3か月	101	111
6か月	101	110
1歳	101	110
2歳	101	110
3歳	101	110
6歳	101	110
12歳	102	109
15歳	102	109
20歳	102	109

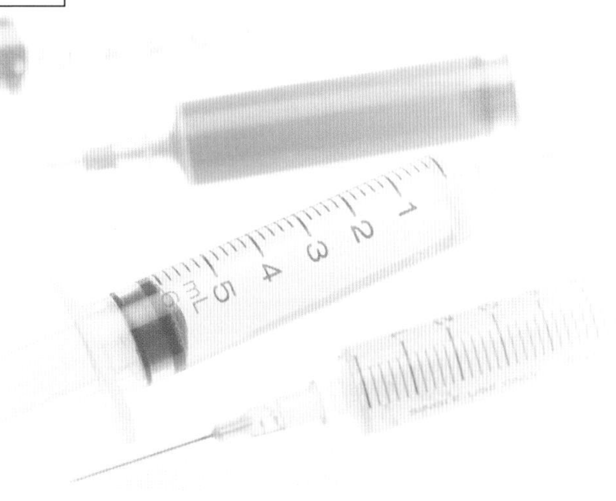

<看護実践の基準>

看護実践の内容

1．看護を必要とする人に身体的、精神的、社会的側面からの手助けを行う。

小児看護を必要とする個人、家族、集団を身体的、精神的、社会的側面から捉え、健康な日常生活を送っていくうえで、身体的、精神的、社会的に、自分のことが自分で行えない、判断することができない、また、自分自身をコントロールできない状態にある子どもとその家族がその人なりの日常生活を送れるよう、発達段階に応じて援助する。

1.1 医療を受けている子どもの成長・発達が妨げられない環境を提供する。

心身共に成長・発達の著しい時期に療養生活を余儀なくされた子どもの病気の回復とその発達段階に応じた発育を促進するために、人･物･時間･空間･きまりなどを含む環境を整え、維持していかなければならない。

1.1.1 できるだけ子どもと養育者が一緒に療養生活を送り、精神的安定が保てるよう支援する。

1.1.2 発達段階に応じた遊びや学習ができる療養環境を整える。

1.1.3 障害されていない部分の発達を妨げない療養環境を整える。

1.1.4 養育者が安心できるような子どもの療養環境を整える。

1.1.5 必要に応じて社会資源が活用できるように支援する。

1.2 子どもの発達段階に応じて、養育者が子どもの療養生活に効果的に関われるよう支援する。

子どもの回復意欲を高め、回復力を発揮するには、発達段階に応じて養育者が効果的に関わることが重要である。看護職者は、養育者と子どもが信頼関係を保ちつつ、子どもがセルフケア能力を育み発揮でき、療養生活を送れるよう支援する。

1.2.1 子どもが養育者との信頼関係を保てるよう支援する。

1.2.2 子どもの理解力に応じて、セルフケア能力を発揮できるように支援する。

1.2.3 養育者が子どもの症状・障害・発達の程度を理解し、その子どもにとって最善の生活を援助できるよう支援する。

1.2.4 養育者が子どもの病状に効果的にかかわれるように、療養生活や治療に必要な知識・技術を獲得できるように支援する。

1.2.5 子どもと養育者の関係を査定し、子どもが順調に発育できるように養育者を支援する。

1.3 発達段階に応じた生活のしかたを工夫し、病状･治療･障害により生じる日常生活行動の制約を最小限にし、発育に障害を残さないように支援する。

療養生活は、時として治療を優先するあまり成長･発達への援助が不十分になる場合がある。看護職者は、一般的な成長・発達や個別の状況を理解した上で、子どもがそれまでに獲得した行動が可能な限り維持できるように援助する。看護職者は、生活環境の変化や障害によって子どもの日常生活行動が制約されていないかどうかアセスメントし、子どもの日常生活行動が制約されている場合は、制約をできるだけ最小限にするよう努める。やむを得ず、子どもの日常生活行動が制約される場合でも、最善の生活ができるように養育者と共に工夫し適切に関わる必要がある。

1.3.1 睡眠行動の変化を理解し、昼夜の逆転、睡眠不足などによって、日常生活のリズムが崩れないように支援する。

1.3.2 摂食行動の発達を理解し、望ましい食習慣の獲得を援助するとともに、誤飲・誤嚥を予防する。

1.3.3 排泄行動の発達を理解し、排泄に対する認識や習慣の獲得を支援し、退行現象・頻尿・便秘などが生じないように支援する。

1.3.4 清潔行動獲得の過程を理解し、清潔の感覚や行動が障害されないように支援する。

1.3.5 移動行動の発達を理解し、転倒、転落を予防するとともに、歩行･運動障害が生じないように支援する。

1.3.6 衣服の着脱行動の獲得過程を理解し、発達段階や可動範囲に応じた自立に向けて支援する。

1.3.7 遊びや学習の発達段階を理解し、その子に応じた意図的なかかわりを通して全身の運動・感覚機能や知的好奇心・社会性の発達を育むように支援する。

1.3.8 家族や友人からの分離や隔離などによって生じる社会性や対人関係の障害を最小限にする。

2．看護を必要とする人が変化によりよく適応できるように支援する。

子どもや養育者が、健康障害によってもたらされた変化を受け入れ、積極的に治療や検査、訓練などに参加できるように援助する。さらに健康レベルの変化に応じた今後のライフスタイルを創造できるよう調整し、安心した生活が送れるように支援する。

2.1　生活のパターン・行動・場の状況の変化を理解し適応できるように支援する。

2.2　人的環境の変化を理解し受け入れることができるように支援する。

2.3　検査や治療などの苦痛・恐怖・不安の程度を最小限にする。

2.4　子どもの人権を尊重し、子どもと養育者には、検査・治療・病状・処置などについて適時に説明をし、納得・了解・理解が得られるよう努める。その際は、子どもの発達に相応しい分かりやすい言葉や絵を用い説明し、診療に協力を得る。

2.5　やむを得ず親子の分離が生じる場合は、それによって生じる影響を理解し、その後の発達に支障がないように支援する。

2.6　養育者の自責・心配・経済的負担について査定し、適切な援助を行う。

2.7　子どもの健康障害によって起こる変化が、同胞の発育の妨げや家族関係の悪化にならないよう支援する。

3．看護を必要とする人を継続的に観察し、判断して問題を予知し、対処する。

子どもや家族、対象者が属する集団を継続して見守り、健康状態や生活状況を判断することによって、今後問題となるような徴候を識別し、適切な援助を行う。

3.1　健康障害の状況に応じた治療、処置が受けられるよう援助を行うとともに、子どもの成長・発達にふさわしいセルフケア能力が開発されるよう支援する。

3.2　健康障害による外見や行動の変化、子どもの成長･発達の過程に及ぼす影響を予測し、養育者が学校の教員、保育士、保健師、訪問看護師、ケースワーカーなどから支援が得られるよう調整する。

3.3　入院などによる子どもの不在や健康障害による家族関係の変化を予測し、育児への不安、ストレス、育児困難などが生じないように調整する。

4．緊急事態に対する効果的な対応を行う。

子どもの病気の進行は、回復するのも速いが悪化するのも速く、急激に緊急事態に陥ることがある。また、誤飲、誤嚥による気道閉塞、不慮の事故や虐待により、生命の危機にさらされる緊急事態が生じる。さらに、子どもの生理的特性やコミュニケーション手段が未発達であることなどから、発見が遅れる危険性が高い。したがって、子どもの緊急事態は一刻を争って適切に対応しなければ後遺症や死を招き易いので、日頃から緊急事態に対応できる体制を整えておく必要がある。

緊急事態に直面した養育者は危機的な状況に陥りやすいため、養育者の反応を査定し対応を適切に行う。

4.1　緊急事態に陥っている子どもの観察、アセスメントを行い、臨時応急の処置を行う。

4.2　物的、人的環境を迅速に整え、患者がより安全、安楽になるよう支援する。

4.3　養育者から情報提供を受けるとともに、治療処置に協力を得る。

4.4　子どもの生理的特性を熟知し、成長・発達に応じて適切な対応を行う。

4.5　子どもの特性、成長・発達に応じた器具、物品を整備し、常に点検しておく。

4.6　関係者と緊急時の対応の仕方について確認しておく。

5．医師の指示に基づき、医療行為を行い、その反応を観察する。

医療行為を実施するにあたっては、子どもや養育者が理解し納得した上で意志決定できるように、分かりやすい言葉を用いて十分に情報を提供する。実施に際しては、不安･恐怖心･疼痛を最小限にするよう努める。

子どもは微量な薬剤量の変化でも大きな影響を受ける可能性が高く、発達段階によっては自分の症状の変化を早期に適切な方法で表現できない場合がある。看護職者は子どもの「泣く」表現を常時敏感に受け止め対応することが重要である。看護職者は、医療行為実施中・実施後はその反応を継続的に注意深く観察し、状況を判断する。医療行為による反応については、適時に医師に情報を提供する。

5.1　医療行為の実施にあたっては、医師によって説明された内容が子どもと養育者に十分理解され、納得されているか確認する。理解が不十分であったり納得していない場合はわかりやすく説明を加え、必要に応じて医師に再度説明を依頼する。

5.2　医療行為が最小限の苦痛で安全に終了できるように、的確な技術と適切な方法・手順・場所を選択する。

5.3　子どもの発達段階、個別性を考慮し、きめ細かい観察を継続して行い、異常を早期に発見する。

5.4　医療行為に対する子どもの反応について観察し、必要な情報を医師に提供する。

6．専門知識に基づく判断を行う。

小児看護領域の専門知識とは、臨床看護の領域に限らず、子どもの権利（人権、教育、親権、養育など）、母子保健医療福祉に関する法律や制度、家族関係、子どもを取り巻く文化や社会環境に関する知識を含んでいる。表１に、小児看護領域の専門知識を、表２には小児看護領域の主なアセスメントの視点を示した。

7．系統的アプローチを通して個別的な看護実践を行う。

子どもは成長・発達段階にあるため、健康状態だけでなく、その子どもの年（月）齢と成長・発達状況の関係を査定するとともに、養育者や家族の養育態度・健康状態・生活環境も査定する。看護職者は関係職種と協働して、援助を必要とする内容を明確にし、計画立案、実施、評価という一連の過程をとおして実践する。

8．看護実践の一連の過程は記録される。

看護実践の一連の過程の記録は、看護職者の思考と行為並びに子どもの反応を示すものである。したがって看護記録は、客観的に記録されなければならない。吟味された記録は、他のケア提供者および子どもの養育者との情報の共有や、ケアの連続性と一貫性に寄与するだけでなく、ケアの評価やケアの向上をはかる上でも貴重な資料となる。また、看護記録は法的資料としても使われる。

8.1　入院前の子どもの普段の行動や反応について養育者から情報収集し、入院後の変化を継続して観察し記録する。

8.2　発達段階に応じたその子どもの表現方法を理解し、子どもが言語や行動で表現したことをできるだけありのままに記録することが重要である。

8.3　疾病・病状・治療・検査などについて、発達段階に応じわかりやすい方法で子どもに説明した場合も、その全過程を記録しなければならない。

8.4　子どもの発達段階によって、疾病などに対する理解力が不十分で治療・検査などの決定権が養育者にある場合は、子どもの現状をどのように受け止めているかについて確認し、面会時の子どもへのかかわりや医療者との対応についても記録する。

9．全ての看護実践は看護職者の倫理規定に基づく。

全ての看護実践は、「看護者の倫理綱領」を行動指針として展開される。子どもは、ひとりの人間として尊重され、その成長・発達する権利や幸せを自ら選ぶ権利が常に保障されなければならない。

小児看護領域で働く看護職者は、「児童の権利に関する条約」を念頭におき、子どもの権利が守られているかを見極めて看護にあたることが重要である（表３）。

看護職者は安易な抑制や拘束、面会制限、運動･遊びの制限、教育を受ける機会の中断、同意していない検査･治療、プライバシーの侵害などが生じないよう配慮し、調和のとれた成長・発達を促すようこころがけなければならない。看護職者は、療養に関する規則やきまりについて、小児の権利が侵害されていないか常に査定し、適宜見直しを行う。

＜看護実践の組織化の基準＞

1．継続的かつ一貫性のある看護を提供するためには組織化が必要であり、組織は理念をもたなければならない。

看護を提供するためには組織化が必要であり、組織は適切で効果的かつ経済的に運営されなければならない。小児の成長・発達を中断させないように、子どもが養育者のそばで療養でき、同年代の子どもと交流したり学習できることを保証する。このため、入院期間を最小限にし、関係諸機関等と連携をはかり、在宅医療･看護を推進する。

また、その組織を運営するための基本的考え方、価値観、社会的有用性などを理念として明示する必要がある。理念の決定にあたっては、国際看護婦協会が示している「看護の定義」「看護婦の定義」「看護婦の規律」や日本看護協会が示している「看護者の倫理綱領」などのほか、「児童憲章」や「児童の権利宣言」、所属機関もしくは施設などの理念と合致していることが重要である。

2．看護実践の組織化並びに運営は看護職管理者によって行われる。

看護を提供するための組織化並びにその運営は、小児看護に精通し、かつ看護管理に関する知識、技術をもつ看護職管理者によって行われるものである。

3．看護職管理者は看護実践に必要な資源管理を行う。

看護を提供するための組織が目的を達成するために、看護職管理者は必要な質と量の人員、物品、経費などを算定・確保し、それを有効に活用する責任を負う。

適切な医療環境を整え、事故や感染から子どもを守るとともに、健全な発達を保証するために、遊びや学習に専念できる場や家族と触れ合える場を整えることが必要である。

小児医療福祉の公的扶助や子どもが療養生活を送る上で必要な情報を有効に活用できるよう資源管理を行う。

4．看護職管理者は、看護スタッフの実践環境を整える。

看護職管理者は、看護の提供を受ける人々に必要な看護体制を保持し、周辺業務の整理を行うとともにボランティア活動の受入れなどを推進することによって、看護職者および看護補助者が小児看護に専念できる環境を整える。

また、対応困難な子どもや家族を受け持っている看護スタッフへの支援体制を整備する。

5．看護職管理者は、看護実践の質を保証すると共に、看護実践を発展させていくための機構を持つ。

看護職管理者は、組織の目的に即した看護実践の水準を維持するために、質の保証と向上のためのプログラムを持ち、最新情報を取り入れ、常に研究的視点に立った活動を行う。

6．看護職管理者は、看護実践及び看護実践組織の発展のために継続教育を保証する。

看護職管理者は、看護職者の看護実践能力を保持し、各人の成長と職業上の成熟を支援するとともに、看護実践組織の力を高めるための教育的環境を提供する。

看護職管理者は、小児看護職者の継続教育において、子どもの発達段階に応じた遊びや学習支援を含む看護実践能力や診療補助のための技術を強化するとともに、その子どもに適した援助方法を創意工夫する能力を高めることが重要である。

表1 小児看護領域の専門知識

1. 小児看護の機能と役割
2. 小児医療・看護の歴史と今後の展望
3. 子どもの権利と看護
4. 母子保健医療福祉に関する法律と制度
5. 小児を取り巻く環境
   1)小児と家族
   2)小児と社会
   3)現代社会と小児の健康障害（環境汚染・事故・児童虐待・小児の生活習慣病・アレルギー・心身障害・心身症・不登校・AIDSなど）
6. 小児の特徴
   1)小児各期の特徴
   2)小児の成長・発達と評価
   3)小児期の発達課題と危機
   4)小児の人格形成
7. 健康障害をもった小児と家族の看護
   1)小児の疾患と治療
   2)小児各期の健康障害とその援助
   3)入院中の小児と家族への援助
   4)入院中の安全な環境の確保
   5)継続看護
   6)小児のターミナルケア
8. 小児看護に必要な看護技術
   1)観察　2)コミュニケーション
   3)日常生活の援助　4)身体の計測
   5)安静　6)移動・移送
   7)固定・抑制　8)与薬・注射(輸液・輸血を含む)
   9)採血・採尿　10)腰椎・骨髄穿刺
   11)酸素療法　12)経管栄養
   13)吸引・吸入　14)気道の確保
9. 子どもと遊び

表2 小児看護領域の主なアセスメントの視点

1. 生育歴
2. 病歴
3. アレルギー・小児感染症の既往
4. 小児と家族の疾病や治療の理解
5. 外観・容貌・活気・反応
6. 成長・発達段階と障害されている機能
   1)呼吸・循環機能 2)運動機能
   3)感覚・知覚機能 4)認知機能
   5)脳神経機能 6)栄養・代謝機能
   7)排泄機能 8)性・生殖機能
7. 生活習慣
   1)摂食行動 2)排泄行動
   3)睡眠・休息行動
   4)衣服の着脱行動
   5)清潔行動 6)移動行動
   7)遊び・学習行動 8)対人行動
8. 自己知覚・自己概念
9. 家族関係
10. 生活環境(住居・保育・教育・経済・宗教など)
11. 社会資源の利用の必要性

表3　小児看護領域で特に留意すべき子どもの権利と必要な看護行為

〔説明と同意〕
① 子どもは、その成長・発達の状況によって、自らの健康状態や行われている医療を理解することが難しい場合がある。しかし、子どもたちは、常に子どもの理解しうる言葉や方法を用いて、治療や看護に対する具体的な説明を受ける権利がある。
② 子どもが受ける治療や看護は、基本的に親の責任においてなされる。しかし、子ども自身が理解・納得することが可能な年齢や発達状態であれば、治療や看護について判断する過程に子どもは参加する権利がある。

〔最小限の侵襲〕
① 子どもが受ける治療や看護は、子どもにとって侵襲的な行為となることが多い。必要なことと認められたとしても子どもの心身にかかる侵襲を最小限にする努力をしなければならない。

〔プライバシーの保護〕
① いかなる子どもも、恣意的にプライバシーが干渉され又は名誉及び信用を脅かされない権利がある。
② 子どもが医療行為を必要になった原因に対して、本人あるいは保護者の同意なしに、そのことを他者に知らせない。特に、保育園や学校など子どもが集団生活を営んでいるような場合は、本人や家族の意志を十分に配慮する必要がある。
③ 看護行為においてもおとなの場合と同様に、身体の露出を最低限にするなどの配慮が必要である。

〔抑制と拘束〕
① 子どもは抑制や拘束をされることなく、安全に治療や看護を受ける権利がある。
② 子どもの安全のために、一時的にやむを得ず身体の抑制などの拘束を行う場合は、子どもの理解の程度に応じて十分に説明する。あるいは、保護者に対しても十分に説明を行う。その拘束は、必要最小限にとどめ、子どもの状態に応じて抑制を取り除くよう努力をしなければならない。

〔意志の伝達〕
① 子どもは、自分に関わりのあることについての意見の表明、表現の自由について権利がある。
② 子どもが自らの意志を表現する自由を妨げない。子ども自身がそのもてる能力を発揮して、自己の意志を表現する場合、看護師はそれを注意深く聞き取り、観察し、可能な限りその要求に応えなければならない。

〔家族からの分離の禁止〕
① 子どもは、いつでも家族と一緒にいる権利をもっている。看護師は、可能な限りそれを保証しなければならない。
② 面会人、面会時間の制限、家族の付き添いについては、子どもと親の希望に応じて考慮されなければならない。

〔教育・遊びの機会の保証〕
① 子どもは、その能力に応じて教育を受ける機会が保証される。
② 幼い子どもは、遊びによってその能力を開発し、学習に繋げる機会が保証される。また、学童期にある子どもは、病状に応じた学習の機会が準備され活用されなければならない。
③ 子どもは多様な情報（テレビ、ラジオ、新聞、映画、図書など）に接する機会が保証される。

〔保護者の責任〕
① 子どもは保護者からの適切な保護と援助を受ける権利がある。
② 保護者がその子どもの状況に応じて適切な援助ができるように、看護師は支援しなければならない。

〔平等な医療を受ける〕
① 子どもは、国民のひとりとして、平等な医療を受ける権利を持つ。親の経済状態、社会的身分などによって医療の内容が異なることがあってはならない。
② その子にとって必要な医療や看護が継続して受けられ、育成医療などの公的扶助が受けられるよう配慮されなければならない。

名称	検討期間及び公表年月	ワーキンググループ委員	業務委員会委員		担当常任理事
小児看護領域の看護業務基準	検討期間：1996～98年 公表年月：1999年11月	（1996～98年） 大熊紀代子 岡部純子 尾花由美子 野原千代子 堀 喜久子	（1996～97年） 安藤幸子 井部俊子 岡部純子 上泉和子 楠本万里子 森 恵美 横田喜久恵	（1998年） 安藤幸子 井部俊子 岡部純子 上泉和子 楠本万里子 高橋美智 森 恵美 横田喜久恵	（1996～97年） 高橋美智 （1998年） 菊地令子

日本看護協会：小児看護領域の看護業務基準．日本看護協会看護業務基準集 2007年改訂版 より

参考文献

CHAPTER 観察

1) 片田範子監修：実践看護技術学習支援テキスト 小児看護学. 日本看護協会出版会, 2005.
2) 岡崎美智子監修：看護技術実習ガイド4 臨床看護技術(母性・小児編) - その手順と根拠 - . メヂカルフレンド社,1996.
3) 阿部正和：看護生理学. メヂカルフレンド社,1985.
4) 神奈川県看護協会編：小児救急看護支援ガイドライン. 神奈川県看護協会, 2006.
5) 日本看護協会編：小児慢性疾患患者の退院調整に関する指針. 日本看護協会, 2005.
6) 平山宗宏：乳幼児健診. 小児科臨床 59(4):567 - 571, 2006.
7) 宮本信也：児童虐待の現状と問題点. 小児科診療 68(2):201 - 207, 2005.
8) 奥山眞紀子：児童虐待の分類と概要. 小児科診療 68(2):208 - 214, 2005.
9) 田辺卓也, 他：小児科外来と虐待の発見. 小児科診療 68(2):215 - 220, 2005.
10) 日本看護協会編：小児看護領域の看護業務基準 小児看護領域で特に留意すべき子どもの権利と必要な看護行為. 日本看護協会,1999.
11) 氏家幸子監修：母子看護学 小児看護技術. 廣川書店, 2002.
12) 吉武香代子監修：子どもの看護技術. へるす出版, 1995.
13) 上澤克昭：発熱. 小児看護 28(3):265 - 269, 2005.
14) 伊藤龍子, 他：平成17年度日本看護協会看護政策研究事業委託研究. 小児救急医療における看護師のトリアージの有効性に関する研究 研究報告書. 日本看護協会, 2006.
15) 西田志穂：小児救急医療におけるトリアージ診療報酬. 小児看護(37)9:1179 - 1185, 2014.
16) 医療情報科学研究所：看護がみえる vol.3 フィジカルアセスメント 第1版.メディックメディア,2019
17) 日本救急医学会,日本救急看護学会,日本小児救急医学会,日本臨床救急医学会：緊急度判定支援システム JTAS2017ガイドブック 第2版.へるす出版,2020

CHAPTER 2 コミュニケーション

1) 片田範子監修：実践看護技術学習支援テキスト 小児看護学. p38 - 52, 日本看護協会出版会, 2005.
2) 岡崎美智子監修：看護技術実習ガイド4 臨床看護技術(母性・小児編) - その手順と根拠 - .メヂカルフレンド社, 1996.
3) 日本看護協会編：小児慢性疾患患者の退院調整に関する指針. 日本看護協会, 2005.
4) 日本看護協会編：小児看護領域の看護業務基準 小児看護領域で特に留意すべき子どもの権利と必要な看護行為 . 日本看護協会, 1999.
5) 及川郁子監修・編著：新版小児看護叢書1 健康な子どもの看護. メヂカルフレンド社, 2005.
6) 筒井真優美：小児看護における臨床判断と技のモデル構築. 平成14年度～17年度科学研究費補助金研究成果報告書, 2006.
7) 筒井真優美：病気のストレスと戦う子どもたちとその家族 ～子どもと家族からのメッセージを読みとる～ . チャイルドヘルス 7(3):9 - 13, 2004.
8) 庄司順一：発達研究の動向. チャイルドヘルス 9(3):4 - 7, 2006.
9) 岡田洋子, 他：小児看護学2 小児の主要症状とケア技術. 医歯薬出版, 2001.
10) 村井潤一編：発達の理論をきずく. 別冊『発達』4:127 - 162, 1986.
11) 病児の遊びと生活を考える会編：入院児のための遊びとおもちゃ . 中央法規,1999.
12) 筒井真優美編:これからの小児看護 - 子どもと家族の声が聞こえていますか. 南江堂, 1998.
13) 福沢周亮, 桜井俊子編著：看護コミュニケーション. p14 - 21, 教育出版, 2006.

14) 岡谷恵子：コミュニケーション・スキルの基礎理解に向けて，インターナショナルナーシングレビュー19(1):4 - 8, 1996.
15) 及川郁子監修：新版小児看護叢書2 病と共に生きる子どもの看護. p85 - 96, メヂカルフレンド社, 2005.
16) 及川郁子監修：小児看護ベストプラクティス フィジカルアセスメントと救急対応. p228,中山書店, 2014.
17) 板橋家頭夫監修：小児の診察技法. p150 - 151, メジカルビュー社, 2010.
18) 馬場一雄監修：新版小児生理学. p210 - 211, へるす出版, 2009.
19) ジョイス・エンゲル著, 塚原正人監訳：小児の看護アセスメント. p223 - 233, 医学書院, 2001.
20)片田範子監修：実践看護技術学習支援テキスト 小児看護学. p103 - 120, 日本看護協会出版会, 2005.

インターネット

★ チャイルドビジョン(幼児視野体験メガネ).
http://www.fukushihoken.metro.tokyo.jp/kodomo/shussan/nyuyoji/child_vision.html (2014.12)
http://www.honda.co.jp/safetyinfo/kyt/partner/partner3.html(2014.12)

CHAPTER 3 プレパレーション

1) 田中恭子編著：プレパレーションガイドブック. 日総研出版, 2006.
2) 及川郁子監修：小児看護ベストプラクティス チームで支える！ 子どものプレパレーション. p20 - 25, 中山書店, 2012.
3) 及川郁子監修：小児看護ベストプラクティス チームで支える！ 子どものプレパレーション. p84 - 93, 中山書店, 2012.
4) 及川郁子, 田代弘子編：病気の子どもへのプレパレーション. p2 - 17, 中央法規, 2007.
5) 五十嵐隆, 及川郁子, 林富, 藤村正哲監修：ガイダンス 子ども療養支援 医療を受ける子どもの権利を守る. p127 - 136, 中山書店, 2014.

インターネット

★ 国際キワニス日本地区：キワニスドール.
http://www.japankiwanis.or.jp/index.php?id=740(2014.12)

CHAPTER 4 日常生活の援助

1) 片田範子監修：実践看護技術学習支援テキスト 小児看護学.日本看護協会出版会, 2005.
2) 岡崎美智子監修：看護技術実習ガイド4 臨床看護技術(母性・小児編) - その手順と根拠 - .メヂカルフレンド社,1996.
3) 木口チヨ, 小林八代枝：イラスト小児の生活援助 - 病院・家庭におけるケアの徹底図解 - 子どもにかかわるすべての人に. 文光堂, 2001.
4) 細谷亮太監修：新版 はじめての育児百科 気がかりと心配ごとをすべて解消.主婦の友社, 2004.
5) 氏家幸子監修：母子看護学 小児看護技術. 廣川書店, 2002.
6) 岡田洋子, 他：小児看護学2 小児の主要症状とケア技術. 医歯薬出版, 2001.
7) 病児の遊びと生活を考える会編：入院児のための遊びとおもちゃ . 中央法規,1999.
8) 佐地勉, 竹内義博, 原寿郎編著：ナースの小児科学. 中外医学社, 2011.

CHAPTER 5 身体の計測

1) 片田範子監修：実践看護技術学習支援テキスト 小児看護学. 日本看護協会出版会, 2005.
2) 岡崎美智子監修：看護技術実習ガイド4 臨床看護技術(母性・小児編) - その手順と根拠 - .メヂカルフレンド社,1996.
3) 及川郁子監修・編著：新版小児看護叢書1 健康な子どもの看護. メヂカルフレンド社, 2005.
4) 五十嵐隆編：小児看護. 文光堂, 2004.
5) 山口規容子, 早川浩訳：ヒトの成長と発達. メディカル・サイエンス・インターナショナル, 2001.
6) 宮田市郎：身長, 体重, 頭囲, 胸囲, 腹囲, 上・下肢長の測定. 小児内科 38(5):836 - 839, 2006.
7) 宮田市郎：体温, 血圧の測定. 小児内科 38(5):840 - 842, 2006.
8) 氏家幸子監修：母子看護学 小児看護技術. 廣川書店, 2002.

インターネット

★ 厚生労働省：平成22年 乳幼児身体発育調査報告書 <平成23年10月>.
http://www.mhlw.go.jp/houdou/2r985200000lt3so.html

CHAPTER 6 安 静

1) 片田範子監修：実践看護技術学習支援テキスト 小児看護学. 日本看護協会出版会, 2005.
2) 岡崎美智子監修：看護技術実習ガイド4 臨床看護技術(母性・小児編) - その手順と根拠 - .メヂカルフレンド社,1996.
3) 日本看護協会編：小児看護領域の看護業務基準 小児看護領域で特に留意すべき子どもの権利と必要な看護行為 . 日本看護協会, 1999.
4) 柳川幸重, 新實了：固定・保持法. 小児内科 38(5):843 - 844, 2006.
5) 山本直子：抑制時の観察と看護の留意点. 小児看護 23(12):1612 - 1618, 2000.
6) 濱田米紀：精神的苦痛に対するアプローチとケア. 小児看護 23(12):1619 - 1623, 2000.
7) 横山由美：抑制. 小児看護 22(9):1135 - 1141,1999.
8) 秋山洋子, 大野薫, 塚越恵美子, 今村住子：抑制具の種類・適応と抑制方法. 小児看護 23(12):1566 - 1571, 2000.
9) 青木優子, 佐藤真理子, 永澤嘉代子：輸液ライン・各種チューブ. 小児看護 28(10):1361 - 1370, 2005.

CHAPTER 7 移動・移送

1) 片田範子監修：実践看護技術学習支援テキスト 小児看護学. 日本看護協会出版会, 2005.
2) 岡崎美智子監修：看護技術実習ガイド4 臨床看護技術(母性・小児編) - その手順と根拠 - .メヂカルフレンド社,1996.

CHAPTER 8 安 全

1) 片田範子監修：実践看護技術学習支援テキスト 小児看護学. 日本看護協会出版会, 2005.
2) 岡崎美智子監修：看護技術実習ガイド4 臨床看護技術(母性・小児編) - その手順と根拠 - .メヂカルフレンド社,1996.
3) 及川郁子監修・編著：新版小児看護叢書1 健康な子どもの看護. メヂカルフレンド社, 2005.

参考文献

4) 筒井真優美：小児看護における臨床判断と技のモデル構築. 平成14年度～17年度科学研究費補助金研究成果報告書, 2006.
5) 田中哲郎：新・子どもの事故防止マニュアル. 診断と治療社, 2003.
6) 宮下絹代, 齋藤美佐子：転倒・転落. 小児看護 28(10):1352 - 1360, 2005.
7) 筒井真優美編：これからの小児看護—子どもと家族の声が聞こえていますか. 南江堂,1998.
8) 小島操子, 時安眞智子編：看護のコツと落とし穴⑤ 小児看護. 中山書店, 2000.
9) 氏家幸子監修：母子看護学 小児看護技術. 廣川書店, 2002.
10) 岡田洋子, 他：小児看護学2 小児の主要症状とケア技術. 医歯薬出版, 2001.
11) 奈良間美保,他編：小児臨床看護各論 小児看護学②. 医学書院, 2010.
12) 及川郁子監修：小児看護ベストプラクティス 小児のための看護マネジメント. 中山書店, 2013.

CHAPTER 9 与薬

1) 片田範子監修：実践看護技術学習支援テキスト 小児看護学. 日本看護協会出版会, 2005.
2) 岡崎美智子監修：看護技術実習ガイド4 臨床看護技術(母性・小児編) - その手順と根拠 - .メヂカルフレンド社,1996.
3) 氏家幸子監修：母子看護学 小児看護技術. 廣川書店, 2002.
4) 筒井真優美：小児看護における臨床判断と技のモデル構築. 平成14年度～17年度科学研究費補助金研究成果報告書, 2006.
5) 横田俊平, 田原卓浩, 橋本剛太郎編：小児の薬の選び方・使い方 小児科医の手の内を公開！. 南山堂, 2003.
6) 香坂隆夫, 佐伯守洋監訳：小児のベッドサイド基本手技アトラス. メディカル・サイエンス・インターナショナル, 2001.
7) 冨澤宣明, 坂本治彦：子どもの薬(内服薬)の上手な飲ませ方. チャイルドヘルス 9(6):16 - 21, 2006.
8) 長田暁子：くすり ～子どもが薬を服用することをどう支えるか～. チャイルドヘルス 7(3):14 - 16, 2004.
9) 小林寛伊：21世紀のINFECTION CONTROL④ 病院感染対策と血管内留置カテーテル関連 感染防止のためのガイドライン. 白十字株式会社, 2003.
10) 青木優子, 佐藤真理子, 永澤嘉代子：輸液ライン・各種チューブ. 小児看護 28(10):1361 - 1370, 2005.
11) 築地由美子, 高井孝子：与薬. 小児看護 28(10): 1330 - 1337, 2005.
12) 小島操子, 時安眞智子編：看護のコツと落とし穴⑤ 小児看護. 中山書店, 2000.
13) 末廣豊：処方せんを出す際の注意点. チャイルドヘルス9(6): 11 - 15, 2006.

CHAPTER 10 検体採取

1) 片田範子監修：実践看護技術学習支援テキスト 小児看護学.日本看護協会出版会, 2005.
2) 岡崎美智子監修：看護技術実習ガイド4 臨床看護技術(母性・小児編) - その手順と根拠 - .メヂカルフレンド社, 1996.
3) 柳川幸重：採血. 小児看護 38(5): 845 - 847, 2006.
4) 渋谷和彦：血管確保 動脈, 中心静脈カテーテル, 骨髄針. 小児看護 38(5): 853 - 857, 2006.
5) 市川光太郎：小児救急医療と臨床検査. 小児看護 28(4): 390 - 396, 2005.
6) 山門實編：ナースのための水・電解質・輸液の知識 第2版. 医学書院, 2004.
7) 橋本信也：症状の起こるメカニズム. 医学書院, 1995.
8) 下条直樹：咽頭培養, 喀痰培養, 鼻咽腔培養, 小児看護 38(5): 886 - 888, 2006.

CHAPTER 11 腰椎・骨髄穿刺

1) 片田範子監修：実践看護技術学習支援テキスト 小児看護学. 日本看護協会出版会, 2005.
2) 岡崎美智子監修：看護技術実習ガイド4 臨床看護技術（母性・小児編）- その手順と根拠 - .メヂカルフレンド社,1996.
3) 氏家幸子監修：母子看護学 小児看護技術. 廣川書店, 2002.
4) 小嶋靖子：腰椎穿刺,骨髄穿刺. 小児内科 38(5): 879 - 882, 2006.
5) 香坂隆夫, 佐伯守洋監訳：小児のベッドサイド基本手技アトラス. メディカル・サイエンス・インターナショナル, 2001.
6) 河野陽一編：小児救急外来診療マニュアル. 医学芸術社, 2004.
7) J.W.Rohen, 横地千仭：解剖学カラーアトラス 第3版. 医学書院, 1994.
8) 鴨下重彦, 柳澤正義監修：こどもの病気の地図帳. 講談社, 2002.
9) 大府正治：検体検査 - 髄液検査. 小児科診療 68(5): 823 - 827, 2005.
10) 小島操子, 時安眞智子編：看護のコツと落とし穴⑤ 小児看護. 中山書店, 2000.

CHAPTER 12 酸素療法

1) 片田範子監修：実践看護技術学習支援テキスト 小児看護学. 日本看護協会出版会, 2005.
2) 岡崎美智子監修：看護技術実習ガイド4 臨床看護技術（母性・小児編）- その手順と根拠 - .メヂカルフレンド社,1996.
3) 上田康久：呼吸管理 酸素投与. 小児内科 38(5): 909 - 912, 2006.
4) 宮本顕二：経鼻的低流量（低濃度）酸素吸入に酸素加湿は必要か?. 日本呼吸器学会雑誌 42(2) :138 - 144, 2004.
5) 宮本顕二監修：インスピロン看護基準. 小林製薬株式会社, 2006.
6) 小川謙, 三上剛人：酸素投与時の加湿は必要なのか?. ナーシングトゥデイ20(9): 41, 2005.
7) 村上美好監修：写真でわかる基礎看護技術①. インターメディカ, 2005.
8) 竹尾恵子監修：Latest 看護技術プラクティス. 学習研究社, 2003.
9) 坪井良子, 他監修：基礎看護学第2版 考える基礎看護技術Ⅱ 看護技術の実際. ヌーヴェルヒロカワ, 2003.
10) 鳥原由美子, 他：酸素. 小児看護 22(9): 1200 - 1205,1999.
11) 和田攻編：実践臨床看護手技ガイド 手順に沿って図解した手技のすべて 第2版. 文光堂, 2004.
12) 小島操子, 時安眞智子編：看護のコツと落とし穴⑤ 小児看護. 中山書店, 2000.
13) 日本小児アレルギー学会監修：家族と専門医が一緒に作った 小児ぜんそくハンドブック2008. 協和企画, 2008.

CHAPTER 13 経管栄養法

1) 片田範子監修：実践看護技術学習支援テキスト 小児看護学. 日本看護協会出版会, 2005.
2) 岡崎美智子監修：看護技術実習ガイド4 臨床看護技術（母性・小児編）- その手順と根拠 - .メヂカルフレンド社,1996.
3) 児玉浩子：胃カテーテル, 十二指腸カテーテル, 排便誘発. 小児内科 38(5): 871 - 874, 2006.
4) 香坂隆夫, 佐伯守洋監訳：小児のベッドサイド基本手技アトラス. メディカル・サイエンス・インターナショナル, 2001.
5) 深井喜代子：Q&Aでよくわかる！ 看護技術の根拠本 - エビデンスブック - . メヂカルフレンド社, 2004.
6) 畑尾正彦, 森美智子監修：ナースのためのチューブ管理マニュアル. 学習研究社,1998.

参考文献

7) 吉武香代子監修：子どもの看護技術. へるす出版,1995.
8) 小島操子, 時安眞智子編：看護のコツと落とし穴⑤ 小児看護. 中山書店, 2000.
9) 岡田洋子, 他：小児看護学2 小児の主要症状とケア技術. 医歯薬出版, 2001.
10) 岡田正監修：最新 栄養アセスメント・治療マニュアル. 医学芸術社, 2002.
11) 冨家有香：経鼻管法の必要物品とその実際は?. 臨床看護 30(4):472, 2004.
12) 山元恵子監修：写真でわかる経鼻栄養チューブの挿入と管理. インターメディカ, 2011.
13) 藤森まり子, 大野綾, 藤島一郎：経鼻胃経管栄養法における新しい胃チューブ挿入技術としての頸部回旋法. 日本看護技術学会誌4(2):14 - 21, 2005.
14) 犬山知子編：経管栄養を必要とする子どもの看護. 小児看護36(7), 2013.

CHAPTER 14 吸入

1) 片田範子監修：実践看護技術学習支援テキスト 小児看護学. 日本看護協会出版会, 2005.
2) 岡崎美智子監修：看護技術実習ガイド4 臨床看護技術(母性・小児編) - その手順と根拠 - . メヂカルフレンド社,1996.
3) 今井丈英：呼吸管理 吸入, 吸引(鼻咽頭, 気管), 気管内洗浄. 小児内科 38(5): 891 - 899, 2006.
4) 深井喜代子：Q&Aでよくわかる! 看護技術の根拠本 - エビデンスブック - . メヂカルフレンド社, 2004.
5) 吉武香代子監修：子どもの看護技術. へるす出版, 1995.
6) 宮本顕二監修：インスピロン看護基準. 小林製薬株式会社, 2006.
7) 国元文生：吸入療法の種類, 呼吸管理 専門医にきく最新の臨床. 中外医学社, 2003.
8) 森川昭廣, 西間三馨監修：小児気管支喘息治療・管理ガイドライン2005. 協和企画, 2005.
9) 村上美好監修：写真でわかる基礎看護技術①. インターメディカ, 2005.
10) 川島みどり編著：改訂版 実践的看護マニュアル 共通技術編. 看護の科学社, 2002.
11) 奈良間美保監修：小児の在宅看護 子どもと家族を主体とした支援. 小児看護37(8), 2014.

CHAPTER 15 吸引

1) 片田範子監修：実践看護技術学習支援テキスト 小児看護学. 日本看護協会出版会, 2005.
2) 岡崎美智子監修：看護技術実習ガイド4 臨床看護技術(母性・小児編) - その手順と根拠 - . メヂカルフレンド社,1996.
3) 氏家幸子監修：母子看護学 小児看護技術. 廣川書店, 2002.
4) 今井丈英：呼吸管理 吸入, 吸引(鼻咽頭, 気管), 気管内洗浄. 小児内科 38(5): 891 - 899, 2006.
5) 深井喜代子：Q&Aでよくわかる! 看護技術の根拠本 - エビデンスブック - . メヂカルフレンド社, 2004.
6) 香坂隆夫, 佐伯守洋監訳：小児のベッドサイド基本手技アトラス. メディカル・サイエンス・インターナショナル, 2001.
7) 畑尾正彦, 森美智子監修：ナースのためのチューブ管理マニュアル. 学習研究社,1998.
8) 吉武香代子監修：子どもの看護技術. へるす出版, 1995.
9) 正津晃, 山林一, 前田マスヨ, 堀江朝子監修：新図説臨床看護シリーズ 第10巻 小児看護1. 学習研究社,1995.
10) 岡田洋子, 他：小児看護学2 小児の主要症状とケア技術. 医歯薬出版, 2001.
11) 小島操子, 時安眞智子編：看護のコツと落とし穴⑤ 小児看護. 中山書店, 2000.
12) 村上美好監修：写真でわかる基礎看護技術①. インターメディカ, 2005.
13) 奈良間美保監修：小児の在宅看護 子どもと家族を主体とした支援. 小児看護37(8), 2014.

CHAPTER 16 救命救急処置

1) 片田範子監修：実践看護技術学習支援テキスト 小児看護学.日本看護協会出版会, 2005.
2) 岡崎美智子監修：看護技術実習ガイド4 臨床看護技術(母性・小児編) - その手順と根拠 - . メヂカルフレンド社,1996.
3) 氏家幸子監修：母子看護学 小児看護技術. 廣川書店, 2002.
4) 市川光太郎：救命 非挿管下人工呼吸. 小児内科 38(5): 916 - 921, 2006.
5) 市川光太郎：救命 気管挿管とバギング. 小児内科 38(5): 922 - 927, 2006.
6) 市川光太郎：救命 心臓マッサージ, 除細動. 小児内科 38(5): 928 - 934, 2006.
7) 和田攻, 南裕子, 小峰光博編：看護大事典. 医学書院, 2002.
8) 北澤克彦, 松本弘, 本多昭仁：呼吸不全への対応. 小児看護 29(7): 843 - 849, 2006.
9) 松月みどり監修：写真でわかる急変時の看護 第3版. インターメディカ, 2014.
10) 竹尾惠子監修：Latest 看護技術プラクティス. 学習研究社, 2003.
11) 岡元和文編：ナーシングケアQ&A 人工呼吸器とケアQ&A 基本用語からトラブル対策まで. 総合医学社, 2004.
12) American Heart Association:BLSヘルスケアプロバイダー受講者マニュアル AHAガイドライン2010準拠. シナジー , 2011.
13) American Heart Association:PALSプロバイダーマニュアル AHAガイドライン2010準拠. シナジー , 2011.
14) 及川郁子監修:小児看護ベストプラクティス フィジカルアセスメントと救急対応. p50 - 55, 中山書店, 2014.
15)一般社団法人日本蘇生協議会監修：JRC蘇生ガイドライン2020. 医学書院, 2021.

インターネット

★ 一般社団法人日本蘇生協議会：第3章 小児の蘇生(PLS). JRC蘇生ガイドライン2015オンライン版 http://www.japanresuscitationcouncil.org/jrc蘇生ガイドライン2015/(2017.2)

CHAPTER 17 医療的ケア児への在宅看護

1) 厚生労働省：医療的ケア児及びその家族に対する支援に関する法律(令和3年法律第81号) https://www.mhlw.go.jp/content/000801675.pdf(2022.5)
2) 厚生労働省 令和元年度障害者総合福祉推進事業：医療的ケア児者とその家族の生活実態調査報告書 令和2年3月 https://www.mhlw.go.jp/content/12200000/000653544.pdf(2022.5)
3) 厚生労働省社会・援護局 障害保健福祉部障害福祉課：「令和3年度報酬改定における医療的ケア児に係る報酬(児童発達支援及び放課後等デイサービス)の取り扱い等について」 https://www.mhlw.go.jp/content/000763142.pdf(2022.5)
4) 前田浩利編：実践!!小児在宅医療ナビ.南山堂,2015.
5) 船戸正久,高田哲編著：改訂2版 医療従事者と家族のための小児在宅医療支援マニュアル.メディカ出版,2010.
6) 田村正徳監修,梶原厚子編著：在宅医療が必要な子どものための図解ケアテキストQ&A.メディカ出版,2017.
7) 梶原厚子編著：子どもが元気になる在宅ケア.南山堂,2017.
8) 鈴木康之,舟橋満寿子監修：写真でわかる 重症心身障害児(者)のケア アドバンス.インターメディカ,2018.

巻末資料

国立成育医療研究センター病院編：小児臨床検査マニュアル. 診断と治療社, 2013.

監修者・執筆者プロフィール

【監修】【執筆】山元 恵子
公益社団法人 東京都看護協会 会長

1976年　国立国府台病院
1980年　国立療養所中野病院
1992年　国立小児病院・国立成育医療センター
2004年　東京北社会保険病院
2008年　春日部市立病院
2010年　富山福祉短期大学
2016年　公益社団法人 東京都看護協会

MESSAGE

超少子高齢時代のなかで、小児看護はこれまで以上に子どもと家族の健康と未来をサポートする支援が求められています。病気や障がいの有無にかかわらず、世界中の子どもたちが元気で成長できるように安全で確実な看護の「わざ」と「こころ」を身につけて発展させて下さい。

【編著】佐々木 祥子
公益社団法人 東京都看護協会
小児看護専門看護師

1989年　国立小児病院・国立成育医療センター
2004年　東京北社会保険病院・東京北医療センター
2015年　春日部市立医療センター
2017年　公益社団法人 東京都看護協会

MESSAGE

私たちが看護の対象とする子どもたちは、年齢の幅が広く、それぞれに応じた細かい対応が求められます。子どもたちが自分の置かれた状況をその子なりに理解し、立ち向かっていくとき、看護師として少しでも支えになれたらと思います。その思いから、今まで小児看護にかかわり続けています。
医療の場面で不安を抱える子どもたちは、看護師の笑顔にどれだけ救われているかしれません。本書で紹介した確かな看護技術と笑顔で、これからも子どもたちの強い味方になっていきましょう。

【執筆】風間 敏子
元内藤病院 看護部長兼看護師長

1976年　福島県公立岩瀬病院
1977年　日本赤十字社医療センター
1982年　国立小児病院・国立成育医療センター
2003年　国立病院機構宇都宮病院
2005年　東京北社会保険病院
2009年　東京ベイ・浦安市川医療センター
2010年　台東区立台東病院
2014年7月 難病子ども支援全国ネットワーク電話相談室
2018年1月 内藤病院

MESSAGE

私たち看護師は、ケアを精一杯した子どもたちが元気に笑顔を取り戻していく姿に、うれしくやりがいを感じます。子どもは自分の感情がはっきり伝えられないため、看護師の観察力が大事になってきます。また、採血や点滴などの看護技術も、成人と比べて難しいです。
本書で紹介した看護技術、観察のポイントを身に着け、子供たちの笑顔を見れるように支援していきましょう。

【執筆】小沼 貴子
公益社団法人地域医療振興協会
東京北医療センター 小児病棟看護師長
小児救急看護認定看護師

1998年　東京厚生年金病院
2004年　東京北社会保険病院・東京北医療センター

MESSAGE

私は、子どもたちとのかかわりの中で、子どものもっている力の大きさに、感動を覚えています。看護師は、その力を最大限に引き出すことが、役割であると考えています。
子どもたちが早く元気に、笑顔となるよう、本書で看護技術を学び支援していきましょう。

2020年 1月 20日 初版 第1刷発行
2021年 5月 10日 初版 第3刷発行
2022年 7月 20日 第2版 第1刷発行
2023年 1月 20日 第2版 第2刷発行

[監　修] 山元恵子
[編　著] 佐々木祥子
[発行人] 赤土正明
[発行所] 株式会社インターメディカ
〒102-0072　東京都千代田区飯田橋2-14-2
TEL.03-3234-9559　FAX.03-3239-3066
URL　http://www.intermedica.co.jp
[印　刷] 図書印刷株式会社

[デザイン・DTP] 真野デザイン事務所

ISBN978-4-89996-451-3
定価はカバーに表示してあります。